Teresa Berger

„Theologie in Hymnen"?

Zum Verhältnis von Theologie und
Doxologie am Beispiel der
*„Collection of Hymns for the use
of the People called Methodists"*
(1780)

Münsteraner Theologische Abhandlungen (MThA)

Herausgegeben von
Arnold Angenendt, Klemens Richter
Herbert Vorgrimler, Erich Zenger
Professoren der Katholisch-Theologischen Fakultät
der Universität Münster

6

Teresa Berger, „Theologie in Hymnen"? Zum Verhältnis von Theologie und Doxologie am Beispiel der „Collection of Hymns for the use of the People called Methodists" (1870).

Telos-Verlag, Altenberge 1989, 234 S., DM 29,80
ISBN: 3-89375-015-0

Teresa Berger

Theologie in Hymnen?

Zum Verhältnis von Theologie
und Doxologie am Beispiel der
„Collection of Hymns for the use of the
People called Methodists" (1780)

TELOS VERLAG
ALTENBERGE

Umschlag: D. Rayen, Altenberge

Alle Rechte vorbehalten, 1989
Telos-Verlag, Altenberge
Postfach 11 45
D 4417 Altenberge
Tel. (02505) 3534

ISBN 3-89375-015-0

D 6

Vorwort

Die hier vorliegende Untersuchung stellt die (für die Drucklegung geringfügig erweiterte) Fassung meiner liturgiewissenschaftlichen Dissertation dar. Ich möchte dem Fachbereich Katholische Theologie der Westfälischen Wilhelms-Universität in Münster danken, der diese Untersuchung im Sommersemester 1989 als Inaugural-Dissertation annahm. Ein besonderer Dank geht an Prof. Dr. Klemens Richter, der die Arbeit betreute und mir auf dem Weg zur Promotion vielfache Unterstützung gewährte. Wichtig waren mir auch die Diskussion mit und das Zweitgutachten von Prof. Dr. Heinz-Günther Stobbe sowie die Unterstützung von Herrn Dekan Prof. Dr. Herbert Vorgrimler.

Mein Dank gilt der Deutschen Forschungsgemeinschaft für ein Stipendium, das es mir 1984/1985 ermöglichte, die Forschungsarbeiten für die nun vorliegende Untersuchung aufzunehmen, sowie der Universität Münster für den gewährten Druckkostenzuschuß.

Den Herausgebern der "Münsteraner Theologischen Abhandlungen" danke ich für die Aufnahme in diese Reihe.

Gewidmet ist dieses Buch der Theologischen Fakultät der Duke University in Durham (USA). Ich habe an dieser Fakultät, an der ich seit 1985 lehre, nicht nur wirkliche Offenheit und Unterstützung für meine Arbeit gefunden, sondern auch eine wissenschaftliche Heimat - dies zu einer Zeit, in der die jüngere Generation von Wissenschaftler/innen in meiner eigentlichen Heimat dies nicht unbedingt gewährleistet findet. Der Theologischen Fakultät der Duke University sei deshalb an dieser Stelle herzlich gedankt. Einen Kollegen möchte ich hier besonders erwähnen: Geoffrey Wainwright ist nicht nur verantwortlich dafür, daß ich 1984 an die Duke University kam, er hat auch mit seinem Interesse an meiner Arbeit und mit seiner Freundschaft dazu beigetragen, daß ich diese Entscheidung zu keinem Zeitpunkt bereut habe.

Ein besonderer Dank geht an Warren Heitzenrater, der mich Computer verstehen lehrte und die verschiedenen Stadien dieser Arbeit mit immer neuen Ausdrucken begleitete.

<u>Alle</u>, die mich auf dem Weg zu dieser Promotion begleitet haben - und viele sind hier nicht genannt, die genannt werden müßten - wissen, daß dieser Weg sich auf Umwegen entwickelte. Ich schließe deshalb mit einem Gedanken von Antonio Machado, der darauf verweist, daß vielfach Wege erst durch jemand, der sich auf den Weg macht, geschaffen werden: "Caminante no hay camino, el camino se hace al andar." In der Frauenbewegung in den USA lebt dieser Satz als Lied weiter: "Walker, walker, there is no way, the way is made by walking". Auch wenn es sich hier nicht um eine "Theologie in Hymnen" handeln mag, haben sich dieser Satz und dieses Lied doch in der hier vorliegenden Dissertation bewahrheitet.

Inhaltsverzeichnis

Teil 1

Teil I

I.
Präzisierung des Themas

A. Anlaß, Reichweite und Grenzen der Untersuchung

Die vorliegende Arbeit ist durch zwei unterschiedliche, aber sich ergänzende Anliegen und Zielsetzungen motiviert. Sie ist zunächst angesiedelt innerhalb des neuerwachenden Interesses an den doxologischen Traditionen der Kirchen, das gerade in den letzten Jahren spürbar gewachsen ist. Ich bin diesem neuerwachenden theologischen Interesse an doxologischen Traditionen und der mit ihm verbundenen wissenschaftlichen Diskussion über das Verhältnis der doxologischen Rede zur theologischen Reflexion verpflichtet und verstehe die vorliegende Arbeit als Beitrag zu dieser Diskussion. Die zweite charakteristische Perspektive der Arbeit hängt eng mit einer Eigenart dieser neueren theologischen Diskussion zusammen: Es fällt auf, daß diese Diskussion meistens *nicht* anhand von doxologischem Material selbst geführt wird, sondern sich auf die theoretische Ebene einer Verhältnisbestimmung beschränkt. Dieses Vorbeigehen an konkretem doxologischen Material bleibt selten ohne Folgen. Das, was theologischerseits über die Doxologie und ihr Verhältnis zur theologischen Reflexion gesagt wird, scheint oft jenseits der doxologischen Rede zu liegen und ist nicht immer ohne Schwierigkeiten an ihr nachvollziehbar. Aus diesem Grunde sind die vorliegenden Überlegungen zum Verhältnis von Doxologie und Theologie bewußt in den Kontext einer Arbeit an konkretem doxologischem Material selbst gestellt. Auf diesen Weg weisen nicht zuletzt Anregungen in der einschlägigen Literatur, die deutlich machen, daß der "Sondertypus" und die Eigengestalt der doxologischen Sprache noch längst nicht hinreichend erforscht sind. So schreibt z.B. A. Stenzel mit Bezug auf die liturgische Sprache: "Arbeiten über die Kultsprache haben das schöne und leidige Vorrecht, in einem sehr vollen Sinne 'bahn-

brechend' sein zu dürfen: rechts und links noch unerforschtes Gebiet".[1] Was hier speziell über die Kultsprache gesagt wird, gilt
ebenso für die doxologische Sprache überhaupt; sie ist bis jetzt weitgehend ein Stiefkind theologischer Arbeit.

Nach dieser ersten Skizze zum Anlaß der vorliegenden Untersuchung wird folgendes deutlich sein: Ich arbeite mit einem doppel-
ten Ziel vor Augen - aber so, daß das eine dem anderen dienlich
sein wird. Im Kern bildet die Arbeit eine detaillierte Erforschung
einer spezifischen doxologischen Tradition, nämlich des wesleyanischen Liedguts, wie es sich in der *Collection of Hymns for the use
of the People called Methodists* einfangen läßt. Klar eingegrenztes
doxologisches Material wird hier zunächst einmal ganz elementar
als Objekt, als Thema theologischer Arbeit verstanden und ernst
genommen.

Die Beschäftigung mit der *Collection* steht aber in einem größeren Gesamtzusammenhang. Sie ist letztlich motiviert durch eine
Frage, die über die Forschungen zum wesleyanischen Liedgut weit
hinausgeht. Es handelt sich um die Frage nach der Wesensbestimmung der doxologischen Rede und nach dem Verhältnis der
Doxologie zur Theologie, also nach dem Verhältnis der anbetenden,
lobpreisende Rede an Gott zur wissenschaftlichen Reflexion über
die Geschichte dieses Gottes mit den Menschen. Daß die Antwort auf
eine solche fundamentale Frage nicht allein anhand des wesleyanischen Liedguts gefunden werden kann, versteht sich von selbst.
In der vorliegenden Arbeit geht es deshalb nicht (und kann es auch
gar nicht gehen) um den Versuch einer abschließenden Lösung der
Frage nach dem Verhältnis von Doxologie und Theologie. Vielmehr dient die vorliegende Untersuchung der wissenschaftlichen
Erarbeitung eines konkreten doxologischen Materials, das hoffentlich erste Anhaltspunkte und Zwischenergebnisse für eine Verhältnisbestimmung von doxologischer Rede und theologischer Reflexion bietet. Dabei sei schon hier betont, daß die Untersuchung des
doxologischen Materials nicht im Sinne einer direkt übertragbaren
Fruchtbarmachung für die Verhältnisbestimmung von doxologischer Rede und theologischer Reflexion verstanden werden darf.
Es kann ja letztlich nicht darum gehen, jeden theologischen
Gedankengang nun mit einem doxologischen Zitat zu belegen. So
einfach ist - das wird zu zeigen sein - das Verhältnis von Doxologie

---

[1]Stenzel, Liturgie als theologischer Ort 614, Anm. 16.

und Theologie doch nicht denkbar. Eher schon muß es darum gehen, die Reflexion über das Verhältnis von Doxologie und Theologie bewußt in den Kontext einer theologischen Arbeit an doxologischem Material zu stellen, ohne diese theologische Arbeit nun gleich als direkten und schlüssigen Beleg für die zu leistende Verhältnisbestimmung zu nehmen. Dies wäre eine grobe Überschätzung und Überforderung der einen hier herangezogenen doxologischen Tradition. Die Verbindung zwischen der Arbeit an doxologischem Material und der Reflexion über das Verhältnis von Doxologie und Theologie wird behutsamer herzustellen sein, als es das Modell einer direkten Nutzbarmachung erlaubt.

Bevor auf diese Spannung zwischen der Arbeit an konkretem doxologischen Material einerseits und der Reflexion über Doxologie und Theologie andererseits zurückzukommen ist - sie bestimmt ja letztlich den Aufbau dieser Untersuchung - sind zunächst einige Schlüsselbegriffe, die die Thematik der Untersuchung bestimmen, zu klären. Diese Klärung einiger Schlüsselbegriffe und -themen ist als Präzisierung des Grundanliegens der Arbeit zu verstehen. Vier solcher Begriffe und Themen werden im folgenden zur Sprache kommen: der Begriff der Doxologie, wie er dieser Arbeit zugrundeliegt, die Bedeutung der Frage nach einer "Theologie in Hymnen", das liturgie-ökumenische Potential der vorliegenden Untersuchung und das diese Untersuchung mitbestimmende Konzept einer "konstitutiven Vielsprachigkeit" des Glaubens. Den Beginn sollen einige Überlegungen zum Begriff der "Doxologie" machen.

1. Zum Begriff der "Doxologie"

Zum Begriff der Doxologie ist folgendes zu sagen: Er wird in der vorliegenden Studie in einem weiteren Sinne gebraucht, als es allgemein in der Liturgiewissenschaft üblich ist, wo die Doxologie definiert wird als "ein ausdrücklicher Lobpreis auf Gott (in den drei Personen) ..., der liturgische Gebete, gleichsam überhöhend und zum Ziele führend, abschließt."[2] Als terminus technicus für eine so begrenzte gottesdienstliche Formel ist der Begriff der "Doxologie" ein Produkt der neueren liturgiewissenschaftlichen Forschung.[3]

---

[2]Merz, Gebetsformen der Liturgie 107; vgl. Jungmann, Doxologie 534: "kurze hymnenartige Lobsprüche als Schluß vor allem eines Gottesbekenntnisses oder Gebetes".
[3]Vgl. Stuiber, Doxologie 210.

Er schreibt eine sehr begrenzte Verwendung des Begriffs fest. Der der vorliegenden Arbeit zugrundliegende Begriff der "Doxologie" geht von einem erweiterten Verständnis aus; er transzendiert aber auch eine a-liturgische formgeschichtliche Bestimmung, die die Grundform der Doxologie in den folgenden Elementen gegeben sieht: einem Dativ, mit dem der Empfänger des Lobpreises genannt wird, einem doxologischen Prädikat und einer Ewigkeitsformel.[4] Die Grenzen des über diese Definitionen hinausgehenden "weiteren" Doxologie-Verständnisses der vorliegenden Arbeit sind hingegen dort gezogen, wo *alle* Gebetssprache (ob Klage, Bitte, Dank oder Lobpreis) undifferenziert als doxologische Rede verstanden wird (wie es, im Gegensatz zur engen Begriffsbestimmung der Liturgiewissenschaft, häufig in der systematisch-theologischen Diskussion der Fall ist).

Zwischen diesen Minimal- und Maximaldefinitionen läßt sich der Begriff der "Doxologie" bzw. der doxologischen Rede für die vorliegende Arbeit folgendermaßen bestimmen: Es handelt sich um die (explizit und implizit) lobpreisende, bekennende, anbetende und dankende Rede[5] an und zu Gott, deren Ziel die Verherrlichung Gottes ist. Diese doxologische Rede findet sich besonders häufig in Gebeten, hymnischen Bekenntnissen und Liedern. Der doxologische *Charakter* und die doxologische *Intention* einer Aussage sollen dabei das entscheidende Kriterium sein für die Bestimmung einer Aussage als doxologischer Rede wie sie Objekt der vorliegenden Untersuchung ist. Um Mißverständnissen vorzubeugen, sei betont, daß es sich bei der hier vorliegenden Umschreibung des Begriffs der "Doxologie" nicht um eine (Neu-) Definition handeln soll und kann, sondern im Grunde um eine Arbeitshypothese, die das Feld der Untersuchung abzustecken hilft. Die Begriffsbestimmung ist weit gehalten, um nicht von vorneherein dieses Untersuchungsfeld zu sehr zu limitieren. Eines soll bei dieser Umschreibung des Begriffs der "Doxologie" deutlich sein: Die Frage, ob sich die Aussage in der klassischen Form einer (liturgischen) Doxologie findet, tritt in den Hintergrund. Damit ist der enge liturgiewissenschaftliche Doxologiebegriff verlassen bzw. erweitert, aber so, daß die Grundzüge und das eigentliche Wesen der Doxologie als lobpreisendes Reden zu Gott in der erweiterten Bestimmung immer

---

[4]Vgl. Deichgräber, Formeln, liturgische 258.
[5]Zur Wahl des Begriffs "Rede" vgl. Welte, Religiöse Sprache 7.

noch erhalten sind, und zwar ohne daß diese erweiterte Bestimmung deckungsgleich wird mit dem Begriff "Gebet".

Mit dieser Begriffsbestimmung ist in der vorliegenden Arbeit eine Entscheidung getroffen zugunsten einer "mittleren" - und hoffentlich konsensfähigen - Position innerhalb der wissenschaftlichen Diskussion um das Verhältnis von doxologischer Rede zur theologischen Reflexion. Einige Vertreter dieser Diskussion fassen den Begriff der "Doxologie", mit dem sie operieren, ja extrem weit:

> "By 'doxological language' we mean the whole
> complex of utterances (in the Bible and later
> Church tradition) which are *directly* prayer, i.e.
> petitions, thanksgivings, praises, etc., or
> *indirectly* related to prayer, such as liturgies,
> including narrative parts, and names, titles,
> ascriptions, designations, attributes and even
> 'definitons' used with regard to Yahweh or Jesus,
> but not necessarily addressed to God."[6] .

Es soll nicht bestritten werden, daß eine solche Definition sinnvoll sein kann. Sie verweist in ihrer Weite auf die (allen) Gebeten und Liturgien zugrundeliegende doxologische Intention. Für das spezielle Anliegen der vorliegenden Arbeit scheint es aber wichtig, an einer engeren Begriffsbestimmung festzuhalten, da sonst das Gebiet der Untersuchung uferlos wird. Nun gibt es in der wissenschaftlichen Diskussion um das Verhältnis von doxologischer Rede zur theologischen Reflexion auch einige Vertreter, die mit einer extrem engen Begriffsbestimmung der Doxologie operieren. Diese wird als eine ganz spezielle Form des Gebets verstanden, eben der Anbetung, und damit von allen anderen Formen des Lobpreises und Dankes abgehoben. Dabei wird m.E. dem doxologischen Charakter und der doxologischen Intention auch des Dankes und des rühmenden Bekennens nicht genügend Rechnung getragen. Innerhalb der für diese Arbeit vorgenommenen Begriffsbestimmung sollen ge-

---

[6]Ritschl, Memory and Hope 169. Noch viel weiter als diese Begriffsbestimmung der Doxologie ist allerdings folgende, von einer ökumenischen Konsultation erarbeitete Umschreibung: "Doxologie ist nicht bloß die Sprache des direkten Gebets und Lobpreises, sondern jede Art von Denken, Fühlen, Handeln und Hoffen, die von den Gläubigen auf den lebendigen Gott hin gerichtet und ihm dargebracht wird", in: Geist Gottes 15.

rade diese Formen doxologischer Rede mitberücksichtigt werden. Mit dieser Begriffsbestimmung der "Doxologie" wird somit im Grunde eine Mittelposition zwischen einer extrem engen (liturgiewissenschaftlichen) und einer extrem weiten (oft systematisch-theologischen) Definition eingenommen.

Hier scheint nun, gerade im Hinblick auf die dieser Arbeit zugrundliegende Frage nach dem Verhältnis von Doxologie zu Theologie, die Unterscheidung zwischen "Kultsprache" und "Andachtssprache"[7] wichtig, die in der wissenschaftlichen Diskussion oft nicht genügend berücksichtigt wird. Dies trifft besonders auf Verteter der protestantischen Kirchen zu und ist wohl auf naheliegende theologische Vorentscheidungen zurückzuführen. Eine Differenzierung zwischen "Kultsprache" und "Andachtssprache" scheint aus folgendem Grund wichtig: Während die doxologische Andachtssprache nur schwer greifbar und analysierbar ist, war die Kultsprache immer schon verhältnismäßig leicht faßbar und - da theologisch viel intensiver reflektiert und verantwortet als die Andachtssprache - einer theologischen Analyse auch viel zugänglicher. Selbst wenn die Wesensmerkmale zwischen diesen beiden Ausprägungen doxologischer Sprache identisch sind, ist doch im Hinblick auf das Verhältnis beider zur theologischen Reflexion - speziell bei der Frage nach der Doxologie als "locus theologicus" - an wichtigen Differenzen festzuhalten. Diese sind nicht etwa nur in der Sprachform zu lokalisieren (die Kultsprache ist meistens stilisiert, standardisiert und ritualisiert,[8] während die Andachtssprache stärker von der Sprache des einzelnen Beters geprägt ist); noch sind die Differenzen allein in der unterschiedlichen Zugänglichkeit für eine wissenschaftliche Reflexion zu suchen. Vielmehr finden sie sich vor allem in der unterschiedlichen Trägerschaft der Kultsprache und der Andachtssprache. Die Kultsprache ist nicht privater Glaubensausdruck eines Einzelnen, sondern Glaubensausdruck des (versammelten) Gottesvolkes, das in einer langen Tradition öffentlich-kollektiver doxologischer Sprachgemeinschaft steht. Daß die Kultsprache als solche theologisch

---

[7]Diese beiden Begriffe sind geformt in Anlehnung an eine Unterscheidung R. Guardinis zwischen "Kultbild" und "Andachtsbild"; vgl. sein kleines Werk Kultbild und Andachtsbild. Brief an einen Kunsthistoriker, Würzburg o.J. Die Unterscheidungen, die Guardini hinsichtlich Kult- und Andachtsbild macht, scheinen mir für meine Unterscheidung zwischen Kult- und Andachtssprache allerdings nicht anwendbar.

[8]Vgl. Merz, Gebetsformen der Liturgie 109; Mohrmann, Sakralsprache 344-354.

intensiver reflektiert und verantwortet ist (und sein muß) als die Andachtssprache und damit auch der theologischen Reflexion prinzipiell "zugänglicher" ist, ist offensichtlich. Bei der Verhältnisbestimmung der doxologischen Rede zur theologischen Reflexion wird auf diese Differenzen zurückzukommen sein.

2. "Theologie in Hymnen"?

Soviel zunächst zu einer Begriffsbestimmung der Doxologie innerhalb der vorliegenden Arbeit. Es schließt sich die Frage an, wie sich eine dieserart definierte doxologische Rede zum doxologischen Material, das dieser Arbeit als Untersuchungsobjekt dient, eben dem wesleyanischen Liedgut, verhält. Diese Frage läßt sich am besten beantworten innerhalb einer Begründung der Wahl von hymnischem Material überhaupt als Beispiel doxologischer Rede.

Dabei sei zunächst betont, daß nicht alles hymnische Material qua hymnisches Material auch als Doxologie zu verstehen ist - obwohl der hymnische Vollzug, also die Cantillation oder der Gesang, dies nahelegt. Aber es gibt auch viele nicht explizit doxologische Formen der Glaubensaussage, die sich des hymnischen Ausdrucks bedienen; erinnert sei in diesem Zusammenhang nur an die sogenannten "Klagelieder". Nach dieser einschränkenden Bemerkung muß allerdings gleich hinzugefügt werden, daß es sich beim wesleyanischen Liedgut fast durchweg um doxologisches hymnischen Material handelt (was aus der spezifischen Glaubenserfahrung resultiert, die diesem Liedgut zugrundeliegt). Es bietet deshalb ein gutes Beispiel einer "Doxologie in Hymnen" anhand dessen Untersuchung etwas zu sagen sein wird zur Frage nach einer "Theologie in Hymnen", das dann gleichzeitig einen Beitrag leistet zu der grundsätzlichen Frage nach dem Verhältnis von doxologischer Rede zur theologischen Reflexion.

Warum aber diese grundsätzliche Frage überhaupt am Beispiel hymnologischen Materials klären wollen - anstatt eines anderen (eindeutigeren?) Genus doxologischer Rede (z.B. des eucharistischen Hochgebets)? Für diese Entscheidung zugunsten hymnischen Materials sprechen verschiedene Gründe. Zunächst handelt es sich bei der Kategorie "Liedgut" - und das ist wichtig für die liturgieökumenische Ausrichtung der Arbeit - um ein Genus doxologischer Rede, das in irgend einer Form so gut wie allen christlichen

Traditionen gemeinsam ist. Dasselbe könnte z.B. nicht vom Genus vorgeformter liturgischer Formulare gesagt werden, nicht einmal vom eucharistischen Hochgebet (auch wenn dieser Umstand bedauert werden mag). Dabei ist für die liturgie-ökumenische Perspektive der Arbeit besonders wichtig, daß ein lebendiges Liedgut eben nicht nur das Proprium ausgeprägt liturgischer Gemeinschaften darstellt - im Gegenteil. Gerade ansonsten "a-liturgische" Gemeinschaften pflegen oft sehr intensiv den gottesdienstlichen Gesang. Es handelt sich also um ein Genus (doxologischer) Rede, das unterschiedslos liturgischen und a-liturgischen Traditionen gemeinsam ist. Trotz dieser Bedeutung hymnischer Traditionen für das Leben so gut wie aller christlicher Gemeinschaften ist die theologische Analyse dieser Traditionen immer noch ein Stiefkind der Forschung. Der Ergänzung einer Theologie in Dogmen durch eine "Theologie in Hymnen"[9] fehlen weiterhin ganz elementare Voraussetzungen. Auch von daher bietet sich hymnisches Material für die vorliegende Arbeit an. Sie kann in ein theologisch relativ unausgeschöpftes Gebiet vordringen.

Letztlich bietet sich hymnisches Material für eine Untersuchung der Wesensmerkmale doxologischer Rede im Verhältnis zur theologischen Reflexion aber auch darum besonders an, weil es wohl den überwiegenden Anteil doxologischen Materials überhaupt ausmacht - wie ja auch in der Liturgie Gesang und Dichtung bei weitem alle anderen liturgischen Gattungen überwiegen.[10] Der angemessenste und sachgerechteste Vollzug der Doxologie ist eben nicht das gesprochene, sondern das gesungene Wort. In der vorliegenden Arbeit soll dieses Charakteristikum der Doxologie schon in der Auswahl des zu untersuchenden Materials berücksichtigt werden.

Zu beachten ist auch, daß das Liedgut eines der variableren Elemente des gottesdienstlichen Vollzugs und damit auch der Kultsprache ist, dessen Beziehungen zur Andachtssprache oft noch klar erkennbar sind. Nicht selten handelt es sich ja um ursprünglich andachtssprachliches Material, das in einen kultsprachlichen Kontext übernommen wurde. Wenn die Wesensmerkmale beider Ausprägungen doxologischer Rede identisch sind, so scheint es wichtig, für die Untersuchung Material zu wählen, das beiden Formen, Kultsprache und Andachtssprache, zugehört. Das gottes-

---

[9]Vgl. hierzu Becker, Einleitung 3.
[10]Vgl. Pascher, Theologische Erkenntnis aus der Liturgie 247.

dienstliche Liedgut stellt einen solchen Fall dar. Dabei ist dieses Liedgut bei weitem nicht so fixiert wie z.B. das eucharistische Hochgebet in den meisten Traditionen. Es zeigt deshalb deutlicher den Stempel und die Wechselwirkungen einer bestimmten Epoche (und Theologie). Auch dies scheint für die vorliegende Untersuchung wichtig.

Nach dieser kurzen Begründung der Wahl hymnischen Materials für die vorliegende Arbeit sei noch ein Wort zum Titel der Untersuchung gesagt: "Theologie in Hymnen". Dieser Titel ist nicht neu[11] - schon 1737 erschien ein Gesangbuch von J.J. Gottschaldt unter dem Titel *Theologia in hymnis*. Der Begriff der "Theologie in Hymnen" wird heutzutage bevorzugt verwendet als Kürzel für den Versuch einer theologischen Interpretation hymnisch-doxologischer Aussagen. Dies ist ohne Zweifel eine wichtige und lohnende Aufgabe theologischer Wissenschaften, sowohl der biblischen Wissenschaften, als auch der Kirchen- und Dogmengeschichte, der Liturgiewissenschaft, der Theologie im engeren Sinne und anderer Disziplinen, z.B. der Praktischen Theologie. Der Begriff der "Theologie in Hymnen" signalisiert aber gleichzeitig auch fundamentale Fragen und Probleme - die in Arbeiten dieses Titels meistens nicht gestellt und deshalb auch nicht beantwortet werden. Folgendes Problem schwingt in dem Begriff der "Theologie in Hymnen" mit: Geht man davon aus, daß eine *theologische* Untersuchung doxologischen Materials durchaus angemessen und angebracht ist, so verändert dennoch die Art der Untersuchung *(theologisch)* nicht die Art des zu untersuchenden Materials *(doxologisch)*. Dann aber stellt sich die Frage, in welchem Sinne überhaupt von einer "Theologie in Hymnen" gesprochen werden kann, ohne die grundlegenden Wesensmerkmale und die Intention dieser hymnisch-doxologischen Aussagen zu verfehlen. Es scheint, als ob in dem Begriff der "Theologie in Hymnen" die Art der Untersuchung eines Materials suggeriert, daß dieses Material der Untersuchungsmethode ent-spricht. Kann sich aber die wissenschaftlich-theologische Analyse unter solchen Voraussetzungen diesem hymnisch-doxologischen Material nähern (das ja primär keine wissenschaftliche Reflexion intendiert, sondern

---

[11]Vgl. z.B. J. Tyciak, Theologie in Hymnen. Theologische Perspektiven der byzantinischen Liturgie (Sophia X), Trier 1973. S.T. Kimbrough postuliert in seinem Artikel Hymns are Theology, in: ThTo 42 (1985) 59-68 ein noch engeres Verhältnis zwischen Theologie und Hymnen.

den Vollzug des Gotteslobes), ohne sich ihm un-angemessen zu nähern? Es handelt sich bei diesen fundamentalen Fragen, die ein Begriff wie derjenige der "Theologie in Hymnen" signalisiert, um genau die Fragen, die die vorliegende Arbeit motivieren. Als Frage und Motivation (nicht als Feststellung) verstanden wird deshalb der Begriff der "Theologie in Hymnen" als Titel dieser Arbeit verwendet. Die Anführungs- und das Fragezeichen sollen die fundamentale Problematik des Titels anzeigen, wie sie diese Arbeit bestimmt.

Es bleibt *ein* Schlüsselwort der Arbeit und ihres Titels, das bis jetzt einer näheren Begriffsbestimmung entgangen ist. Es handelt sich um den Begriff der "Theologie" bzw. der theologischen Reflexion. Es ist hier nicht der Ort, all die vielfältigen Bemühungen um das Verständnis und die Klärung dieses Begriffs nachzuzeichnen. Das scheint für die vorliegende Arbeit, die ja primär an der Eigengestalt der Doxologie interessiert ist, auch von untergeordneter Bedeutung. Da aber diese Eigengestalt der Doxologie besonders im Hinblick auf ihr Verhältnis zur theologischen Reflexion erarbeitet werden soll, sei an dieser Stelle wenigstens versucht, skizzenartig die Differenz dieser beiden Formen der Glaubensaussage zu markieren (daß sie beide als grundlegende Formen der Glaubensaussage nicht voneinander zu trennen sind, sondern in enger Beziehung zueinander stehen, ist hier vorausgesetzt). Es wird dann anhand dieser Charakterisierungen auch deutlich werden, in welchem Sinne in der vorliegenden Untersuchung der Begriff der Theologie bzw. der theologischen Reflexion verstanden wird. Ich beschränke mich dabei auf einige wenige Bemerkungen; die eigentlichen Aussagen zu diesem Thema werden erst im letzten Teil der Arbeit gemacht werden können. Kurz also die wesentlichen und offensichtlichen Unterscheidungsmerkmale zwischen doxologischer Rede und theologischer Reflexion, die auch bei aller unterschiedlicher Bestimmung des Wesens der Theologie konsensfähig sein werden: Die theologische Reflexion bedient sich der Wissenschaftssprache theologischer Disziplinen und wendet sich primär an kirchliche und wissenschaftliche Dialogpartner. Die Doxologie bedient sich als sprachlichem Medium in den meisten Fällen des genus poeticum und wendet sich primär an Gott. Die theologische Reflexion arbeitet argumentativ-deskriptiv (von und über Gottes Geschichte mit den Menschen), die Doxologie spricht askriptiv (zu Gott). Die Höchstform der Doxologie ist der gesungene Vollzug, die der

Theologie die wissenschaftliche Reflexion und Diskusssion. Die Theologie strebt Kohärenz und Verständlichkeit an, die Doxologie Transparenz. Die theologische Reflexion intendiert theoretische Klärung und strenge Begriffsbildungen, die Doxologie intendiert ortho-doxa als rechtes Gotteslob, sie ist letztlich zweck-frei. Auch die Sprachgemeinschaft doxologischer Rede ist meistens größer als die der theologischen Reflexion - wo theologische Differenzen bestehen, läßt sich dennoch oft zusammen singen und beten. Weitere Unterscheidungsmerkmale zwischen Doxologie und Theologie ließen sich leicht benennen; auf sie wird im letzten Teil der Arbeit zurückzukommen sein. Aus den kurzen Bemerkungen zum Verhältnis von Doxologie und Theologie wird aber schon deutlich geworden sein, daß in der vorliegenden Untersuchung mit einem relativ engen Theologiebegriff gearbeitet wird. Auch von denjenigen, die mit einem weiteren Theologiebegriff operieren, werden aber die grundsätzlichen Eigenarten der doxologischen Rede und der theologischen Reflexion, wie sie hier beschrieben sind, wohl kaum geleugnet werden, selbst wenn Vertreter eines weiteren Theologiebegriffs die Abgrenzungen zwischen den beiden Sprachformen anders akzentuieren. Daß mit dieser kurzen Beschreibung dessen, was in der vorliegenden Arbeit unter Theologie (in ihrem Verhältnis zur Doxologie) verstanden werden soll, nicht alles gesagt ist, was über das Wesen der Theologie[12] zu sagen ist, ist offensichtlich. Nach diesen Begriffsbestimmungen zur Präzisierung des Themas der Arbeit sind einige Bemerkungen wichtig zu zwei fundamentalen Aspekten, die die Untersuchung motivieren und durchgehend begleiten. Es handelt sich um die liturgie-ökumenische Dimension der Arbeit an doxologischem Material und um das Konzept einer "konstitutiven Vielsprachigkeit" des Glaubens. Zunächst einige Bemerkungen zur liturgie-ökumenischen Dimension der Arbeit.

3. Liturgie-ökumenische Perspektiven

Die liturgie-ökumenische Dimension der vorliegenden Arbeit wird zunächst bestimmt durch die Wahl des doxologischen Materials, das als Grundlage dieser Untersuchung dient. Es han-

---

[12]Wichtiges hierzu zuletzt bei Seckler, Theologie als Glaubenswissenschaft 180-241.

delt sich um einen Ausschnitt aus dem Liedgut des frühen Methodismus, wie es auf Charles Wesley, den Mitbegründer dieser größten neuentstehenden Kirchengemeinschaft der Neuzeit zurückgeht. Warum gerade dieses doxologische Material? Die Entscheidung für das wesleyanische Liedgut als Beispiel hymnisch-doxologischer Rede wurde nicht zuletzt angeregt durch den bilateralen ökumenischen Dialog zwischen der Römisch-Katholischen Kirche und dem Weltrat Methodistischer Kirchen, der kurz nach dem Zweiten Vatikanischen Konzil begann und inzwischen zu drei Berichten der Gemeinsamen Kommission geführt hat. In ihnen wird von methodistischer Seite immer wieder auf die Lieder von Charles Wesley als wichtigem Glaubensausdruck dieser Gemeinschaft verwiesen.[13] Ein methodistisches Ideal theologischer Reflexion, das ganz klar an dieser Vorrangstellung der Lieder Wesleys orientiert ist, kommt dabei in der Formulierung von einer "Theologie, die man singen kann"(!)[14] zum Ausdruck. Aber auch die römisch-katholischen Mitglieder der Gemeinsamen Kommission erkannten an, "daß die Lieder von Charles Wesley, eine reiche Quelle methodistischer Spiritualität, in der Seele eines Katholiken Widerhall und Zustimmung finden".[15] Gleichzeitig wurde von allen die Notwendigkeit der Förderung eines gemeinsamen Gebrauchs gottesdienstlicher Lieder betont, sowie "katholische Ausgaben der Lieder von Charles Wesley" (was immer genau darunter zu verstehen ist) vorgeschlagen.[16] Zumindest ist deutlich, daß das wesleyanische Liedgut auch im ökumenischen Dialog wirkungsgeschichtliche Relevanz zeigt. Es gilt als ein fundamentaler Glaubensausdruck des Methodismus, sowohl in dessen geschichtlicher Entwicklung als auch in dessen heutiger Gestalt. Im deutschen Sprachgebiet sind aber nun (leider) weder die methodistische Kirchengemeinschaft noch die Lieder von Charles Wesley auch nur annähernd bekannt genug, um die Voraussetzungen für eine liturgie-ökumenische Aufarbeitung oder gar Rezeption des wesleyanischen Liedguts zu bieten. Hier mag die vorliegende

---

[13]Die Berichte der Gemeinsamen Kommission sind veröffentlicht in: Dokumente wachsender Übereinstimmung. Sämtliche Berichte und Konsenstexte interkonfessioneller Gespräche auf Weltebene 1931-1982, hg. von H. Meyer u.a., Paderborn 1983, hier 389, 403, 407, 421, 437.

[14]Dokumente wachsender Übereinstimmung 389.

[15]Dokumente wachsender Übereinstimmung 389.

[16]Vgl. Dokumente wachsender Übereinstimmung 390, 401.

Untersuchung erste Impulse geben, die hoffentlich zum Weiterforschen einladen.

Nun reicht aber im Grunde die liturgie-ökumenische Dimension der Untersuchung viel tiefer als nur bis zum Ernstnehmen einiger Forderungen ökumenischer Dialoge (wenn dies auch ein wichtiges Desiderat theologischer Forschung und Lehre ist). Was im Methodismus nämlich ganz offensichtlich ist, kann vielleicht in ähnlichem Maße von allen Kirchen und kirchlichen Gemeinschaften geltend gemacht werden: Für den Methodismus, der ja außer den Predigten und den exegetischen Notizen John Wesleys keine eigenen normativen theologischen Aussagen kennt, bildet das wesleyanische Liedgut die geheime Norm der Gemeinschaft. Es sind diese Lieder, die die eigentliche Identität des Methodismus formen. Was für den Methodismus offensichtlich ist, trifft aber vielleicht auch auf andere Kirchen und kirchliche Gemeinschaften zu: Das Herzstück und die eigentliche Wesensmitte dieser Gemeinschaften finden sich nicht in ihren normativen theologisch-dogmatischen Aussagen, sondern in den doxologischen Traditionen und Vollzügen. Damit soll keine simple Priorität der Doxologie vor der Theologie postuliert werden. Es soll nur daran erinnert werden, daß die Liturgie, der doxologische Vollzug par excellence, "der Gipfel [ist], dem das Tun der Kirche zustrebt, und zugleich die Quelle, aus der all ihre Kraft strömt". Damit aber ist der doxologische Vollzug als Herzstück des Wesens der communio sanctorum benannt; er ist "Selbstdarstellung der Kirche". Auf dem Hintergrund dieser Interpretation müßten die doxologischen/liturgischen Traditionen der Kirchen in der systematischen, ökumenischen und konfessionskundlichen Arbeit natürlich viel stärkere Berücksichtigung erfahren, als dies bis jetzt der Fall ist. Konkret hieße dies, daß jede systematische, ökumenische und konfessionskundliche Theologie sich die Gebete, Lieder und Liturgien, also nicht allein die dogmatisch-theologischen, sondern auch die doxologischen Traditionen der Kirchen zum Thema nehmen muß. Erst wenn dies gewährleistet ist, wird sicher sein, daß theologisch-dogmatische Aussagen nicht isoliert vom Leben und Beten der Kirche, die sie formuliert hat, verstanden werden.

Zu dieser Feststellung der Bedeutung doxologischer Traditionen im Leben der Kirchen kommt eine weitere Beobachtung hinzu: daß nämlich "Glieder getrennter Kirchen in einem viel größeren Umfang gemeinsam beten und gemeinsam Zeugnis ablegen können, als daß ihnen gemeinsame dogmatische Aussagen möglich sind."[17]

Dieser Beobachtung entspricht auch, daß sich gerade die Lieder der Kirchen schon von jeher über Konfessionsgrenzen hinweggesetzt haben und so eine "geheime Ökumene"[18] schufen, während die Konfessionen sich noch auf die grauenhafteste Weise bekriegten. Das ökumenische Potential der doxologischen Sprachgemeinschaft und die zentrale Stellung doxologischer Traditionen im Leben der Kirchen machen deshalb die doxologische Rede zu einem wichtigen Feld ökumenischer Arbeit. Untersuchungen zu doxologischen Traditionen sollten sich daher bewußt in einem ökumenischen Kontext ansiedeln.

Es wird deutlich geworden sein, daß die liturgie-ökumenische Dimension dieser Arbeit vielschichtig ist und sich sowohl auf die Auswahl des zu bearbeitenden Materials als auch auf spezifische Fragestellungen und auf den weiteren Kontext, in dem sich die Arbeit ansiedelt, bezieht. Letztlich mag diese Art des Vorgehens ein Plädoyer sein dafür, die ökumenische Dimension in allem Theologisieren - mag es auch auf ein noch so konfessionelles Thema bezogen sein - ernst zu nehmen. Es sollte heutzutage unmöglich sein, an den getrennten Brüdern und Schwestern vorbei Theologie zu betreiben.

4. Die "konstitutive Vielsprachigkeit" des Glaubens

Die Vielfalt kirchlicher Traditionen und Gemeinschaften ist nicht zuletzt hervorgerufen durch eine "konstitutive Vielsprachigkeit"[19] des Glaubens selbst. Diese "konstitutive Vielsprachigkeit" des Glaubens ist einer der Ausgangspunkte der vorliegenden Arbeit. Hierzu sei folgendes angemerkt: Obwohl sich die vorliegende Arbeit primär mit *zwei* Formen innerhalb dieser Vielsprachigkeit des Glaubens beschäftigt - eben der doxologischen Rede und der theologischen Reflexion - sollte dies doch nicht den Blick verdecken für die Tatsache, daß die Antworten des Glaubens auf den Anruf Gottes von vornherein in einer Vielfalt erscheinen,

---

[17]Schlink, Struktur 251.

[18]Jenny, Vocibus unitis 173.

[19]Ich übernehme den Ausdruck aus einem Brief von R. Schaeffler an die Verfasserin vom 6.2.1985.

die konstitutiv ist für den Glauben.[20] Drei große Ausprägungen innerhalb dieser Vielsprachigkeit des Glaubens lassen sich mit der Trias leiturgia - martyria - diakonia charakterisieren. Es ist wichtig (auch für die hier vorliegende Untersuchung) an der legitimen Eigengestalt dieser Bereiche (und der Spannung zwischen ihnen) festzuhalten und damit Tendenzen einer Auflösung eines Bereichs in einen anderen zu widerstehen.

Gleichzeitig ist aber auch zu betonen, daß die Eigengestalt dieser Bereiche nicht im Sinne ihrer Unabhängigkeit voneinander oder gar des Widerspruchs zwischen ihnen zu verstehen ist. Die Zugehörigkeit aller zu einem umfassenden Handlungsgefüge, eben dem glaubenden Antworten auf Gottes Heilshandeln, ist unverzichtbar. In der Beziehung dieser Bereiche zueinander geht es um eine fundamentale Komplementarität innerhalb der Vielsprachigkeit des Glaubens, und zwar so, daß das Ganze der menschlichen Glaubensantwort letztlich nur im Zusammenklingen *aller* Formen deutlich wird. Auf diese konstitutive Vielsprachigkeit des Glaubens sei an dieser Stelle ausdrücklich hingewiesen, damit nicht durch die spezifische Fragestellung der vorliegenden Arbeit der Eindruck entsteht, daß von einer Dualität der Ausdrucksformen ausgegangen wird - was letztlich eine Verkürzung darstellt.

In diesem Zusammenhang fällt allerdings auf, daß in der theologischen Diskussion die Spannungen zwischen den unterschiedlichen Ausprägungen der Glaubensaussagen häufig im Sinne von Zweierbeziehungen verstanden werden: Glauben und Handeln, Liturgie und Leben, lex orandi und lex credendi. Es stellt sich die Frage, ob ein solches Denken in Zweierbeziehungen dem Wesen dieser unterschiedlichen Bereiche innerhalb der Vielsprachigkeit des Glaubens und ihrem Verhältnis zueinander gerecht wird, oder ob es nicht zwangsläufig zu Einseitigkeiten führen muß. Ist nicht erst im Licht der Komplementarität aller Bereiche jeder Teilbereich adäquat faßbar?

Auf dem Hintergrund dieser Fragen wird deutlich, daß - zumindest in der vorliegenden Arbeit - mit einer Untersuchung des Verhältnisses von doxologischer Rede und theologischer Reflexion nicht eine fundamentale Dualität der Formen des Glaubensausdrucks angesprochen wird, die es zu analysieren und vielleicht

---

[20]Ausführlicher dazu Berger, Lex orandi 425-432.

sogar aufzuheben gilt. Vielmehr geht es um eine spezifische Beziehung innerhalb der Vielsprachigkeit des Glaubens, die näher bestimmt werden soll. Daß damit auch ein gewisses Licht auf andere Beziehungen und ihre Komplementarität innerhalb der Vielsprachigkeit des Glaubens geworfen wird, sei zumindest nicht ausgeschlossen.

B. Verlauf und Ziel der Untersuchung

Nach der in diesem Einführungsteil vorgelegten Präzisierung des Themas ergibt sich folgender weiterer Verlauf der Untersuchung: Zunächst soll in einem ersten Teil der wissenschaftliche Kontext der Arbeit skizziert werden. Dies geschieht anhand einer Darstellung der neueren Diskussion um das Verhältnis von Doxologie und Theologie und deren Umfeld (Kapitel II). Die Darstellung orientiert sich an den verschiedenen theologischen Arbeitsbereichen, innerhalb derer diese Diskussion geführt wurde und wird: der römisch-katholischen Liturgiewissenschaft (II.A), der protestantischen Systematik (II.B), der orthodoxen Theologie (II.C) und der ökumenischen Arbeit (II.D). Es wird deutlich werden, daß es in diesen unterschiedlichen Arbeitsbereichen trotz spezifischer Fragestellungen und Perspektiven letztlich um gemeinsame Grundanliegen geht: im weitesten Sinne das Verhältnis doxologischer Rede zur theologischen Reflexion.

Auf dem Hintergrund dieser Darstellung der neueren Diskussion um das Verhältnis von Doxologie und Theologie wendet sich der zweite Teil der Arbeit einer Untersuchung einer konkreten doxologischen Tradition selbst zu, der *Collection of Hymns for the use of the People called Methodists* (Kapitel III). In einem einführenden Abschnitt wird zunächst der historische, theologische und spirituelle Kontext dieses methodistischen Gesangbuches beschrieben (III.A). Ein Exkurs soll die gegenwärtige Forschungslage zum wesleyanischen Liedgut, innerhalb derer sich die vorliegende Untersuchung bewegt, erhellen. In einem zweiten Abschnitt werden spezifische Charakteristika des wesleyanischen Liedguts beschrieben (III.B), um eine sichere Ausgangsposition für die folgende Einzelinterpretation theologischer Themen zu gewinnen. Der letzte Abschnitt des Kapitels (III.C) stellt das Kernstück dieses Teils der

Arbeit dar. Er ist einer theologischen Einzelinterpretation der zentralen Themen in der *Collection of Hymns for the use of the People called Methodists* gewidmet.

Auf dem Hintergrund der wissenschaftlichen Diskussion um das Verhältnis von Doxologie und Theologie und auf der Basis der in Teil 2 geleisteten Untersuchung eines konkreten doxologischen Materials soll im 3. Teil der Arbeit - durchaus im Sinne einer vorläufigen Zwischenbilanz - der Versuch einer Beschreibung des Wesens doxologischer Rede in ihrem Verhältnis zur theologischen Reflexion angestrebt werden (Kapitel IV). Dazu ist zunächst eine genauere Analyse der Eigengestalt der Doxologie selbst zu erarbeiten. Das Kapitel versucht, sich dieser Eigengestalt der Doxologie anhand von drei Leitfragen zu nähern, die gleichzeitig auch die einzelnen Abschnitte dieses Kapitels markieren: der Frage nach Merkmalen doxologischer Rede (IV.A), nach Kriterien ihrer Legitimation (IV.B) und nach ihren Bewährungsproben (IV.C).

In einem letzten Abschnitt (IV.D) soll dann versucht werden, das Verhältnis einer so bestimmten doxologischen Rede zur theologischen Reflexion zur Diskussion zu stellen. Es sei an dieser Stelle schon betont, daß in diesem Abschnitt der vorliegenden Arbeit nicht mehr als erste Zwischenergebnisse zu erwarten sind. Sie müssen in weiteren Untersuchungen zu anderen doxologischen Traditionen geprüft und gegebenenfalls modifiziert werden. In diesem Sinne ist der dritte Teil der Arbeit auch nicht als abschließendes Wort zu diesem Thema zu verstehen, sondern eher als "Prolegomenon" zu weiteren Überlegungen zum Verhältnis von Doxologie und Theologie.

Ein Wort sei hier eingefügt über die Verknüpfung der drei Teile der Arbeit bzw. über die spezifische Stellung des zweiten Teils, der sich mit dem wesleyanischen Liedgut beschäftigt. Es mag scheinen, als ob es sich bei dieser Untersuchung eines konkreten doxologischen Materials um einen erratischen Block innerhalb der grundsätzlichen Überlegungen zum Verhältnis von doxologischer Rede und theologischer Reflexion handelt. Dieser Eindruck geht nicht ganz an der Realität vorbei: Einerseits können Teil 1 und Teil 3 als kontinuierliche Entwicklung eines Gedankengangs verstanden werden, der auch (und besonders) ohne Teil 2 eine kohärente Untersuchung darstellt. Andererseits kann Teil 2, also die Untersuchung zum wesleyanischen Liedgut, auch ohne den Rahmen der Diskussionen von Teil 1 und Teil 3 rezipiert werden - eben als eigener Beitrag zur Wesley-Forschung. Warum dann die

Verbindung dieser drei Teile in einer einzigen Untersuchung? Dazu ist zunächst zu sagen, daß beide Themenbereiche dieser Arbeit (Teil 1 und Teil 3 einerseits, Teil 2 andererseits) gleichzeitig wuchsen - die Teilung ist also in gewissem Sinne künstlich und sekundär (auch wenn in der fertigen Arbeit der gegenteilige Eindruck vorherrschen mag). In ihrer Entstehung haben sich die beiden Themenbereiche gegenseitig geformt und befruchtet. Dies ist nun allerdings nicht - wie schon zu Beginn dieser Arbeit betont - als eine direkt ableitbare Nutzbarmachung der Untersuchung doxologischen Materials für die theologische Reflexion zu verstehen. Das spannungsreiche Verhältnis zwischen doxologischer Rede und theologischer Reflexion verbietet m.E. eine solche direkte Nutzbarmachung und Übertragung. Die Verbindung beider Bereiche dieser Arbeit ist wohl am adäquatesten mit dem Gedanken einer "Kontextualisierung" der Überlegungen zum Verhältnis von Doxologie und Theologie zu beschreiben: Diese Überlegungen werden im Kontext einer Arbeit an konkretem doxologischen Material entwickelt, wobei dieser Kontext die Überlegungen im weitesten Sinne bestimmen und formen hilft. Damit ist aber auch schon gesagt, daß es letztlich nicht darum gehen kann, die hier vorgestellten Überlegungen jeweils mit einem Zitat aus dem wesleyanischen Liedgut zu versehen - mit einem solchen Ansatz und Vorgehen wird m.E. der komplexen Verhältnisbestimmung von Doxologie und Theologie nicht unbedingt gedient. Die Beziehung zwischen den beiden Arbeitsbereichen der Untersuchung ist indirekter, behutsamer und vorsichtiger. Vielleicht ist ein paulinisches Bild hier hilfreich, um die Verbindung zwischen den drei Teilen der Arbeit zu interpretieren. Man könnte den zweiten Teil, also die konkrete Untersuchung einer spezifischen doxologischen Tradition, als "Stachel im Fleisch" der Überlegungen zum Verhältnis von Doxologie und Theologie verstehen - "damit sie sich nicht überheben" (2 Kor 12,7). Mit anderen Worten: Dieser zweite Teil ist nicht in die vorliegende Untersuchung aufgenommen, um die direkten Belegtexte für die Ausführungen des dritten Teils zu liefern, sondern - zurückhaltend formuliert - um diesen Ausführungen einen Kontext der Reflexion zu bieten, der gewährleistet, daß die Überlegungen nicht in einem doxologischen Vakuum entstehen. Dies scheint mir ein wichtiges Anliegen, das die fundamentale Klammer zwischen den unterschiedlichen Teilen dieser Arbeit darstellt und ihre Zusammenfassung in einer einzigen Untersuchung legitimiert.

II.
Doxologie und Theologie:
die Problematik und ihr Umfeld
in der neueren Diskussion

In einem ersten Arbeitsgang soll in der vorliegenden Untersuchung der Kontext skizziert werden, in dem sich die spezifische Fragestellung nach dem Verhältnis von Doxologie und Theologie ansiedelt. Es wird deutlich werden, daß diese Fragestellung nicht (mehr) in einem Vakuum steht, sondern von einer vielfältigen Beschäftigung mit ihr verwandten Fragen umgeben ist.

Obwohl die Frage nach dem Verhältnis von Theologie und Doxologie als explizites Problem lange Zeit im Schatten anderer theologischer Probleme stand, haben sich doch im 20. Jahrhundert Ansatzpunkte für eine Beschäftigung mit dieser Frage herauskristallisiert. Sie gehen auf sehr unterschiedliche Faktoren zurück und finden sich (vor allem) in vier theologischen Arbeitsbereichen, die über weite Strecken ohne direkten Einfluß aufeinander existierten - eine Tatsache, die jetzt mit der wachsenden Bedeutung der Frage nach dem Verhältnis von Theologie und Doxologie innerhalb der ökumenischen Diskussion an Bedeutung zu verlieren scheint. Zu hoffen bleibt, daß es zwischen den unterschiedlichen theologischen Arbeitsbereichen, die sich - wenn auch aus ganz unterschiedlichen Gründen und mit sehr verschiedenen Mitteln und Zielen - mit der Frage nach dem Verhältnis von Theologie und Doxologie beschäftigen, zu einem wirksamen Austausch kommt. Angesprochen sind die römisch-katholische Liturgiewissenschaft, die protestantische Systematik, die orthodoxe Tradition und die ökumenische Diskussion.

Im folgenden werden kurz die historischen Ausgangspunkte, die unterschiedlichen Fragestellungen sowie die Entwicklung und Bearbeitung der Problematik in den vier genannten Bereichen dargestellt. Ich hoffe zu zeigen, daß diese theologischen Arbeitsbereiche sich, trotz terminologischer Differenzen und unterschiedlicher theologischer Schwerpunkte, im Grunde mit derselben

Thematik beschäftigen und eine Integration der Diskussionen in diesen Bereichen deshalb sinnvoll erscheint.

A. Die römisch-katholische Liturgiewissenschaft: "ut legem credendi lex statuat supplicandi"

Wenn man die römisch-katholische Theologie auf eine Beschäftigung mit dem Problem des Verhältnisses von Theologie und Doxologie hin befragt, wird man zu dieser Fragestellung direkt wenig Material finden. Dies bedeutet allerdings nicht, daß in römisch-katholischen Kreisen dieser Thematik keine Aufmerksamkeit geschenkt wird. Nur ist erstens das Forum, in dem diese Thematik diskutiert wird, nicht unbedingt der Arbeitsbereich der (dogmatischen) Theologie. Zweitens wird die Diskussion terminologisch nicht um das Verhältnis von "Theologie" und "Doxologie" geführt. Die "Doxologie" kann in der römisch-katholischen Tradition ja nur in einer engen Bindung an die liturgische Tradition der Kirche verstanden werden. Der Schwerpunkt des Interesses liegt dementsprechend in diesem Bereich auf der Kultsprache (nicht etwa der Andachtssprache) in ihrem Verhältnis zu Dogma und Theologie.

Wird diesen beiden Faktoren Rechnung getragen, so läßt sich im römisch-katholischen Bereich zumindest im 20. Jahrhundert eine anhaltende und wichtige Diskussion über das Verhältnis von Theologie und Doxologie feststellen, konkreter auf die Terminologie der römisch-katholischen Diskussion eingehend: das Verhältnis von Dogma(tik) und Liturgie. Diese Diskussion findet besonders innerhalb der Liturgiewissenschaft statt und kann zusammengefaßt werden unter dem Stichwort des patristischen (Neben-)Satzes: "ut legem credendi lex statuat supplicandi"[21] - auch wenn nicht zu übersehen ist, daß ein Großteil der Diskussion an der sehr begrenzten ursprünglichen Bedeutung des Satzes vorbeiging. Nicht zufällig wurde das prospersche Axiom meistens auf das schillernde Begriffspaar "lex orandi - lex credendi" reduziert, das -

---

[21] Die Wendung findet sich im Indiculus de gratia dei 8 (PL LI, 209f; DS 246), auch Capitula Coelestini genannt (nach dem vermeintlichen Autor Papst Coelestin I), verfaßt (unter Benutzung von Gedankengängen Augustins) von Tiro Prosper von Aquitanien (um 390-nach 455).

aus seinem Kontext isoliert - zu den unterschiedlichsten Konstruktionen herangezogen wurde, die mit seinem Ursprung außer der Terminologie oft keine Gemeinsamkeiten mehr aufwiesen.

Das Interesse, das die römisch-katholische Liturgiewissenschaft dem eben zitierten Axiom des Prosper von Aquitanien entgegenbringt, ist nicht allein auf die schnellwachsende Bedeutung der Liturgischen Bewegung in der ersten Hälfte unseres Jahrhunderts zurückzuführen - obwohl diese ohne Zweifel den einflußreichsten Faktor darstellt. Zwei weitere Faktoren müssen aber mit in Betracht gezogen werden - auch wenn sie sich letztlich feindlich gegenüber stehen. Es handelt sich zum einen um das Interesse, daß das altkirchliche Axiom aus dem Ringen um den Semi-Pelagianismus während des Modernistenstreits auf sich zog. Zwei einflußreiche Bücher von George Tyrrell beschäftigten sich explizit mit der Thematik des prosperschen Axioms;[22] vor allem wird dieser Ansatz aber aufgegriffen in einem Artikel von Tyrrell, der den Titel *The Relation of Theology to Devotion*[23] trägt. Der Autor argumentiert für eine historische und dogmatische Priorität der lex orandi gegenüber der lex credendi - ein Ansatz, dem das römisch-katholische Lehramt seiner Zeit mit schwerstem Mißtrauen begegnete.

Wenn Prospers Axiom trotz Tyrrells Interesse an ihm nicht den Anstrich des häretischen bekam und im 20. Jahrhundert zu solcher Prominenz aufsteigen konnte, so liegt dies wahrscheinlich an der zweiten Seite, von der her dem Axiom Interesse entgegengebracht wurde. Es handelt sich um das kirchliche Lehramt, das besonders innerhalb der Legitimation der marianischen Dogmen auf Prospers Axiom zurückgriff. So verwies Papst Pius IX in seiner Dogmatisierung der immaculata conceptio von 1854 auf die kirchliche Liturgie, um die lange Tradition des zu verkündenden Dogmas aufzuzeigen. Der Hinweis auf die Liturgie stand allerdings in diesem dogmatischen Begründungszusammenhang nicht isoliert: Bedeutung hatte nicht die liturgische Tradition als solche, sondern die Tatsache, daß diese (so Pius) über Jahrhunderte getreu die Überzeugungen des Magisteriums widerspiegelte. Das kirchliche Lehramt hatte die Betonung der immaculata conceptio in ver-

---

[22]Vgl. G. Tyrrells Bücher Lex orandi, or Prayer and Creed und Lex credendi, a sequel to Lex orandi.

[23]Jetzt in: Tyrrell, Through Scylla and Charybdis 85-105 unter der Überschrift "Lex orandi, lex credendi".

schiedene liturgische Formulare eingebracht und gefördert. Eine ähnliche Argumentation findet sich auch in anderen päpstlichen Verlautbarungen zur Liturgie:[24] Die Bedeutung der lex orandi wird durch die Bindung an das kirchliche Lehramt gewährleistet. Diese Art von "Liturgiebeweis" kann bis zu einer päpstlichen Umkehrung des altkirchlichen Axioms gehen, wie sie sich in der Enzyklika *Mediator Dei* von 1947 findet: "lex credendi legem statuat supplicandi".[25] Bemerkenswert ist, daß diese Interpretation (bzw. Umkehrung) des prosperschen Axioms erst kürzlich wieder aufgegriffen wurde. W. Dürig kam in Anlehnung an *Mediator Dei* zu dem Schluß, daß Liturgie als Bekenntnis des Glaubens nie dogmenbegründend sein könne, sondern immer dem Dogma folgt und ihm deshalb unterzuordnen sei.[26]

Modernistenstreit und päpstliche Verlautbarungen waren aber nicht der zentrale Bereich, in dem die römisch-katholische Theologie sich mit der Frage nach dem Verhältnis von Dogma(tik) und Liturgie beschäftigte. Es war besonders die Liturgiewissenschaft, die sich - durch die Liturgische Bewegung praktisch revolutioniert - dieser Thematik zuwandte. Die Frage, um die es zunächst ging, war die der Nutzbarmachung der Liturgie als dogmatischer Erkenntnisquelle und didaktischem Medium. Diese Fragestellung ist als Versuch einer "theologischen Aufwertung" der Liturgie zu interpretieren, die (als Teil der Tradition der Kirche verstanden) nun in einer engen Bindung an bzw. Unterordnung unter Dogma und Magisterium ihren Platz finden sollte - nicht etwa in einer Vorordnung vor beide, wie der Modernismus es anvisiert hatte. Eine solche theologische Aufwertung der Liturgie muß aber auch auf dem Hintergrund der Tatsache gesehen werden, daß die Liturgie schon seit Jahrhunderten die Theologie nicht mehr wirklich beeinflußt und geformt hatte; erinnert sei nur an die Selbstverständlichkeit, mit der die Sakramententheologie jenseits von liturgischen Texten entworfen wurde. In diesem Sinne war der Versuch einer "theologischen Aufwertung" der Liturgie längst überfällig, wenn auch in der Art, wie er zunächst zu Beginn des 20. Jahrhunderts anvisiert wurde, nicht unbedingt haltbar. Dabei darf allerdings auch nicht vergessen werden, daß diese "theologische Aufwertung" der Liturgie Teil eines umfassenden Paradigmen-

---

[24]Vgl. Schmidt, Lex orandi in documentis pontificiis 5-28.

[25]Pius XII, Mediator Dei, in: AAS 39 (1947) 521-600, hier 541.

[26]Dürig, Interpretation 226-236.

wechsels im Liturgieverständnis und damit auch im Selbstverständnis der Liturgiewissenschaft war, der entscheidend zur Ermöglichung einer theologischen Interpretation des liturgischen Geschehens beitrug. Ein gutes Beispiel der neuen Art von Verhältnisbestimmung zwischen Liturgie und Dogmatik bietet J. Brinktrine in seinem Artikel *Die Liturgie als dogmatische Erkenntnisquelle* von 1929, der einer Beschreibung von Kriterien für *sichere* Beweise für die Glaubenslehre aus der Liturgie gewidmet ist.[27] Der Autor verweist zunächst auf den eucharistischen Kanon, den das Tridentinum als "ab omne errorum purum" erklärte - womit seine Verläßlichkeit als dogmatische Erkenntnisquelle gesichert ist. Aber auch Rubriken und Symbolen spricht Brinktrine Beweiskraft zu, da diese durch die Kirche festgelegt wurden und die Kirche in Fragen der Gültigkeit der Sakramente, besonders der Eucharistie, nicht irren kann. - Ähnliche Tendenzen einer direkten Nutzbarmachung der Liturgie für die Dogmatik gab es zu dieser Zeit, und später besonders in Anlehnung an *Mediator Dei*, häufig.[28] Das beliebte Schlagwort von der Liturgie als gebetetem Dogma scheint aus dieser Gedankenwelt zu stammen. Es korrespondiert mit der Aussage von Pius XI, der die Liturgie als wichtigstes Organ des kirchlichen Lehramtes bezeichnete.[29] Dabei darf nicht vergessen werden, daß man bei diesem Ansatz oft noch mit einem relativ engen Liturgiebegriff arbeitete, der am Wesen der Liturgie eigentlich vorbeiging. Konkret: gefragt wurde nach dem dogmatischen Status eines Konglomerats von Texten, Zeremonien und Riten, die das kirchliche Lehramt legitimiert hatte - nicht etwa nach dem Wesen des Dialogs zwischen Gott und Mensch in der liturgiefeiernden Kirche und dessen Verhältnis zum Bekenntnis des Glaubens.

---

[27]J. Brinktrine, Die Liturgie als dogmatische Erkenntnisquelle, in: EL 43 (1929) 44-51; vgl. auch Brinktrine, Der dogmatische Beweis aus der Liturgie 231-251.

[28]Vgl. z.B. Adam, Dogmatische Grundlagen der christlichen Liturgie 43-54; Cappuyns, Liturgie et théologie 249-272; Eguiluz, Lex orandi, lex credendi 45-67; de Castro Engler, Lex Orandi, Lex Credendi 23-43; Oppenheim, Liturgie und Dogma 559-568, ausführlicher sein Buch Principia theologiae liturgicae, Turin 1947; Pinto, O valor teológico da liturgia, Braga 1952; Vaquero, Valor Dogmatico da Liturgia 346-363; Vonier, Doctrinal power of the liturgy 1-8; de Vries, Lex supplicandi - lex credendi 48-58.

[29]Die Aussage ist mündlich überliefert, vgl. Lehmann, Gottesdienst als Ausdruck des Glaubens 199. Kritisch differenzierend zu dieser Aussage schon Vagaggini, Theologie der Liturgie 297-313.

Allerdings war auch von Anfang an klar, daß man durch diesen dogmatischen "Utilitarismus" dem eigentlichen Wesen der Liturgie nicht wirklich gerecht wurde. Darauf verwies in gewisser Weise (und wahrscheinlich ohne es zu wollen) schon J. Umberg in seinem Artikel über liturgischen Stil und Dogmatik, der 1926 erschien.[30] Der Autor betont die Eigengestalt liturgischen Redens und Handelns, die einer direkten Inanspruchnahme durch die Dogmatik entgegenwirkt. Diese Betonung war nicht nur angesichts von Versuchen einer "theologisch-dogmatischen Aufwertung" der Liturgie angebracht, sondern auch angesichts päpstlicher Inanspruchnahmen der Liturgie für lehramtliche Aussagen. J. Pascher wiederholte und präzisierte diese Warnung Anfang der 60er Jahre in sehr viel anspruchsvollerer Form, als die Liturgie herangezogen werden sollte, um eine eventuelle Dogmatisierung Marias als mediatrix omnium gratiarum zu stützen. Pascher hob in seinem Artikel *Theologische Erkenntnis aus der Liturgie* hervor, daß selbst wenn liturgische Aussagen den Gedanken einer marianischen Gnadenmediation (z.B. in Gebeten) aufnehmen, sie doch keinesfalls als theologisch-dogmatische Aussagen verstanden werden dürfen. Die liturgische Sprache muß als "Sondertypus der Sprache" anerkannt und respektiert werden.[31] Paschers Artikel signalisiert den Beginn eines wichtigen Umschwungs: Die Verhältnisbestimmung von Dogma(tik) und Liturgie, oder auch einfach von theologischen und liturgischen Aussagen, wird in den letzten Jahrzehnten wesentlich vorsichtiger angegangen als noch zu Beginn des Jahrhunderts. Mehr und mehr nimmt man Abstand von dem Gedanken eines direkten und unmittelbaren Bezugs zwischen Liturgie und Theologie, der das Spezifikum liturgischer Rede verwischt und die Liturgie einseitig der Theologie unterordnet und nutzbar macht.[32]

Noch von einer anderen Seite wurde die Gleichsetzung und Austauschbarkeit von lex orandi und lex credendi in Frage gestellt. Historische Untersuchungen ergaben einen viel begrenzteren (dadurch aber auch konkreteren) Sinn des altkirchlichen Axioms,

---

[30]Vgl. J. Umberg, Liturgischer Stil und Dogmatik, in: Schol. 1 (1926) 481-503. Die Beispiele, die der Autor heranzieht, sind allerdings haarsträubend.

[31]Vgl. J. Pascher, Theologische Erkenntnis aus der Liturgie, in: Einsicht und Glaube (FS G. Söhngen), hg. von J. Ratzinger/H. Fries, Freiburg i.B. 1962, 243-258, hier 246.

[32]Vgl. z.B. Dalmais, Liturgie comme lieu théologique 97-105 und Dalmais, Liturgie und Glaubensgut 239-247; Stenzel, Liturgie als theologischer Ort 606-620; Lukken, Liturgie comme lieu théologique 97-112; Power, Ausdrücke des Glaubens 137-141.

an dem sich ein Großteil der Diskussion zumindest terminologisch orientiert hatte, als bis dahin erkannt worden war.[33] Vor allem wurde deutlich, daß Prospers Beweisgang nicht unbedingt (wie angenommen) einen Traditionsbeweis, sondern einen Schriftbeweis darstellt. Der Augustinusschüler Prosper verwies im Streit um den Semi-Pelagianismus auf die Heilige Schrift, der die kirchliche Liturgie entspricht: Die paulinische Aufforderung, für alle Menschen zu beten, der zu Recht in den Fürbitten der Kirche Folge geleistet wird, zeigt die Notwendigkeit der allein rettenden Gnade. Deshalb gilt: "legem credendi lex statuat supplicandi."

Die ganze Fragestellung änderte sich noch einmal mit und nach dem Zweiten Vatikanischen Konzil, besonders aufgrund der mit ihm verbundenen liturgischen Erneuerung und Reformen. Drei Dinge sind zu beachten: Die Alleinherrschaft des römischen Kanon, den das Tridentinum für "irrtumsfrei" erklärt hatte, war gebrochen, ebenso verschwanden viele Zeremonien und Rubriken, die noch zu Beginn des Jahrhunderts dogmatisch aufgewertet worden waren. Andererseits war die Erneuerung der Liturgie letztlich (auch) ein Akt des kirchlichen Lehramtes - es sei denn man argumentiert, daß die Liturgie ihre ursprüngliche Kraft in der Liturgischen Erneuerung so weit zurückgewann, daß dem Magisterium keine Wahl blieb, als diese Erneuerung offiziell anzuerkennen. Das Verhältnis zwischen Liturgie und Lehramt wurde aber trotz aller Veränderungen im liturgischen Leben selbst nicht wirklich angetastet. Drittens kam es in Zusammenhang mit der Übersetzung liturgischer Texte in die Muttersprachen zu einem neuen Interesse an der Eigenart liturgischen Redens, das die poetisch-kultische Form der Liturgiesprache klarer werden ließ.

Die Auswirkungen der konziliaren und nachkonziliaren liturgischen Erneuerung auf die Diskussion um "lex orandi" und "lex credendi" bestanden vor allem in einer nicht unwesentlichen Horizonterweiterung. Es ging primär nicht mehr um die Frage nach dem Verhältnis von liturgischen Texten, Zeremonien und Rubriken zu dogmatischen Aussagen, sondern vielmehr um die Frage nach dem Wesen der Liturgie als solcher. Die Eigengestalt der Liturgie wurde ernst genommen. Die Wesensbestimmung der

---

[33]Wichtig war hier besonders die Untersuchung von K. Federer, Liturgie und Glaube. Vgl. aber auch Schückler, Legem credendi 26-41 und de Clerck, Lex orandi 193-212, die Federers Ergebnisse hinsichtlich der Art des prosperschen Beweisgangs vertiefen.

Liturgie war dementsprechend nicht mehr von einer engen Bindung an Dogma und Lehramt charakterisiert, sondern durch die Betonung der poetisch-doxologischen Eigenart der lex orandi. Das Interesse an einer direkten und funktionalen Nutzbarmachung der Liturgie als locus theologicus schwand. Trotzdem kam es gerade zu diesem Zeitpunkt zu einem - wenn auch geringen - Interesse dogmatischer Theologen an dem ganzen Problemkomplex; erinnert sei an Beiträge von E. Schillebeeckx[34] und K. Lehmann.[35] Im großen und ganzen muß man aber feststellen, daß die römisch-katholische Dogmatik von der liturgiewissenschaftlichen Diskussion um das Verhältnis von Theologie und Liturgie seltsam unberührt blieb. Dies wird nicht zuletzt deutlich in der Festschrift für den Liturgiewissenschaftler E.J. Lengeling, die unter dem Titel *Liturgie - ein vergessenes Thema der Theologie?* erschien.[36] Auch wenn der Begriff "Theologie" hier nicht streng die dogmatische Theologie, sondern alle theologischen Arbeitsbereiche beschreibt, ist doch gerade der Beitrag des Dogmatikers in dieser Festschrift bezeichnend. H. Vorgrimler beschäftigt sich mit der *Liturgie als Thema der Dogmatik.*[37] Er beginnt mit der durch das Zweite Vatikanum angeregten neuen Beachtung der Liturgie als Thema der ganzen Theologie und als theologischem Hauptfach, die es auch in der dogmatischen Arbeit stärker umzusetzen gilt. Nach Vorgrimler ist die Liturgie nach der Schrift als der ersten Glaubensquelle das bedeutendste Glaubenszeugnis der Tradition, das wichtigste Organ des kirchlichen Lehramtes. Daraus ergibt sich folgendes: "Ist die Liturgie nicht einfach ein Glaubenszeugnis des Gottesvolkes (dies höchstens durch Akklamation), sondern Äußerung des Lehramts, dann hat die Dogmatik das Recht zu der fundamental-theologischen Frage, welche Verbindlichkeit dieser Äußerung zukommt."[38] Vorgrimler beantwortet diese von ihm gestellte Frage nicht; sie wirft aber ein interessantes Bild auf das zu-

---

[34]Schillebeeckx, Liturgie als theologischer Fundort, in: Gesammelte Schriften I, 175-177; vgl. auch Kasper, Wissenschaftspraxis der Theologie 244 ("Theologie als gedachte Liturgie").

[35]Lehmann, Gottesdienst als Ausdruck des Glaubens 197-214.

[36]Liturgie - ein vergessenes Thema der Theologie?, hg. von K. Richter (QD CVII), Freiburg i.B. 1986[1], 1987[2]; eine ausführliche Besprechung bietet Maas-Ewerd, Liturgie in der Theologie 173-189.

[37]Vorgrimler, Liturgie als Thema der Dogmatik, in: Liturgie - vergessenes Thema 113-127.

[38]Vorgrimler, Liturgie als Thema der Dogmatik 118.

grundeliegende Liturgieverständnis: Liturgie wird definiert als "Akte des ordentlichen (und außerordentlichen) Lehramts der Kirche", womit dann auch gesagt ist, daß das eigentliche Subjekt dieser Liturgie die kirchliche Hierarchie ist.[39] Es bleibt die Frage, ob die Dogmatik hier nicht Probleme an die Liturgie heranträgt, die ihrem eigentlichen Wesen nicht entsprechen, oder zumindest - auch und gerade im Gespräch zwischen Liturgiewissenschaft und Dogmatik - sekundär sein müßten. Die Fragen erinnern an eine Dogmatik, die sich der Liturgie primär "utilitaristisch" nähert - ein Weg, auf dem die Liturgie nicht unbedingt zum "zentralen Thema der Theologie" werden wird, wie es die *Einführung* in die Festschrift fordert.[40] Hier könnte der Grund für das bisherige auffallend geringe Interesse der Dogmatik an der Frage nach dem Verhältnis von Theologie und Liturgie/Doxologie liegen: In der Dogmatik ist bis jetzt der Paradigmenwechsel im Liturgieverständnis, wie er die liturgiewissenschaftliche Arbeit im 20. Jahrhundert charakterisiert, in seiner Brisanz nicht genügend gewürdigt und rezipiert worden.

Ein Artikel von M.-J. Krahe weist die Diskussion an diesem Punkt in eine neue Richtung. Die von O. Casel beeinflußte Benediktinerin versucht in ihrem mit dem programmatischen Untertitel *Doxologie als Ursprung und Ziel aller Theologie* versehenen Artikel, Theologie als Gottes-Rede auf vier verschiedenen Ebenen zu verstehen (der Begriff Theologie ist in einem sehr weiten Sinn gebraucht): als Rede von Gott, aus Gott, über Gott und zu Gott. Nach Krahe kann Theologie nur in der Integration dieser verschiedenen Ebenen bestehen. Als hervorragendes Beispiel einer solchen integrierten, "ursprünglichen" Theologie nennt sie den Epheserhymnus (Eph 1,3-14), über den sie schreibt:

"Der Inhalt solch 'ursprünglicher' Theologie -
das Mysterium des göttlichen Heilswillens -
bestimmt nun ihre Sprache, ihren Sitz im Leben
der Gemeinde und ihren Auftrag, nicht zuletzt
aber auch die Voraussetzung bei jenen, die diese
'Theologie' treiben: Glauben, Hören und

---

[39]Vorgrimler, Liturgie als Thema der Dogmatik 125.
[40]Richter, Liturgie - zentrales Thema der Theologie, in: Liturgie - vergessenes Thema 9-27.

Erfülltsein mit dem Geiste Gottes nach Vergebung
der Sünden - also das In-Christus-Sein - sind die
Grundbefindlichkeiten, die aller Theologie, mag
sie sich in späterer Zeit auch noch so
differenziert und wissenschaftlich entwickeln,
zugrunde liegen müssen. Die Entwicklung konnte
und kann bei dieser ursprünglichen Form nicht
stehenbleiben. Doch bleibt letztere für alle
Zeiten das Paradigma, an dem Theologen und
Theologien sich zu messen haben."[41]

In eine ähnliche Richtung geht der Liturgiewissenschaftler A.
Kavanagh OSB in seinem Buch *On Liturgical Theology*.[42]
Kavanaghs Gedanken seien hier etwas detaillierter referiert, weil
er die bis jetzt skizzierte Entwicklung von einer Unterordnung der
Liturgie unter Lehramt und Dogma zu einer Erkenntnis des
Eigenwertes der Liturgie gegenüber der Dogmatik nun in Richtung
einer neuen Verhältnisbestimmung führt: einer klaren
Vorordnung der Liturgie vor der Theologie. Kavanagh definiert
gleich zu Beginn, worum es ihm geht - und worum nicht. Mit
"liturgischer Theologie" ist nicht ein dogmatischer Traktat über
die Liturgie gemeint, ebensowenig eine systematische Theologie,
die auf liturgischem Material aufbaut. Vielmehr muß nach
Kavanagh das Adjektiv "liturgisch" signalisieren, daß Theologie
vom liturgischen Geschehen her konzipiert wird, daß Liturgie
Theologie ermöglicht, bestimmt und formt. Um diese Aussage dreht
sich im Grunde das ganze Buch. Kavanagh beginnt mit der üblichen Unterscheidung zwischen theologia prima und theologia secunda, wobei die Liturgie als theologia prima ganz im Sinne von A.
Schmemann verstanden wird (dem das Buch gewidmet ist): "the
liturgy ... 'is not an *authority* or a *locus theologicus*; it is the ontological condition of theology.'"[43] Da Theologie für Kavanagh im
weitesten Sinne eine Reflexion über die communio zwischen Gott

---

[41]M.-J. Krahe, "Psalmen, Hymnen und Lieder, wie der Geist sie eingibt". Doxologie
als Ursprung und Ziel aller Theologie, in: Liturgie und Dichtung. Ein interdisziplinäres Kompendium, Bd. II: Interdisziplinäre Reflexion, hg. von H. Becker/R.
Kaczynski (Pietas Liturgica II), St. Ottilien 1983, 923-957, hier 940.
[42]A. Kavanagh, On Liturgical Theology, New York 1985.
[43]Kavanagh, Liturgical Theology 75. Ähnliche Aussagen zu diesem Thema finden
sich von liturgiewissenschaftlicher Seite in letzter Zeit immer häufiger; vgl. z.B.
Triacca, Sens théologique 330-334.

und Mensch darstellt, ist offensichtlich, daß der Punkt, an dem die Gemeinde anbetend vor Gott steht, zum Ausgangspunkt und Zentrum aller Theologie wird. Ein Schlüsselbegriff ist für den Autor in diesem Zusammenhang die "Orthodoxia", der rechte Gottesdienst. Dessen Verhältnis zur theologia secunda sieht Kavanagh gemäß dem prosperschen Axiom "ut legem credendi lex statuat supplicandi", wobei ihm das Verb in diesem Zusammenhang von besonderer Bedeutung ist: Liturgie konstituiert und formt Theologie. Er setzt sich im weiteren von G. Wainwrights Ansatz ab, der der Theologie einerseits eine gewisse kritische Funktion gegenüber der Liturgie zugesteht, andererseits die systematische Arbeit von der Liturgie her aufbauen will: "The liturgy is neither structured nor does it operate in such a way as to provide doctrinal conclusions."[44] Trotzdem ist die Liturgie keinem unkontrollierten Wildwuchs überlassen; vier "kanonische" Regulative begrenzen sie: der Kanon der Schrift, der Kanon des Taufsymbols, der eucharistische Kanon und die kanonischen Regeln der Gemeinschaft, sprich das Kirchenrecht. Aufgrund dieser Aussagen kehrt Kavanagh nun zu seinem Ausgangspunkt zurück und präzisiert diesen folgendermaßen:

"I have insisted so far upon the liturgical act
as the primary theological act in a church's life
because it is the first act of critical
reflection triggered by faith-encounters with the
presence of the living God in the midst of those
who assemble precisely for this end. As such, the
liturgical dialectic of encounter, change, and
adjustment to change amounts to a reflective and
lived theology which is native to all the members
of the faithful assembly."[45]

Soweit Kavanaghs eigene Gedanken. Der Autor versucht in *Liturgical Theology* offensichtlich, Konsequenzen für die theologische Arbeit zu ziehen aus den hohen Ansprüchen, die für die Liturgie erhoben werden. Es ist ja deutlich, daß der liturgiewissenschaftliche Anspruch hinsichtlich der Bedeutung der Liturgie

---

[44]Kavanagh, Liturgical Theology 126.
[45]Kavanagh, Liturgical Theology 146.

im Leben der Kirche in der Arbeit der dogmatischen Theologie oft nicht ernst (genug) genommen wird. Allerdings ist an diesem Punkt auch auf wichtige neuere Versuche eines Brückenschlags zwischen beiden Bereichen hinzuweisen: L. Lies versucht in seinem Beitrag mit dem Titel *Theologie als eulogisches Handeln,*[46] die Sinngestalt der Theologie als eucharistische Sinngestalt nachzuweisen. Der Ausgangspunkt der Überlegungen ist so einfach wie offensichtlich: Da die Eucharistie als Quelle und Höhepunkt des kirchlichen Lebens gilt, sollte die Theologie als Reflexion des Glaubens auch Reflexion in und aus dieser Quelle sein. Lies weist die "eucharistische Sinngestalt des Theologisierens" nach anhand von vier Elementen, die den Sinngehalt der Eucharistie als beraka, eulogia, benedictio bestimmen (Anamnese, Epiklese, staunenerregende Präsenz und Opfer), die aber auch die Dynamik der Theologie ausmachen, die sich damit als eulogisches Handeln erweist. In eine ähnliche Richtung tendiert der Gedankengang von E.J. Kilmartin, der in seinem Buch *Christian Liturgy* ein kurzes Kapitel dem Thema "Theology as Theology of the Liturgy" widmet.[47] Ausgehend von der zentralen Bedeutung der Liturgie im Leben der Kirche fordert der Autor, daß jede Theologie als eine ihrer Aufgaben auch die Reflexion auf eine Theologie der Liturgie akzeptieren sollte (das Axiom "lex orandi - lex credendi", das in *Christian Liturgy* nie in der ursprünglichen Form zitiert wird, interpretiert Kilmartin im Sinne von: *"the law of prayer is the law of belief, and vice versa"*[48]. Die Dogmatikerin Catherine Mowry LaCugna wählt in ihrem Artikel *Can Liturgy ever again be a Source for Theology?* einen ähnlichen Ausgangspunkt wie Kilmartin, bestimmt das Verhältnis zwischen Liturgie und Theologie dann aber auf der Basis eines beiden eigenen "doxologisches Moments": "liturgy and theology are *intrinsically* related to each other because the 'inner moment' of both is doxology."[49] Aufgrund der doxologischen Ausrichtung sowohl der Theologie als auch der Liturgie entwirft LaCugna eine Verhältnisbestimmung, die vor allem das Angewiesensein beider Bereiche aufeinander betont.

---

[46]L. Lies, Theologie als eulogisches Handeln, in: ZKTh 107 (1985) 76-91.

[47]E.J. Kilmartin, Christian Liturgy: Theology and Practice, Bd. I: Systematic Theology of Liturgy, Kansas City 1988.

[48]Kilmartin, Christian Liturgy 97.

[49]C.M. LaCugna, Can Liturgy ever again become a Source for Theology?, in: StLi 19 (1989) 1–13, hier 3.

Welches Resultat brachte die eben skizzierte Diskussion innerhalb der römisch-katholischen Liturgiewissenschaft und von welchem Interesse sind sie für die vorliegende Untersuchung? Wichtig
scheint vor allem, daß die Erkenntnis der Bedeutung der Liturgie
und das Verständnis ihres Wesens (und damit des Wesens der doxologischen Traditionen der Kirche) entscheidend vertieft worden
sind. Es geht nicht länger darum, den "Wert" der Liturgie nur anhand ihrer Nutzbarmachung für Dogma, Theologie und Lehramt zu
bestimmen. Vielmehr wird die Eigengestalt der Liturgie respektiert
und von daher der ihr eigene Beitrag als spezifischer Glaubensausdruck[50] zu bestimmen versucht. Meine Untersuchung versteht
sich als Teil dieses Versuchs einer (Neu-) Bestimmung des spezifischen Beitrags doxologischer Traditionen zum Gesamt des
Glaubensausdrucks des Gottesvolkes.

B. Die protestantische Systematik:
Sprachdifferenz zwischen dogmatischer Aussage
und Glaubensaussage

Anders als in der römisch-katholischen Theologie ist es in der
protestantischen Theologie gerade die Systematik, die sich der
Frage um das Verhältnis von Theologie und Doxologie zugewandt
hat. Man mag dies mit einem Verweis auf das Fehlen auch nur eines liturgiewissenschaftlichen Lehrstuhls an einer evangelischen
Fakultät (zumindest in der Bundesrepublik) erklären, aber diese
Tatsache selbst ist ja nur Hinweis auf einen größeren Gesamtzusammenhang. Das ganze Problem des Verhältnisses zwischen
Theologie und Doxologie ist eben für die evangelische Theologie
primär nicht eine liturgische, sondern eine theologische
Angelegenheit. Nicht zuletzt aus diesem Grund drehte sich die
Diskussion in diesem Bereich bis vor kurzem auch nicht ausschließlich um das Verhältnis von Theologie und Doxologie, sondern um die weitere Perspektive der Sprachdifferenz zwischen
dogmatischer/theologischer Aussage und Glaubensaussage. Damit
ist aber auch eine nicht unbedeutende Verschiebung der Schwer-

---

[50]Vgl. hierzu auch Conc(D) 9 (1973) Heft 2: "Glaubensausdruck und
Glaubenserfahrung im Gottesdienst".

punkte im Vergleich zu der Diskussion in der römisch-katholischen Liturgiewissenschaft gegeben: Konzentrierte diese sich primär auf die Kultsprache, so beschäftigte sich die protestantische Systematik zunächst intensiver mit der Andachtssprache. Erst in letzter Zeit wird eine Hinwendung auch zur Kultsprache spürbar. Die ganze Fragestellung selbst muß wiederum im größeren Kontext der "linguistischen Wendung"[51] gesehen werden, die die Theologie in den letzten Jahrzehnten vollzogen hat.

Das Interesse an der Sprachdifferenz zwischen dogmatischer Aussage und Glaubensaussage erwachte zunächst besonders innerhalb der christologischen Diskussion - und fand dort auch bald eine kontroverse Ausformung. Zu erinnern ist hier an die Unterscheidung, die einige Autoren von *The Myth of God Incarnate* zwischen theologischer und poetisch-doxologisch-liturgischer Sprache vornahmen.[52] Die Konsequenzen dieser Unterscheidung liefen auf eine Bejahung klassisch inkarnatorischer Rede im doxologischen Bereich bei gleichzeitiger Ablehnung einer theologisch verantworteten Rede von der Inkarnation hinaus.

Einflußreicher waren andere, tastendere Versuche auf diesem Gebiet, die in den letzten Jahren zu einem wachsenden Interesse an der Frage nach dem Verhältnis von Theologie und Doxologie führten. Im folgenden seien die wichtigsten Beispiele aufgegriffen, von denen eine bleibende Wirkung auf die wissenschaftliche Diskussion erhofft werden kann.

G. Ebeling beschäftigt sich mit der Problematik unter dem Gesichtspunkt des Verhältnisses zwischen dogmatischer Aussage und Glaubensaussage. Er stellt zwischen beiden sowohl Gemeinsamkeiten (vor allem in Abgrenzung von naturwissenschaftlichen und historischen Aussagen) als auch Unterschiede fest,[53] fordert aber vor einer detaillierteren Diskussion zunächst die Erarbeitung genauerer Kategorien einer theologischen und doxologischen Sprachtheorie. Ebelings Interesse an doxologischer Sprache im weitesten Sinne - er spricht einfach von "Gebet" - wird in seiner

---

[51]R. Schaeffler, Religionsphilosophie (Handbuch Philosophie), Freiburg i.B. 1983, 161. Verwiesen sei in diesem Zusammenhang auf Schaefflers Darstellung von G. Wainwrights Ansatz, 191-196.

[52]Vgl. The Myth of God Incarnate, hg. von J.H. Hick, London 1977.

[53]Vgl. G. Ebeling, Dogmatik des christlichen Glaubens, Bd. I: Prolegomena, Teil 1, Tübingen 1979, 44-49. Erwähnt sei in diesem Zusammenhang auch Ebelings Aufsatz Die Notwendigkeit des christlichen Gottesdienstes, in: ZThK 67 (1970) 232-249.

Dogmatik des christlichen Glaubens besonders deutlich, wo er das "Gebet als Schlüssel zur Gotteslehre" heranzieht.[54]

Ebeling ist natürlich nicht der erste protestantische Systematiker, der sich in seinen Arbeiten mit dem Thema Gebet/Gottesdienst beschäftigt. Andere sollen hier zumindest erwähnt werden: P. Althaus d.Ä., K. Barth, P. Brunner, E. Schlink und V. Vajta.[55] Zum zentralen Bezugspunkt einer protestantischen Systematik wurde der Gottesdienst aber zum ersten Mal in dem Buch *Doxology* des britischen Methodisten G. Wainwright.[56] Es verdient hier aus diesem Grunde eine ausführlichere Besprechung. Wainwright betrachtet das altkirchliche Begriffspaar "lex orandi - lex credendi" als das Herzstück seiner systematischen Arbeit. Allein schon durch diese Orientierung (das prospersche Axiom spielte in der protestantischen Systematik bis dahin so gut wie keine Rolle) darf der Autor von *Doxology* zumindest nicht in vollkommener Isolation von der römisch-katholischen Liturgiewissenschaft angesiedelt werden. Wie das patristische Leitmotiv vermuten läßt, konzentriert sich Wainwright auch ausschließlich auf die liturgischen Traditionen der Kirche, also die Kultsprache. Daß sein Werk dennoch primär eine systematische Theologie und erst an zweiter Stelle, quasi indirekt, eine Theologie der Liturgie darstellt, wird an mehreren Punkten deutlich. Zunächst ist der Autor selbst Professor für systematische Theologie. Seine Aufgabe und sein Ziel hat er dementsprechend im Untertitel von *Doxology* charakterisiert: "A *Systematic* Theology". Auch der Aufbau des Werkes läßt unschwer systematische Prioritäten erkennen; in den Kapitelüberschriften klingen die klassischen Themen der (protestantischen) Dogmatik an. Was *Doxology* von anderen protestantischen Systematikentwürfen abhebt, ist die Perspektive, unter der hier Theologie betrieben wird. Wainwright hat als erster die Liturgie als "locus theologicus", als primären Kontext des Glaubensvollzugs und der Glaubensaussagen für die systematische Arbeit wirklich ernst genommen. Um es mit dem Titel eines späteren Artikels zu sagen:

---

[54]Ebeling, Dogmatik I, 192-244, hier 193.

[55]Vgl. hierzu Merkel, Liturgie - vergessenes Thema evangelischer Theologie 33-41.

[56]G. Wainwright, Doxology. The Praise of God in Worship, Doctrine and Life. A Systematic Theology, New York 1980[1]. In eine ähnliche Richtung tendiert schon der Artikel des Lutheraners E. Griese, Perspektiven einer liturgischen Theologie, in: US 24 (1969) 102-113.

Der Gottesdienst ist sowohl Quelle als auch Thema der Theologie.[57] Für welche Art der Beziehung zwischen Liturgie und Theologie plädiert aber nun *Doxology*? Zu dieser Problematik sind einmal das Buch als ganzes, sodann aber auch besonders die beiden zentralen Kapitel "Lex orandi" und "Lex credendi" zu befragen. Das altkirchliche Axiom, dem diese Kapitel gewidmet sind, stellt ja das Fundament von Wainwrights Arbeit dar. Wainwright postuliert aufgrund dieses Ausgangspunktes eine tiefgreifende Interdependenz zwischen Theologie und Liturgie. Problematisiert (oder hinterfragt) wird diese Interdependenz methodologisch im Grunde nicht - dafür ist das Buch zu sehr auf dem Hintergrund des Gedankens einer jahrhundertelangen Trennung zwischen Theologie und Liturgie geschrieben, die es zu überwinden gilt. Bei Wainwright geschieht die Fruchtbarmachung der liturgischen Traditionen für die Theologie dadurch, daß die gottesdienstlichen Vollzüge und Glaubensaussagen zur Quelle der theologischen Reflexion gemacht werden. (Die Frage eines Rezensenten, ob man bei einem solchen Ansatzpunkt nicht konsequenterweise eine Systematik anhand z.B. der Basilius-Anaphora hätte entwerfen müssen, ist nicht ganz von der Hand zu weisen). In späteren Artikeln hat Wainwright die Interdependenz zwischen der theologia prima (Doxologie/Liturgie) und der theologia secunda (Dogma/Theologie) etwas stärker problematisiert, so z.B. wenn er sich gegen einen "liturgischen Fundamentalismus" wehrt.[58] Auch in *Doxology* versucht er schon Kriterien aufzustellen, nach denen die Liturgie als legitimer "locus theologicus" fungieren kann.[59] Nicht hinterfragt wird allerdings die fundamentale Interdependenz zwischen Theologie und Liturgie, die es erlaubt, liturgische Traditionen im Sinne theologischer Reflexion zu interpretieren. Was die Behandlung dieser Frage betrifft, ist Wainwright eher in der römisch-katholischen liturgiewissenschaftlichen Diskussion als in der protestantischen

---

[57]G. Wainwright, Der Gottesdienst als "Locus Theologicus", oder: Der Gottesdienst als Quelle und Thema der Theologie, in: KuD 28 (1982) 248-258. D.N. Power, Doxology 64 wirft Wainwright allerdings vor, daß er der theologia secunda Priorität einräumt vor der theologia prima.

[58]An Artikeln sind zu nennen: G. Wainwright, Art. "Gottesdienst. IX. Systematisch-theologisch", in: TRE 14 (1985) 85-93; G. Wainwright, A Language in Which We Speak to God, in: Worship 57 (1983) 309-321; G. Wainwright, In Praise of God, in: Worship 53 (1979) 496-511; G. Wainwright, The Praise of God in the Theological Reflection of the Church, in: Interp. 39 (1985) 35-45.

[59]Vgl. Wainwright, Doxology 240-245.

Systematik beheimatet. Auch seine Konzentration auf die liturgische Tradition, also die Kultsprache (im Gegensatz zu einer mehr allgemeinen Reflexion über "Gebetssprache", die sich letztlich meistens auf die Andachtssprache konzentriert) ist innerhalb der protestantischen Systematik ungewöhnlich.

Ein Jahr nach Erscheinen von *Doxology* veröffentlichte G. Sauter seinen Artikel *Reden von Gott* im Gebet. Der Autor betont, daß die Theologie als Reden von Gott immer auch des Redens zu Gott bedarf, mehr noch: daß das Reden zu Gott Priorität hat vor dem Reden von Gott. Bemerkenswert ist Sauters klare Bindung der Doxologie an die Liturgie (man fragt sich unwillkürlich, ob *Doxology* hier schon Früchte getragen hat?): "die Doxologie hat ihren genuinen Platz im Gottesdienst."[60] Diese eindeutige Verbindung von Doxologie und Liturgie ist innerhalb der protestantischen Systematik - wie schon erwähnt - durchaus nicht immer erkennbar. Zwei Beispiele mögen dies verdeutlichen:

W. Pannenberg beschäftigt sich in seinem Artikel *Analogie und Doxologie*[61] mit der Frage nach der Art des analogischen Sprechens in der Doxologie (er knüpft an Gedanken von E. Schlink an, dessen Position ich in anderem Zusammenhang referieren werde). Pannenberg betont, daß die Doxologie sich der Analogie zwar bedient, sie aber nicht als solche intendiert. Im Akt der Anbetung wird die Analogie transzendiert; der Lobpreisende bringt sein "ich" und damit auch die begriffliche Eindeutigkeit seiner Rede zum Opfer. Rein formal fällt an Pannenbergs Aufsatz auf, daß an keiner Stelle doxologische Aussagen selbst (geschweige denn liturgische Formeln) zitiert werden.

Als weiteres Beispiel für das Interesses an doxologischer Sprache bei gleichzeitiger Vernachlässigung der Liturgie in der protestantischen Systematik mag das Buch *Jubilate* der englischen Theologen D.W. Hardy und D.F. Ford stehen.[62] Die Autoren konzentrieren sich auf den Begriff "Lobpreis" ("praise"), der als fundamentale und zentrale Kategorie des Gottesverhältnisses und somit als Fundament und Zentrum christlicher Existenz verstanden

---

[60]G. Sauter, Reden von Gott im Gebet, in: Gott nennen. Phänomenologische Zugänge, hg. von B. Casper, Freiburg i.B. 1981, 219-242, hier 237. Ganz ähnlich G. Sauter, Das Gebet als Wurzel des Redens von Gott, in: Glaube und lernen 1 (1986) 21-38.

[61]W. Pannenberg, Analogie und Doxologie, in: Dogma und Denkstrukturen (FS E. Schlink) hg. von W. Joest/W. Pannenberg, Göttingen 1963, 96-115.

[62]D.W. Hardy/D. Ford, Jubilate. Theology in Praise, London 1984.

wird. Die Hauptthese des Buches besteht in der engen Verbindung zwischen Lobpreis und Gotteserkenntnis, die die Autoren postulieren:

"The interplay of knowing and praising God is the
theme of this book. Their inseparability is
simply stated: knowing this God is to know a
glory and love that evokes all our astonishment,
thanks and praise, praising this God is a matter
of affirming truth as well as expressing
adoration and love."[63]

Jubilate beschäftigt sich mit einem wichtigen Thema. Die fundamental doxologische Ausrichtung christlicher Existenz ist in der theologischen Arbeit (speziell der westlichen Tradition) lange nicht genügend gesehen worden. Diese Lücke versucht das Buch zu Recht aufzuzeigen und zu schließen. Der Untertitel "Theology in Praise" deutet darauf hin, daß es den Autoren nicht um eine neue exotische Genitiv-Theologie geht, sondern daß Doxologie als Ausgangspunkt christlichen Lebens und christlicher Erkenntnis die theologisch-systematische Arbeit als solche mitgestalten soll. So wichtig und interessant dieser Ansatz ist, so erstaunlich ist die Blindheit der Autoren auf dem liturgischen Auge. Es ist schwer zu glauben, daß 200 Seiten einer "doxologischen Theologie" keinen einzigen ernst zu nehmenden Hinweis auf die liturgischen Traditionen der Kirche enthalten können[64] - geschweige denn auch nur ein konkretes Beispiel eines liturgischen Textes. Man fragt sich, wie die Autoren es fertig brachten, die Liturgie so gänzlich aus ihren Überlegungen auszuklammern, besonders wenn man im Anhang liest: "It is, of course, true that praise appears, perhaps most specifically, in worship."[65] Unwillkürlich wünscht man, die Autoren hätten den Titel ihres eigenen Buches ernster genommen: Jubilate ist ein Plural. - Soviel zu Beiträgen zum Thema "Doxologie" aus dem protestantischen Bereich, die ganz eindeutig ohne Referenz zum Gottesdienst der Kirche konzipiert worden sind.

---

[63]Hardy/Ford, Jubilate 108.
[64]Manche Seiten des Buches schreien direkt nach liturgischen Belegen und Erläuterungen, so besonders die Abschnitte über die Entwicklung der altkirchlichen Trinitätslehre und Christologie, S. 53-57, 132-134.
[65]Hardy/Ford, Jubilate 168.

Als wichtiger neuer Beitrag zu der Diskussion um die Sprachdifferenz zwischen doxologischer und theologischer Aussage in der
protestantischen Systematik müssen an dieser Stelle noch Ansätze
in D. Ritschls Werk *Zur Logik der Theologie*[66] genannt werden.
Der Autor, ein reformierter Theologe, sieht den Beginn
theologischer Reflexion in anbetender Wahrnehmung; die Ebene,
auf der eine Priorität der Doxologie vor der Theologie postuliert
werden könnte, muß seines Erachtens erst noch genauer bestimmt
werden. Andererseits bindet Ritschl die Doxologie auch keinesfalls
streng an den Gottesdienst - es wird nichts deutlich, ob er sich mit
Kultsprache, Andachtssprache oder beidem beschäftigt, oder ob ihm
solche Unterscheidungen von vorneherein als irrelevant für die
Problematik erscheinen. Wichtig ist Ritschl ohne Zweifel die
These, daß doxologische Aussagen - als transfigurierte Sprache -
nicht zum Ausgangspunkt argumentativ-deskriptiver Gedanken-
ketten gemacht werden sollten. Zu demselben Thema schrieb
Ritschl schon früher: "Doxological speech must not be made the
beginning of theological analyses; ... Prayers must not be analyzed; they must be prayed."[67] Hier ist die Sprachdifferenz zwischen
theologischer und doxologischer Aussage eindeutig ernst genommen. Die Frage bleibt, wie dann doxologische Traditionen
(besonders die theologisch verantwortete doxologische Kultsprache)
für die theologische Reflexion fruchtbar gemacht werden können.

Der kurze Überblick über die Diskussion in der protestantischen
Systematik hat das wachsende Interesse an dem Verhältnis von
Glaubensaussage und dogmatischer Aussage gezeigt. Es ist leicht
ersichtlich, daß als Konsequenz dieser Diskussion der Begriff
"Doxologie" kein Fremdwort mehr ist und Themen wie "Gebet"
und "Gottesdienst" ein größerer Platz eingeräumt wird als noch vor
einigen Jahren[68] - auch wenn erst kürzlich noch die Lehre des
Gebets als "vernachlässigtes Thema evangelischer Theologie" be-

---

[66]D. Ritschl, Zur Logik der Theologie. Kurze Darstellung der Zusammenhänge theo-
logischer Grundgedanken, München 1984.
[67]Ritschl, Memory and Hope 169.
[68]Ein wichtiges Indiz dafür sind die ausführlichen Beiträge unter den Stichworten
"Gebet" und "Gottesdienst" in der TRE, besonders die theologisch-systematischen
Abschnitte; vgl. G. Müller, Art. "Gebet VIII. Dogmatische Probleme gegenwärtiger
Gebetstheologie", in: TRE 12 (1983) 84-94; für den theologischen Abschnitt zum
Stichwort "Gottesdienst", vgl. Anm. 58.

zeichnet wurde.[69] Die Ergebnisse dieses neuerwachenden Interesses an den doxologischen Traditionen der Kirche sind noch nicht abzusehen. Zwei unterschiedliche Betonungen haben sich allerdings inzwischen herauskristallisiert - die sich nicht unbedingt widersprechen müssen, aber doch zwei spezifische Interpretationsmodelle mit leicht versetzten Schwerpunkten darstellen. Es handelt sich zum einen um die Hervorhebung der Unterschiedlichkeit theologischer und doxologischer Sprache, zum anderen um die Betonung einer Kontinuität zwischen beiden, im Sinne der Doxologie als Ursprung und Ziel aller Theologie. Vertreter der ersten Position operieren oft mit einem engen Theologiebegriff (im Sinne der Theologie als Metasprache, um nur ein Schlagwort zu nennen) und konzentrieren ihr Verständnis der Doxologie meistens auf den Bereich der Andachtssprache. Doxologie scheint dann ganz anderen Seins- und Funktionsgesetzen unterworfen als die theologische Reflexion. Die Befürworter dieser Position markieren die Diskontinuität zwischen doxologischer und theologischer Sprache mit unterschiedlicher Intensität. Die Skala reicht von zwei fast nicht mehr erkennbar miteinander verbundenen Formen bis zur Verbindung beider im Sinne eines Kontinuums. Einigkeit herrscht aber in jedem Falle hinsichtlich der Tatsache einer Differenz.

Vertreter der zweiten Position konzentrieren sich eher auf die enge Verbindung der beiden Bereiche miteinander und interpretieren Doxologie im Kontext von Kultsprache. Auch wenn die Eigenarten dieser beiden Formen der Glaubensaussage nicht verneint werden, liegen das Interesse und die Betonung doch nicht auf diesem Punkt, sondern auf dem gegenseitigen Bezug von Theologie und Doxologie bzw. auf der Priorität der Doxologie vor der Theologie. Vertreter dieser Position tendieren oft zu einem weicheren Theologiebegriff: Ein beliebtes Erklärungsschema ist das der Doxologie als theologia prima, zu der sich die Theologie als theologia secunda durchaus im Sinne eines Kontinuums, mehr noch: im Sinne einer Konsequenz verhält. Hier häufen sich dann charakteristische Postulate über die Priorität der Doxologie vor der Theologie, die leider meistens nicht begründet werden, sondern

---

[69]R. Mössinger, Zur Lehre des christlichen Gebets. Gedanken über ein vernachlässigtes Thema evangelischer Theologie (FSÖTh LIII), Göttingen 1987; zu diesem Thema zuletzt: C. Klein, Das Gebet in der Begegnung zwischen westlicher und ostkirchlicher Frömmigkeit, in: KuD 34 (1988) 232-250.

selbstverständlich erscheinen: "Die Dogmatik ist aus dem Gottesdienst entstanden, das Credo aus dem Hymnus, der Katechismus aus der Liturgie."[70] "Die Lehre von Gott ist zwar nicht Doxologie, aber sie hat zur Doxologie hinzuführen und hat ihr zu dienen."[71] "Theologie [hat] im Gottesdienst ihren Ursprung."[72] "... theology begins and ends in prayer ... The church prayed before it undertook the formulation of theology."[73] "Worship ... is the point of departure for theological reflection."[74] Die Liste von Zitaten könnte beliebig vermehrt werden. Die Feststellungen lesen sich wie Selbstverständlichkeiten; Begründungen werden selten gegeben - aber auch die Konsequenzen dieser Position (besonders für die theologische Arbeit) scheinen nicht immer geklärt zu sein. Soviel ist deutlich: Doxologie (und Gottesdienst?) sind in der protestantischen Systematik an einigen Stellen in den Blickpunkt des Interesses getreten. Auch hinter den hier skizzierten unterschiedlichen Positionen läßt sich eine gemeinsame Fragestellung finden: die Frage nach dem Verhältnis der Doxologie zur Theologie und ein damit einhergehendes neues Bewußtsein für die Bedeutung doxologischer Traditionen innerhalb der theologischen Arbeit.

C. Die orthodoxe Tradition:
Liturgie als Theologie und Theologie als Doxologie

Wie sehr die Diskussion über das Verhältnis von Theologie und Doxologie von der Art des zugrundegelegten Theologiebegriffs abhängt, wird besonders deutlich, wenn man sich der orthodoxen Tradition zuwendet. Ein kurzer Blick auf diese Tradition ist im Zusammenhang der hier vorliegenden Studie deshalb wichtig. Dies ist nicht der einzige Grund: Die orthodoxe Tradition ist gerade in unserem Jahrhundert zu einer wichtigen Dialogpartnerin der westlichen Theologie geworden, nicht zuletzt durch einige orthodoxe

---

[70]G. van der Leeuw, Sakramentales Denken. Erscheinungsformen und Wesen der außerchristlichen und christlichen Sakramente, Kassel 1959, 175.
[71]Schlink, Ökumenische Dogmatik 65. Ganz ähnlich Prenter, Liturgy and Theology 139-151.
[72]Ritschl, Logik 133.
[73]Saliers, Theology and Prayer 230.
[74]Stevick, Language of Prayer 557; ähnlich Stevick, Phenomenology of Praise 153.

Theologen, die in Europa und Nordamerika fähige Interpreten ihrer Tradition waren und sind. Darüber hinaus ist der Einfluß orthodoxer Theologie in der ökumenischen Bewegung ständig gewachsen, was wiederum zu einer intensiveren Beschäftigung mit ihr in der westlichen Theologie zwang. Was das spezifische Thema der hier vorliegenden Untersuchung betrifft, so ist zu bemerken, daß sich orthodoxe Theologen gerade in die Diskussion um das Verhältnis von Theologie und Doxologie intensiv eingeschaltet haben.[75] Das Unbehagen in der westlichen Theologie über die Entfremdung zwischen wissenschaftlicher Theologie und spirituellem bzw. liturgischem Leben war den orthodoxen Theologen willkommener Anlaß zum Verweis auf die östliche Tradition, in der sich diese Entfremdung ihrer Meinung nach nicht vollzogen hat, ja: im Grunde gar nicht vollziehen kann. A. Kallis argumentiert, daß dies mit dem spezifischen Theologiebegriff der orthodoxen Tradition (wie sie ihn in Treue zur Patristik übernommen hat) zusammenhängt. Nach ihm ist die östliche Theologie nicht durch eine primäre Orientierung an theoretischer Erkenntnis, sondern an der Suche nach Gemeinschaft mit Gott, d.h. der Teilhabe am Leben des Dreieinigen Gottes charakterisiert:

"In ihrer genuinen Gestalt ist sie [die Theologie]
nicht rationalistisch, sondern pneumatisch, und in
ihrem Ausdruck nicht rein logisch, sondern doxologisch. ... In ihrer höchsten Ausdrucksform
bedient sie sich der 'Sprache' des liturgischen
Lebens und findet damit auch ihre Verankerung im
Gebet der Kirche, das Ausgangs- und Endpunkt
jeglicher theologischer Forschung ist."[76]

Im Lichte dieser und ähnlicher Aussagen ist es verständlich, daß sich die westliche Tradition bei Beschreibungen der östlichen Tradition mehr und mehr einen Ansatz zu eigen macht, der die Liturgie ins Zentrum der Aufmerksamkeit rückt.[77] Die orthodoxe

---

[75]Außer den in diesem Abschnitt genannten Werken, siehe: Andronikof, Dogme et liturgie 13-27; Braniste, Culte byzantin comme expression de la foi 75-88; Nissiotis, Théologie en tant que science et doxologie 291-310; Nissiotis, Österliche Freude als doxologischer Ausduck des Glaubens 78-88; Theodorou, Theologie und Liturgie 343-360.

[76]Kallis, Theologie als Doxologie 50.

[77]Vgl. Garijo-Guembe, Dialog 136f.

Liturgie wird als konzentrierte Selbstdarstellung der Kirche verstanden. Andererseits wird bei Interpretationen östlicher Liturgien immer wieder ihr theologischer Charakter bzw. ihre theologische Funktion hervorgehoben. Das ist besonders bemerkenswert angesichts der Tatsache, daß die östlichen Liturgien im allgemeinen durch einen intensiver poetisch-hymnischen Stil gekennzeichnet sind als ihre westlichen Schwestern. Nicht umsonst fällt in diesem Zusammenhang das Stichwort von der "Theologie in Hymnen".[78] Die enge Verbindung zwischen Liturgie und Theologie in der orthodoxen Tradition führt also einerseits zu einer Betonung der theologischen Dimension der Liturgie, andererseits zu einer fundamental doxologischen Ausrichtung des Theologiebegriffs - beides in Anlehnung an die patristische Tradition, wie orthodoxe Theologen hervorheben. Wichtige Elemente in dieser Interdependenz zwischen Liturgie und Theologie, auf die ich hier nicht weiter eingehen kann, scheinen mir auch der orthodoxe Gottesbegriff (dem im Grunde am ehesten eine apophatische Theologie gerecht wird) und das Dogmenverständnis zu sein (das eng an die Liturgie gebunden ist und die Grundlage allen Theologisierens bildet).

Dabei darf nicht übersehen werden, daß orthodoxe Theologen davor warnen, dieses enge Verhältnis von Theologie und Liturgie/Doxologie allein im Sinne der Liturgie als "locus theologicus" zu interpretieren. Die orthodoxe Tradition deutet das Verhältnis zwischen Liturgie und Theologie im Grunde radikaler, wie A. Schmemann betont: "Liturgical tradition is not an 'authority' or a *locus theologicus*; it is the ontological condition of theology."[79] Der Begriff der "liturgischen Theologie"[80] hat hier seine Berechtigung - allerdings auch eine viel fundamentalere Bedeutung, als ihm in der westlichen Tradition oft zugestanden wird. Dies wird vielleicht besonders deutlich bei der sogenannten "eucharistischen Ekklesiologie", wie sie zu Beginn dieses Jahrhunderts von (russischen Exil-) Theologen auf der Basis patristischen Gedankenguts entwickelt wurde und im Westen großes Interesse gefunden hat. Es

---

[78]J. Tyciak, Theologie in Hymnen. Theologische Perspektiven der byzantinischen Liturgie (Sophia X), Trier 1973.

[79]Schmemann, Theology and Liturgical Tradition 175; ähnlich Schmemann, Théologie liturgique 297f.

[80]Vgl. A. Schmemanns Buch Introduction to Liturgical Theology (LOT IV), Portland/Maine 1966.

geht bei der eucharistischen Ekklesiologie ja nicht einfach darum, innerhalb des ekklesiologischen Entwurfs der Eucharistie einen Platz zu sichern. Vielmehr wird die Ekklesiologie ganz von der Feier der Eucharistie her konzipiert und interpretiert. Diese und ähnliche Ansätze sind charakteristisch für die orthodoxe Tradition: Was Theologie ist und sein kann, wird von der Liturgie her bestimmt und geformt.

Es ist nach der Beschreibung der Diskussion über das Verhältnis von Theologie und Doxologie in der römisch-katholischen Liturgiewissenschaft und der protestantischen Systematik leicht ersichtlich, welchen Einfluß die orthodoxe Tradition auf einige Vertreter dieser Disziplinen gehabt hat. Daß dieser Einfluß sich auch auf die ökumenische Diskussion erstreckt, wird der nächste Abschnitt deutlich machen. Eine abschließende Bemerkung von A. Kallis zeigt, daß orthodoxe Theologen durchaus bereit sind, das ökumenische Potential ihrer Position zu sehen und zu nutzen:

"Die Vielfalt der liturgischen Traditionen, die im Osten und Westen früher reicher war, weist schließlich auf die ökumenische Dimension der liturgischen Theologie hin, die in den unterschiedlichen Ausdrucksmöglichkeiten des Glaubens nicht das Trennende, sondern die Katholizität der Kirche erblickt, ... Die Neugewinnung des Verständnisses für die Komplementarität der Pluriformität der Kirchen Gottes in der ganzen Welt läßt sich am sichersten von den Liturgien her einleiten, die den gemeinsamen, authentischen Glauben unterschiedlich akzentuiert ausdrücken."[81]

---

[81]Kallis, Theologie als Doxologie 51.

D. Die ökumenische Diskussion: doxologische Sprachgemeinschaft als Quelle und Höhepunkt der Einheit der Kirchen

In der ökumenischen Diskussion ist in den letzten Jahren die Frage nach einer Verhältnisbestimmung zwischen Theologie und Doxologie immer dringlicher geworden. Wie in den schon genannten theologischen Arbeitsbereichen, so wird auch hier die Frage unter einem spezifischen Gesichtspunkt gestellt. Es geht in der ökumenischen Diskussion im weitesten Sinne um eine konsensfähige Verhältnisbestimmung zwischen spirituellen und theologischen Traditionen in den Kirchen. Als spezifisches Problem innerhalb dieses Komplexes hat sich inzwischen die Frage nach der doxologischen Sprachgemeinschaft, konkret: der Liturgie als Quelle und Höhepunkt der Einheit der Kirchen herauskristallisiert.

Verschiedene Faktoren haben zu dem wachsenden Interesse an den doxologisch-liturgischen Traditionen der Kirchen beigetragen: Zunächst spielte der Einfluß der Liturgischen Bewegung, die schnell die Grenzen der römisch-katholischen Kirche überschritt und praktisch alle Kirchen erfaßte, eine wichtige Rolle. Auch augenscheinlich a-liturgische Gemeinschaften fanden auf einmal im Gottesdienst die Mitte ihres kirchlichen Lebens. Eine weitere Auswirkung der Liturgischen Bewegung, die die getrennten Kirchen auf der gottesdienstlichen Ebene einander näher brachte, waren die durchgreifenden liturgischen Reformen in fast allen Denominationen. Diese Reformen basierten nicht selten auf einer Besinnung auf die Ursprünge - konkret: die den Kirchen gemeinsamen Traditionen - und führten zu wichtigen Konvergenzen in neueren liturgischen Texten und Riten.

Auch am Ökumenischen Rat der Kirchen konnte dieses neuerwachende Interesse am Gottesdienst in den getrennten Kirchen nicht spurlos vorüber gehen.[82] So schlug schon die zweite Weltkonferenz für Glauben und Kirchenverfassung, die 1937 in Edinburgh stattfand, in ihrem Bericht eine Untersuchung verschiedener Gottesdienststrukturen und -formen vor, wie sie für unterschiedliche Kirchen und Gemeinschaften charakteristisch sind. Eine "Theologische Kommission über die Frage des

---

[82]Dazu ausführlicher: Berger, Einheit der Kirchen 249-261.

Gottesdienstes" wurde gebildet, die ihren Bericht im Jahre 1951 unter dem Titel *Ways of Worship* veröffentlichte. Der Ansatz des Berichts ist überwiegend deskriptiv; die Beschreibung der unterschiedlichen gottesdienstlichen Traditionen in den getrennten Kirchen führt zu einer Beurteilung des Gottesdienstes als *dem* Brennpunkt bestehender Trennungen: "Im Gottesdienst werden wir mit dem Problem, ja der Sünde der Un-Einheit der Kirche am schärfsten konfrontiert."[83] Darüber hinaus wird aber auch spürbar, daß der Gottesdienst für das theologische Ringen innerhalb der ökumenischen Bewegung selbst mehr und mehr von Interesse sein wird. Es wird nämlich festgestellt, daß "liturgische Traditionen nie auf theoretische Art und Weise aus dogmatischen Überzeugungen entwickelt werden. Eher ist es der Fall, daß das Credo aus der Liturgie entspringt ... Die Liturgie ist die lebendige Form des Glaubens."[84] Diese Ansätze einer Neubewertung der Bedeutung des Gottesdienstes für die ökumenische Diskussion wurden aufgenommen und weitergeführt von der vierten Weltkonferenz für Glauben und Kirchenverfassung in Montreal, die einen Bericht unter dem Titel "Der Gottesdienst und die Einheit der Kirche Christi" erarbeitete. Dieser Bericht nennt den Gottesdienst zum ersten Mal in der ökumenischen Diskussion den "zentralen und bestimmten Akt im Leben der Kirche."[85] Liturgische Fragen werden folgerichtig als eine der Hauptaufgaben des ökumenischen Dialogs gesehen. Ich zitiere die relevanten Aussagen in einiger Länge:

"Das Studium des Gottesdienstes ist oft als
einer der `Aufgabenbereiche' des ökumenischen
Gesprächs betrachtet worden. Häufig war dieses
Gespräch von theologischen Voraussetzungen
bestimmt, die zum tatsächlichen gottesdienstlichen Leben der Kirchen in keiner direkten
Beziehung standen. Wenn aber die Theologie den
ganzen Glauben der Kirchen widerspiegeln und
wenn die Kirche wirklich in der leiturgia die
Erfüllung ihres Lebens finden soll - und wir

---

[83]Ways of Worship 23.
[84]Ways of Worship 22,24.
[85]Einheit der Kirche 222. Der englische Originaltext spricht klarer von "the central and determinative act of the Church's life".

glauben, daß das so ist - dann müssen wir die
leiturgia für sich selbst sprechen lassen. Es
ist von entscheidender Bedeutung, daß wir ihre
Formen und Strukturen, ihre Sprache und ihren
Geist erforschen, in der Erwartung, daß dieser
Vorgang neues Licht auf die verschiedenen
theologischen Standpunkte und Behauptungen wirft
und ihnen vielleicht sogar einen neuen Sinn
verleiht. Damit wären neue Möglichkeiten des
ökumenischen Gesprächs erschlossen. Es ist
deutlich, daß dies eine der Hauptaufgaben für
die Kirchen in den nächsten Jahrzehnten sein
wird."[86]

In Übereinstimmung mit diesem Ausgangspunkt schlägt das
Mandat der Konferenz vor, "einen neuen Ansatz zu finden für das
Verhältnis von Theologie und Liturgie, so daß ... unsere ganze
theologische Arbeit von einer neuen Offenheit gegenüber den
Anforderungen und Problemen des christlichen Gottesdienstes gekennzeichnet wird und wir damit einen wichtigen Schritt über be-
stehendes hinaus tun."[87] Es zeigte sich schnell, daß dieses Interesse
und Drängen nicht aufrecht erhalten wurden - erst 15 Jahre später
findet sich in einem Arbeitspapier einer Untereinheit innerhalb der
Programmeinheiten des Ökumenischen Rates der Kirchen wieder
ein Hinweis auf die Notwendigkeit, dem wachsenden theologisch-
dogmatischen Konsens zwischen den Kirchen liturgisch Ausdruck
zu verschaffen.[88] Charakteristisch ist auch, daß die sogenannte
Lima-Liturgie, die von vielen als liturgische Parallele zur Kon-
vergenzerklärung von Lima gesehen wird, zumindest nicht als
solche konzipiert wurde. Sie stellt im Grunde eine Gelegen-
heitsliturgie dar, geschrieben von Max Thurian als eucharistische
Liturgie für das Treffen der Kommission von Glauben und
Kirchenverfassung in Lima im Jahre 1982. Ihre weltweite positive
Rezeption in Zusammenhang mit der Rezeption der Konvergenz-
Erklärung kam völlig überraschend.

---

[86]Einheit der Kirche 223.
[87]The Mandate from the Fourth World Conference on Faith and Order at Montreal
(Faith and Order Paper XLI), Genf 1963, 25.
[88]Belege bei Berger, Einheit der Kirchen 258f.

Inzwischen sind aber - gerade auch in Zusammenhang mit der Betonung einer "eucharistischen Vision", wie sie bei der sechsten Vollversammlung des Ökumenischen Rates der Kirchen 1983 in Vancouver aufkam - an diesem Punkt wichtige Konsequenzen in den Blick getreten. So wird auf einmal die Frage akut, ob für das ökumenische Problem der Eucharistiegemeinschaft die Lösung letztlich nicht doch streng liturgisch zu suchen und zu finden ist (und eben nicht primär auf einer dogmatischen oder gar kirchenrechtlichen Ebene). Es scheint z.B. problematisch, die Lima-Liturgie anzuerkennen als eine Liturgie, die auf eine für alle annehmbare und verpflichtende Weise alle konstitutiven Elemente einer echten Eucharistie ausdrückt, nur um dann die gemeinsame Feier abzulehnen.[89]

Natürlich darf die Frage nach der Liturgie als Quelle und Höhepunkt der Einheit der Kirchen nicht nur anhand offizieller Dokumente aus dem Ökumenischen Rat der Kirchen behandelt werden. Immer wieder haben sich ja auch individuelle Theologen dieser Thematik zugewandt und wichtige Beiträge für die ökumenische Diskussion geliefert. Was die Frage nach der Bedeutung der doxologischen Sprachgemeinschaft für die Einheit der Kirchen betrifft, so ist hier an erster Stelle der deutsche lutherische Theologe E. Schlink zu nennen. Ich referiere Schlinks Ansatz im folgenden in einiger Länge, da die Position, die er vor fast drei Jahrzehnten entwickelte, nichts an Aktualität eingebüßt hat und immer noch als Aufgabe vor der ökumenischen Bewegung steht. Schlink geht von einer Beobachtung aus, die er immer wieder in ökumenischen Diskussionen gemacht hatte: "daß Glieder getrennter Kirchen in einem viel größeren Umfang gemeinsam beten und gemeinsam Zeugnis ablegen können, als daß ihnen gemeinsame dogmatische Aussagen möglich sind."[90] Diese Beobachtung nahm Schlink zum Anlaß seiner Reflexion über die Struktur der dogmatischen Aussage inmitten der Grundformen religiöser Rede (er spricht, m.E. etwas irreführend, von "theologischer Aussage"[91]). Die dogmatische Aussage erschien im Licht doxologischer Sprachgemeinschaft als *das* Hindernis auf dem Weg zur Einheit. Es stellte sich die Frage, wie dieses Hindernis im ökumenischen Dialog abgebaut werden könnte, ohne dogmatische Aussagen als

---

[89]Vgl. Lønning, Eucharistische Vision 232f.
[90]Schlink, Struktur 251.
[91]Zu seiner Begründung dieser Terminologie vgl. Schlink, Struktur 263.

solche aufzugeben oder einfach zu ignorieren. Noch in Schlinks letztem Werk, der *Ökumenischen Dogmatik*, wird diese Frage aufgegriffen. Der Autor beansprucht, das Ganze der Dogmatik unter dem methodischen Gesichtspunkt der Beachtung der Struktur der dogmatischen Aussage darzustellen. Ähnlich wie schon in seinen ersten Äusserungen zu diesem Thema schreibt Schlink jetzt:

"Bei der Inangriffnahme dieser Aufgabe war mir eine Beobachtung wichtig, die ich schon früher gemacht hatte und die sich mir in den späteren ökumenischen Gesprächen mit orthodoxen Kirchen, während der Teilnahme am II. Vatikanischen Konzil und in Begegnungen mit vielen anderen Kirchen immer wieder bestätigt hat, nämlich daß es in vielen Fällen möglich ist, in der Struktur des Gebetes oder der Verkündigung über dasselbe Thema gemeinsame Aussagen zu machen, die in der Struktur der dogmatischen Lehre unmöglich sind."[92]

Worum geht es Schlink bei diesen Beobachtungen? Er war von verschiedenen Grundformen religiöser Rede ausgegangen (Gebet, Doxologie, Zeugnis, Lehre, Bekenntnis) und hatte gesehen, daß diese unterschiedlichen Aussagen je unterschiedliche Strukturen aufweisen, unterschiedliche Kategorien des Redens von und zu Gott darstellen. Die Frage erhob sich, welche Auswirkungen diese Strukturunterschiede auf den Inhalt der Aussagen und welche Konsequenzen Verschiebungen zwischen den Strukturen haben. Schlink geht davon aus, daß es elementare Grundformen der Glaubensaussage gibt (Ur-Akt der Glaubensaussage ist für ihn das Christusbekenntnis). Die elementaren Grundformen sind aber in den theologischen und dogmatischen Entwicklungen der Kirchen nicht beibehalten worden - nur den orthodoxen Kirchen spricht Schlink noch eine elementar doxologische Struktur des Dogmas zu,[93] obwohl auch hier schon Strukturverschiebungen erkenntlich sind. Im Westen ging der gottesdienstliche Bezug dogmatischer Aussagen in der weiteren theologischen und dogmatischen

---

[92]E. Schlink, Ökumenische Dogmatik. Grundzüge, Göttingen 1983, VI.
[93]Vgl. Schlink, Wandlungen im Verständnis der Ostkirche 221-231.

Entwicklung aber größtenteils verloren. Einzelne strukturelle Momente der Glaubensaussage verselbständigten sich und differenzierten sich in verschiedene Formen des Dogmas. So wurden z.B. doxologische Grundformen in die Funktion des Lehrens aufgelöst: Doxologische Wesens-, Seins- und Eigenschaftsaussagen, in lobpreisender Rede *an* Gott gerichtet, wurden zu metaphysischen Lehraussagen *über* Gott.

Ein anderes (kontroverstheologisches) Beispiel für Strukturunterschiede innerhalb dogmatischer Aussagen selbst bilden nach Schlink die reformatorischen und tridentinischen Aussagen über das Rechtfertigungsgeschehen.[94] Luthers Lehraussagen stehen in allernächster Nähe zur Struktur des aktuellen Hörens der Frohbotschaft, während das tridentinische Dekret über die Rechtfertigung seine Aussagen in der Struktur quasi-objektiver Beschreibung macht. Die unterschiedlichen Strukturen führen zu gegensätzlichen Perspektiven hinsichtlich des Rechtfertigungsgeschehens, die nicht so krass erscheinen würden, wenn die spezifischen Kategorien der Rede über das Geschehen mehr Beachtung gefunden hätten. (Als radikalstes Beispiel einer Strukturverschiebung nennt Schlink allerdings die Prädestinationslehre: "Aus der doxologischen Anerkennung der Überschwenglichkeit der allein rettenden Gnade und des ewigen Liebesratschlusses Gottes wird in der Struktur theoretischer Lehre das deterministische Problem, unter dessen furchtbarer logischer Folgerichtigkeit der doxologische Jubel verstummt."[95])

In der *Ökumenischen Dogmatik* zieht Schlink die Konsequenzen aus dieser Erkenntnis von Strukturverschiebungen: "Ich bedachte die Vielzahl der Strukturen der Glaubensaussage ... und bemerkte, daß nicht in jeder dieser Strukturen dieselben Glaubensinhalte ausgesagt werden können. Vielmehr erwies sich in manchen Fällen die Übersetzung der Glaubensaussagen aus der einen Struktur in eine andere als notwendig, um die Identität oder auch den eigentlichen Unterschied umstrittener Aussagen zu erkennen."[96] Schlink forderte im Grunde einen neuen methodologischen Ansatz bei der Interpretation theologisch normativer Aussagen im ökumenischen Kontext. Er hat vor allem solche

---

[94]Vgl. Schlink, Gesetz und Evangelium 149-152.
[95]Schlink, Struktur 272.
[96]Schlink, Ökumenische Dogmatik VI; vgl. Suttner, Glaubensverkündigung durch Lobpreis 79.

Aussagen vor Augen, die eigentlich keine Lehraussagen, sondern in Lehraussagen transponierte Aussagen des Gebetes oder der Verkündigung sind. Hier muß eine "Rückübersetzung dogmatischer Aussagen aus sekundären Strukturen in die elementaren"[97] erfolgen, um einen ökumenischen Konsens oder zunächst auch einfach nur Verständigung zu ermöglichen. Hinter dieser Forderung nach einer Rückübersetzung dogmatischer Aussagen in die elementaren Strukturen steht keine Flucht in eine doxologische Sprachgemeinschaft, die dogmatische Aussagen ignoriert, das hat Schlink immer wieder deutlich gemacht: "Der Aufgabe der Bemühung um den dogmatischen Consensus darf keinesfalls ausgewichen werden."[98] Eher wird hier die Erkenntnis ernst genommen, daß zu einem wirklichen Verständnis theologisch-dogmatischer Aussagen in den Kirchen nicht nur der Inhalt normativer Sätze, sondern auch deren Aussagestruktur (die primäre und sekundäre) beachtet werden wollen. Die verschiedenen normativen Aussagen der getrennten Kirchen können nicht einfach inhaltlich miteinander verglichen werden; sie bedürfen oft der Rückübersetzung in die elementaren Strukturen des christlichen Glaubens, um ihren eigentlichen Sinn erkennen zu lassen. Schlink rechnet damit, daß eine solche Rückübersetzung es den getrennten Kirchen erleichtern wird, in den normativen Aussagen der anderen legitime und sinnvolle Aussagen des gemeinsamen christlichen Glaubens zu sehen.

Natürlich war Schlink nicht der erste, der das ökumenische Potential der doxologischen Sprachgemeinschaft konstatierte - gerade hinsichtlich der hymnischen Traditionen der Kirchen war dieses Potential schon lange wirksam und bekannt.[99] Aber Schlink hat doch als einer der ersten theologisch-ökumenische Konsequenzen aus dieser Feststellung gezogen. Welche Bedeutung dabei auf einmal die doxologisch-liturgisch-hymnischen Traditionen für das ökumenische Gespräch erlangen, ist leicht ersichtlich. Andere ökumenisch engagierte Theologen sind Schlink in seiner Einschätzung der Bedeutung doxologischer Traditionen für die Suche nach der Einheit der Kirche gefolgt. G. Wainwright z.B. spricht von der Liturgie als primärem Medium jedes ökumenischen

---

[97]Schlink, Aufgaben einer ökumenischen Dogmatik 93; vgl. Schlink, Methode des dogmatischen Dialogs 209f.
[98]Schlink, Aufgaben einer ökumenischen Dogmatik 87.
[99]Siehe z.B. Jenny, Vocibus Unitis 174f.

Konsens, d.h. aber auch als möglichem Focus einer dogmatischen Einigung zwischen den Kirchen.[100] Einen konkreten Vorstoß in eine ähnliche Richtung hat H.-J. Schulz für den Dialog zwischen der römisch-katholischen und der orthodoxen Kirche in seinem Buch *Ökumenische Glaubenseinheit aus eucharistischer Überlieferung* gewagt. Der Autor, der sich u.a. auf Schlink beruft,[101] fordert eine Rückbesinnung auf die eucharistisch-doxologisch bestimmte Struktur der patristischen Glaubensüberlieferung als Basis eines heutigen dogmatischen Konsens zwischen den Kirchen. Die Eucharistiefeier war und ist nach Schulz *der* Ort repräsentativer Glaubensartikulation der Kirche. Sie ist deshalb auch der Ort ökumenischer Glaubenseinheit.

Der Überblick über die ökumenische Diskussion hat deutlich gemacht, daß den doxologischen Traditionen der Kirchen eine wachsende Bedeutung für die Suche nach der Einheit der Kirche zukommt,[102] wenn auch von einer ökumenisch konsensfähigen Verhältnisbestimmung zwischen doxologischen und theologischen Traditionen eigentlich noch keine Rede sein kann. Hier wird unter Umständen das konkrete gegenseitige Erschließen doxologischer Traditionen einen wichtigen Beitrag leisten.

E. Zusammenfassung

Was bleibt als Resultat dieser Darstellung der Diskussion um Doxologie und Theologie in der römisch-katholischen Liturgiewissenschaft, der protestantischen Systematik, der orthodoxen Tradition und dem ökumenischen Gespräch? Zunächst ist zweifellos eine verwirrende Vielfalt an Schwerpunkten festzustellen: Diskutiert die römisch-katholische Liturgiewissenschaft über das Verhältnis der lex orandi zur lex credendi, so thematisiert die protestantische Systematik vor allem die Frage nach der

---

[100]Vgl. Wainwright, Doxology 303-308.
[101]H.-J. Schulz, Ökumenische Glaubenseinheit aus eucharistischer Überlieferung (KKTS XXXIX), Paderborn 1976, hier 8, Anm. 6. Gleichzeitig mit dem Hinweis auf Schlink nennt Schulz auch den Einfluß der eucharistischen Ekklesiologie auf seine eigenen Gedanken.
[102]Dies könnte leicht auch anhand neuerer bilateraler Konsensdokumente gezeigt werden, die durchgehend den liturgischen Traditionen wachsende Aufmerksamkeit schenken.

Sprachdifferenz zwischen doxologischen und theologischen Aussagen. Demgegenüber akzeptiert die orthodoxe Tradition den theologischen Charakter liturgischer Aussagen und die doxologische Verwurzelung und Orientierung der Theologie als vorgegeben. In der ökumenischen Diskussion wird nach der Bedeutung der doxologischen Sprachgemeinschaft für die Einheit der Kirchen gefragt. Trotz der verwirrenden Vielfalt an Ausgangspunkten und Perspektiven (die nicht zuletzt auf *terminologischen* Differenzen beruhen) scheint es doch nicht vollkommen abwegig, hinter diesen unterschiedlichen Diskussionen zumindest *eine* Gemeinsamkeit zu vermuten: im weitesten Sinne formuliert ein neuerwachendes Interesse an den doxologisch-liturgisch-hymnischen Traditionen der Kirchen. Die (Wieder-) Entdeckung der Bedeutung dieser Traditionen in der neueren Theologie wirft natürlich die Frage auf, wie diese Traditionen zu handhaben und einzuordnen sind. Es ist besonders an diesem Punkt, daß ein spezifisches Vorverständnis über das Wesen der Theologie, die Bedeutung des Gottesdienstes und das Gottes- und Kirchenbild in verschiedenen theologischen Arbeitsbereichen ganz unterschiedliche Bedingungen schafft für eine Beschäftigung mit den doxologisch-liturgischen-hymnischen Traditionen. Allen Bereichen wiederum gemeinsam scheint aber zu sein, daß die Eigenart dieser Traditionen inzwischen mehr und mehr gerade im Verhältnis zur theologischen Reflexion bestimmt wird. Als gemeinsames Anliegen läßt sich deshalb die Frage nach der Bedeutung doxologischer Traditionen im Verhältnis zur theologischen Reflexion formulieren.

Welche Ergebnisse sind dabei in den Blickpunkt getreten? Diese Frage kann nur sinnvoll beantwortet werden im Kontext dessen, was den einzelnen theologischen Arbeitsbereichen vorgegeben war und ist. So erhält die Betonung der Eigengestalt der Liturgie innerhalb der römisch-katholischen Liturgiewissenschaft ihre Bedeutung erst auf dem Hintergrund einer jahrhundertelangen strengen Bindung der Liturgie an und Unterordnung unter das kirchliche Lehramt. Innerhalb der protestantischen Systematik wird das Interesse an doxologischen Traditionen erst bedeutungsvoll auf dem Hintergrund eines lange herrschenden theologischen Desinteresses am Gottesdienst. Die enge Bindung der Theologie an die Doxologie in der orthodoxen Tradition muß im Kontext eines "primitiven" (im Sinne von ursprünglichen) Theologiebegriffs gesehen werden. Für ein Verständnis der ökumenischen Diskussion ist die existentielle Erfahrung einer doxologischen Sprachgemeinschaft zwischen den getrennten Kirchen fundamental.

Es ist leicht ersichtlich, wie die unterschiedlichen Kontexte die Diskussionen in den einzelnen Bereichen beeinflussen und die anvisierten Lösungsmöglichkeiten bestimmen. Dennoch scheint unverkennbar, daß es bei diesen unterschiedlichen Diskussionen wirklich um eine gemeinsame Grundproblematik geht: im weitesten Sinne die Frage nach dem Wesen der Doxologie und ihrem Verhältnis zur Theologie. Dabei scheinen folgende Zwischenergebnisse für alle Bereiche einheitlich zu sein: Zunächst (und ganz grundlegend) ist man sich der Bedeutung doxologischer Traditionen auch für die theologische Reflexion mehr und mehr bewußt geworden. Die doxologischen Traditionen sind als Thema der Theologie inzwischen durchaus respektiert (- wenn dies auch viel eher für die Theorie als die Praxis gilt). Weiterhin ist man bereit, die Eigenart dieser Traditionen zu akzeptieren und zu respektieren, wenn auch über die Bestimmung dieser Eigenart kein Konsens herrscht. Letztlich scheint man sich einig über die Notwendigkeit einer Verhältnisbestimmung zwischen Doxologie und Theologie. Umstritten ist die Art dieser Verhältnisbestimmung besonders hinsichtlich der Frage, ob und wie die Doxologie zur Quelle, zur Grundbedingung oder zum Ort der Theologie werden kann.

Die offenen Fragen verweisen natürlich auf ein (grundsätzlich?) unterschiedliches Verständnis des Wesens der Theologie und des Gottesdienstes der Kirche in den einzelnen hier beschriebenen Bereichen. Gerade aus diesem Grund sollten aber auch die Übereinstimmungen zwischen ihnen nicht als selbstverständlich betrachtet werden. Immerhin verliefen die Diskussionen in der römisch-katholischen Liturgiewissenschaft, der protestantischen Systematik und der orthodoxen Tradition über lange Strecken isoliert voneinander. Der ökumenische Dialog könnte hier hoffnungsvolle Zeichen setzen, denn zentrale Fragen sind weiterhin offen und Antworten der individuellen Traditionen werden sich nur durchsetzen, wenn sie ökumenisch konsensfähig sind.

Bei all dem neuerwachenden Interesse an den doxologischen Traditionen der Kirchen ist doch auch zu beobachten, daß die Frage nach dem Verhältnis von Doxologie und Theologie selten an konkreten Zeugnissen festgemacht wird. Die Verhältnisbestimmungen und Modelle der Zuordnung orientieren sich meistens auf einer theoretischen Ebene und nicht an konkretem doxologischem

Material. Genau an diesem Punkt versucht die hier vorliegende Untersuchung einen neuen Weg einzuschlagen, indem die Überlegungen zum Verhältnis von Doxologie und Theologie bewußt in den Kontext einer Untersuchung einer konkreten doxologischen Tradition gestellt werden. Dieser Untersuchung einer konkreten doxologischen Tradition ist der folgende Teil der Arbeit gewidmet. Er beschäftigt sich mit dem Liegut Charles Wesleys als Glaubensausdruck des frühen Methodismus.

Teil 2

III.
Theologie in Hymnen?
Die Collection of Hymns for the use of
the People called Methodists

A. Einführung

1. Der historische, theologische und spirituelle Kontext der Collection of Hymns for the use of the People called Methodists

Charles Wesleys Lieder sind untrennbar mit dem Beginn der methodistischen Erweckungsbewegung innerhalb der anglikanischen Kirche des 18. Jahrhunderts verbunden. Die Entstehung der methodistischen (ebenso wie die in der anglikanischen Kirche verbleibenden evangelikalen) Bewegung ging nicht in erster Linie auf theologische Differenzen mit der Mutterkirche zurück - im Gegenteil. Zu Beginn bildeten der Glaube und die überlieferte Lehre der ecclesia anglicana das Fundament, auf dem der Methodismus entstand. Es waren primär zeitbedingte Probleme der anglikanischen Kirche und spirituelle Gründe, die die neue Bewegung hervorriefen. Sie ist zu verstehen als eine ("pietistische") Reaktion auf die Erstarrung der anglikanischen Kirche während der englischen Aufklärung und auf die Gefährdung durch Rationalismus und Deismus. Wie der kontinentaleuropäische Pietismus so stellte auch die methodistische Bewegung zunächst primär eine Bewegung zur Erneuerung und Vertiefung des christlichen Lebens in einer vorgegebenen kirchlichen Gemeinschaft dar.
John (1703-1791) und sein Bruder Charles Wesley (1707-1788) waren zu Beginn von einer anglikanisch-hochkirchlichen Spiri-

tualität geprägt, wobei das Elternhaus auch nonkonformistische Einflüsse (die Großeltern mütterlicher- und väterlicherseits waren überzeugte Puritaner) und ein gewisses Interesse am mystischen Spiritualismus nicht verleugnen konnte. Während ihrer Studienzeit in Oxford unterwarfen sich die Brüder mit einigen Freunden einem systematisch-strengen Frömmigkeitsleben und karitativen Wirken, die der kleinen Gruppe schnell abwertende Namen wie "Holy Club", "Bible Moths" oder auch "Methodists" einbrachten. Viele Jahre später konnte John Wesley über diese Zeit schreiben: "the first rise of Methodism, so called, was in November 1729, when four of us met together at Oxford".[103] John begann in dieser Zeit auch ein intensives (und anhaltendes) Studium der Kirchenväter des Westens und Ostens, der Schriften aus der deutschen und romanischen Mystik, der Jansenisten und anglikanisch-hochkirchlicher Autoren. Entscheidend für die beiden Brüder und den eigentlichen Beginn der methodistischen Bewegung wurde aber die Begegnung mit verschiedenen Formen des deutschen Pietismus. Im Jahre 1735 lernten John und Charles Wesley auf der Überfahrt zu der nordamerikanischen Kolonie Georgia, wo sie als Missionare wirken wollten, Mitglieder der Herrnhuter Brüdergemeine kennen. Das Zusammensein mit ihnen, das sich in der Kolonie fortsetzte und ausgedehnt wurde auf Begegnungen mit Salzburger Emigranten und hallischen Pietisten, konfrontierte die Brüder mit einem lebendigen und warmen Glaubensleben, das sie anscheinend sehr beeindruckte. Interessanterweise brachte die Begegnung mit dem deutschen Pietismus auch die ersten Anstösse für die Entwicklung einer Lieddichtung als Teil der wesleyanischen Spiritualität. Nicht nur war John beeindruckt von den regelmässigen Singstunden der Herrnhuter, er lernte während der Überfahrt auch Deutsch - und zwar wahrscheinlich vor allem anhand des *Gesang-Buchs der Gemeine Herrn-Huth* und des *Neuen Geist-reichen Gesangbuchs* von J.A. Freylinghausen. In Georgia übertrug er aus diesen pietistischen Liederbüchern 33 Liedschöpfungen ins Englische,[104] die bis heute als kleine sprachliche Meisterwerke gelten. Als Beispiel sei hier die erste Strophe des Liedes von Ernst Lange (1650-1727) "O Gott, Du Tiefe sonder Grund" wiedergegeben:

---

[103]John and Charles Wesley 13. Für die kirchengeschichtlichen Voraussetzungen und die Entstehung der methodistischen Erweckungsbewegung vgl. Schmidt, John Wesley I,15-II,74.

[104]Vgl. hierzu Nuelsen, Wesley und das deutsche Kirchenlied 65-82, 161-211.

O God, thou bottomless abyss,	O Gott du Tiefe sonder Grund!
Thee to perfection who can know?	Wie kann ich Dich zur Gnüge kennen?
O height immense, what words suffice	Du große Höh, wie soll mein Mund
Thy countless attributes to show?	Dich nach den Eigenschaften
nennen?	
Unfathomable depths thou art!	Du bist ein unbegreiflich Meer
O plunge me in thy mercy's sea;	ich sencke mich in Dein Erbarmen.
Void of true wisdom is my heart,	Mein Herz ist rechter Weisheit leer
With love embrace and cover me!	umfasse mich mit Deinen Armen.
While thee all-infinite I set	Ich stellte Dich zwar mir
By faith before my ravished eye,	und anderen gerne für
My weakness bends beneath the weight;	doch werd ich meiner Schwacheit innen.
O'erpowered I sink, I faint, I die.[105]	Weil alles, was Du bist
	nur End und Anfang ist,
	verlier ich drüber alle Sinnen.[106] .

Der Einfluß des deutschen Pietismus beschränkte sich aber nicht auf John Wesleys Übersetzung einiger Kirchenlieder aus diesen Kreisen. Als John und Charles Wesley nach dem erfolglosen Verlauf ihrer Mission und ihrer Tätigkeit aus der Kolonie Georgia nach England zurückkehrten, war es unter dem Einfluß des Herrnhuters Peter Böhler (1712-1775), eines engen Freundes von Zinzendorf, daß beide Brüder im Jahre 1738 ihre eigentliche "Bekehrung" erlebten.[107] Charles schrieb am 21. Mai jenes Jahres (einem Pfingstsonntag) nach einigen Tagen intensiven Ringens, in denen er Luthers Galaterkommentar gelesen hatte: "I now found myself at peace with God, and rejoiced in hope of loving Christ."[108] Die klassische Beschreibung der Bekehrung stammt allerdings nicht von Charles, sondern von John Wesley, der drei Tage später in einer (anglikanisch-evangelikalen oder herrnhuterischen) Erbauungsversammlung seine Bekehrung erfuhr. An diesem

---

[105]Collection Nr. 231 Strophe 1.

[106]Nuelsen, Wesley und das deutsche Kirchenlied 162.

[107]Die Bewertung dieses Erlebnisses ist schon in den Schriften John Wesleys nicht einhellig, noch viel weniger in der Sekundärliteratur. Ob man das Geschehen im Mai 1738 aber als großen Einschnitt oder nur als Teil einer kontinuierlichen Kette religiöser Veränderungen interpretiert, eines ist sicher: Es war erst nach der sogenannten "Aldersgate"-Erfahrung, daß die Wesleys zu Führern einer schnell wachsenden Erweckungsbewegung wurden.

[108]Journal of Charles Wesley 149.

Abend wurde in der Versammlung Luthers Vorrede zum Römerbrief gelesen (einer der bevorzugten lutherischen Texte im Pietismus[109]). John Wesley beschreibt seine Erfahrung folgendermaßen:

"In the evening, I went very unwillingly to a
society in Aldersgate Street, where one was
reading Luther's Preface to the Epistle to the
Romans. About a quarter before nine, while he was
describing the change that God works in the heart
through faith in Christ, I felt my heart
strangely warmed. I felt I did trust in Christ,
Christ alone for my salvation; and an assurance
was given me that He had taken away my sins, even
mine, and saved me from the law of sin and
death."[110]

Allerdings blieb es Charles Wesley überlassen, diese Erfahrung
poetisch umzusetzen. Es sind vor allem zwei Lieder, die direkt mit
seiner Bekehrungserfahrung in Verbindung gesetzt werden; ich
zitiere jeweils die erste Strophe:

Where shall my wond'ring soul begin?
How shall I all to heaven aspire?
A slave redeemed from death and sin,
A brand plucked from eternal fire,
How shall I equal triumphs raise,
Or sing my great Deliverer's praise?[111]

Wie das folgende Lied, so zeigt auch das eben zitierte ganz das
fassungslose Staunen über die Bekehrungserfahrung; charakteristisch sind die Fragezeichen, die beide Liedanfänge kennzeichnen
(im folgenden Beispiel sind es allein fünf Fragezeichen in einer
Strophe):

And can it be, that I should gain
An interest in my Saviour's blood?
Died he for me, who caused his pain?

---

[109]Vgl. Schmidt, Luthers Vorrede zum Römerbrief im Pietismus 299-330.

[110]John and Charles Wesley 107.

[111]Collection Nr. 29 Strophe 1.

72

For me? Who him to death pursued?
Amazing love! How can it be
That Thou, my God, shouldst die for me?[112]

John Wesley reiste kurz nach dieser Bekehrungserfahrung nach
Herrnhut und Marienborn und war überzeugt, dort die Verwirk-
lichung urchristlichen Lebens gefunden zu haben.[113] In der Zeit
nach seiner Rückkehr kam es allerdings zum Bruch mit den
Anhängern Zinzendorfs, denen Wesley die Nähe zum mystischen
Quietismus und Tendenzen zum Antinomismus vorwarf. Der
Gesamtcharakter der entstehenden methodistischen Bewegung war
trotzdem stark von pietistischem Gedankengut und dessen
Rezeption (und Umstrukturierung!) reformatorischer Anliegen geprägt: So wird das reformatorische Anliegen der Rechtfertigung allein durch Glauben eingebettet in die Betonung der Wiedergeburt
als einer persönliche Heilserfahrung; die Heilsgewißheit wird
verbunden mit dem Streben nach sittlicher Vollkommenheit. Hinzu
kommt als Eigentümlichkeit des Methodismus und in bewußtem
Gegensatz zu Luther die Hochschätzung des "Gesetzes" oder der
"Werke" innerhalb der Appropriation der Erlösung. Lehr-
streitigkeiten wurden vor allem mit anderen Richtungen innerhalb
der pietistischen Bewegung selbst ausgetragen: Neben der
Distanzierung vom mystischen Quietismus einiger Anhänger der
Brüdergemeine kam es auch zu einer entschiedenen Abgrenzung
gegenüber der partikularistischen Heilsauffassung der Gruppe um
George Whitefield, die von calvinistischem Gedankengut
(besonders einer schroffen Prädestinationslehre) beeinflußt war.

In den Jahren nach 1738 begann die eigentliche methodistische
Erweckungsbewegung zu wachsen, vorangetragen besonders durch
eine intensive Predigttätigkeit der Wesleys und ihrer Anhänger,
die bald - aufgrund des Kanzelverbots in anglikanischen Kirchen -
Massenveranstaltungen unter freiem Himmel hielten (John Wesleys Predigten allein werden auf 40000 geschätzt). Die Bewegung
verbreitete sich rasch, besonders unter den einfacheren
Bevölkerungsschichten, die - von der beginnenden Industrialisie-

---

[112]Collection Nr. 193 Strophe 1.
[113]Vgl. hierzu U.F. Damm, Die Deutschlandreise John Wesleys. Grund - Orte -
Begegnungen - Auswirkungen (Beiträge zur Geschichte der Evangelisch-
methodistischen Kirche XVIII), Stuttgart 1984. Für die Beziehungen zwischen dem
hallischen Pietismus und dem frühen Methodismus siehe: K. Zehrer, The relation-
ship between Pietism in Halle and early Methodism, in: MethH 17 (1979) 211-224.

rung betroffen - nicht zuletzt durch das soziale Engagement der Methodisten angezogen wurden. Waren die Wesleys zunächst sehr darauf bedacht, ihre Anhänger in die anglikanische Kirche einzubinden, so machte die negative Reaktion ihrer Kirche ihnen diese Haltung immer schwieriger. Die methodistischen Anglikaner verzichteten zu Beginn zwar bewußt auf eigene gottesdienstliche Versammlungen und Sakramentenspendung und beschränkten sich auf Predigtversammlungen mit Zeugnissen persönlicher Heilserfahrung und gemeinschaftlichem Gesang. Charles Wesley wurde dabei zum unermüdlichen Schöpfer neuer Lieder für die methodistische Erweckungsbewegung. Das Entstehen und Wachsen der ganzen Bewegung war begleitet von ständigen Veröffentlichungen neuer Gesangbücher, die meistens aus Liedern von Charles Wesley bestanden (das wichtigste unter ihnen war ohne Zweifel die *Collection of Hymns for the use of the People called Methodists*). Trotz der Einbindung in die anglikanische Staatskirche wurden die methodistischen Gemeinschaften schon bald (zum Teil nach dem Vorbild des Pietismus) in kleinen Gruppen organisiert ("societies", wie auch die inneranglikanische evangelikale Erweckungsbewegung sie kannte, allerdings nicht in einer so durchorganisierten Form), die von Laienhelfern betreut wurden. Ab 1744 fand eine jährliche Konferenz aller "methodistischer" Prediger statt, die später zum leitenden Organ der Bewegung wurde. Die vielfach ablehnende Haltung der anglikanischen Staatskirche zusammen mit der Entwicklung eigener Organisationsformen führte fast zwangsläufig zum Bruch mit der Mutterkirche, der kurz nach John Wesleys Tod 1795 offiziell vollzogen wurde. John Wesley hatte Zeit seines Lebens an dem Konzept von "Methodist Societies within the Church of England" festgehalten, wenn er auch durch Ordinationen, die er für die nordamerikanischen methodistischen Gemeinschaften (nach dem Unabhängigkeitskrieg) vollzog, klar eine wichtige Grenzlinie der ecclesia anglicana überschritt. Aus dem Methodismus wurde somit anstatt einer inneranglikanischen Erweckungsbewegung die größte Kirchenbildung der Neuzeit.

2. Der Autor des methodistischen Liedguts: Charles Wesley

Wie der kurze Überblick über die Entstehung der methodistischen Bewegung gezeigt hat, ist diese ganz und gar von der Person John Wesleys bestimmt. Charles Wesley stand nicht nur zeitlebens, sondern auch was das geschichtliche und das Forschungsinteresse am Methodismus betrifft, im Schatten seines Bruders. Es ist deshalb nötig, einen (separaten) Blick auf Charles Wesley selbst zu werfen, um den Autor des methodistischen Liedguts vor Augen zu haben.

Im Grunde ist es nicht ganz falsch, Charles Wesley als "den ersten Methodisten" zu bezeichnen. Es war immerhin Charles, der in Oxford eine Gruppe von Gleichgesinnten um sich scharte und damit den "Holy Club" schuf - dessen Führung allerdings bald von seinem Bruder John übernommen wurde. Auch war es Charles, der als erster eine persönliche "Bekehrung" erfuhr - drei Tage, bevor John dieselbe Erfahrung machte. Zwei Schlüsselereignisse der entstehenden methodistischen Erweckungsbewegung beginnen also mit Charles Wesley, nicht mit John. Darüber hinaus scheint es wirkungsgeschichtlich so, als hätten die Lieder von Charles Wesley einen viel größeren Einfluß auf das Selbstverständnis und das Zusammengehörigkeitsgefühl der Mitglieder der Methodisten-Kirche als z.B. die Predigten von John oder seine exegetischen Anmerkungen zum Neuen Testament, die die offiziellen "Bekenntnisschriften" des Methodismus darstellen. Fast jeder Methodist (es sei denn, er oder sie lebt in Deutschland) ist mit den wesleyanischen Liedern vertraut - die Schriften John Wesleys kennen die wenigsten. Dennoch ist kaum zu bestreiten, daß John der eigentliche Motor der entstehenden Bewegung war; sein Leben ist in stärkerem Maße deckungsgleich mit dem Entstehen der methodistischen Bewegung als das von Charles. Charles Wesley (als 18. Kind der Wesley-Familie geboren) scheint von früher Jugend die Dichtung als sein ureigenstes Medium der Kommunikation akzeptiert zu haben. Eine gründliche klassische Ausbildung sowie der Einfluß seines Vaters Samuel Wesley Sen. und der seines Bruders Samuel Wesley Jun. (von beiden sind einige Lieder überliefert[114]) führten dazu, daß Charles sich häufig (und schon lange

---

[114]Bekannt ist vor allem das Lied "Behold the Saviour of mankind" von Samuel Wesley Sen.:
Behold the Saviour of mankind
Nail'd to the shameful tree!
How vast the love that Him inclined

vor seiner Bekehrung) in Versform äußerte. Wie die Dichter des sogenannten "Augustan Age" vor ihm übte er sich darin, lateinische und griechische Klassiker in Gedichtform wiederzugeben. Die verbreitete (fromme) Annahme, daß erst seine Bekehrung ihm die Zunge löste und den Dichter Charles Wesley schuf, ist falsch. Unbestreitbar ist allerdings, daß mit der Bekehrungserfahrung eine neue Thematik und mit der sich ausbreitenden methodistischen Erweckungsbewegung auch ein ganz neues Publikum in den Blickwinkel traten. Diese Tatsache mag durchaus Grund und Anreiz für die nach der Bekehrung aufbrechende Schaffensfreude Wesleys gewesen sein: Das Corpus seiner Gedichte und Lieder wird auf ungefähr 9000 geschätzt (wobei allerdings viele von ihnen unbearbeitet liegengeblieben sind). Rechnet man diese astronomische Zahl auf ein Tagespensum um, so hat Wesley 50 Jahre lang jeden Tag 10 Zeilen schreiben müssen, um dieses poetische Corpus zu vervollständigen.[115]

Charles Wesley hatte das poetische Medium so sehr zu seiner ureigensten Ausdrucksweise gemacht, daß nicht nur religiöse

---

To bleed and die for thee!

Though far unequal our low praise
To Thy vast sufferings prove,
O Lamb of God, thus all our days
Thus will be grieve and love.

Hark, how He groans! while nature shakes,
And earth's strong pillars bend;
The temple's veil in sunder breaks;
The solid marbles rend.

'Tis done! the precious ransom's paid;
"Receive my soul", He cries:
See where He bows His sacred head!
He bows His head and dies!

But soon he'll break death's envious chain,
and in full glory shine:
O Lamb of God! was ever pain,
Was ever love like Thine!

Thy loss our ruins did repair,
Death, by Thy death, is slain;
Thou wilt at length exalt us where
Thou dost in glory reign.

In: Tyerman, Life and Times of Samuel Wesley 328.
[115]Vgl. Baker, Charles Wesley's Verse 5f.

Themen auf diese Weise zur Sprache kamen, sondern fast alles, was er zu sagen hatte. Ein nicht geringer Anteil seines poetischen Schaffens ist deshalb auch nicht-religiösen Fragen gewidmet. So schreibt er Liebesgedichte oder äußert sich zu politischen Themen und zum Tagesgeschehen, vom Erdbeben in Lissabon bis zum Verlust der 13 nordamerikanischen Kolonien. Es waren allerdings die religiösen Lieder und Gedichte, die wirkungsgeschichtlich wichtig wurden. Dabei fällt auch bei ihnen die große Breite an Themen auf, die Charles Wesley behandelt. Sicher sind die Lieder der persönlichen Heilserfahrung am bekanntesten, aber es sollte nicht übersehen werden, daß Wesley auch anderen Themen ganze Liederzyklen widmete: der Eucharistie (*Hymns on the Lord's Supper*, 1745), der Trinität (*Hymns to the Trinity*, 1746), der Heiligen Schrift (*Short Hymns and Select Passages from Scripture*, 1762), Weihnachten (*Hymns for the Nativity of our Lord*, 1745), Ostern (*Hymns for the Lord's Resurrection*, 1746) und anderen Zeiten im Kirchenjahr.

Bei aller Konzentration auf die Lieder als Wesleys primärem und bevorzugtem Medium darf nicht vergessen werden, daß Wesley über Jahre auch ein anderes Medium der Kommunikation mit Erfolg einsetzte: die Predigt - wobei gleich hinzugesetzt werden muß, daß von Charles Wesleys Predigten nur wenige überliefert sind. Nur aus seinem fragmentarischen Tagebuch kann man das Ausmaß seiner Predigttätigkeit ermessen.[116] Diese Predigt-tätigkeit war besonders intensiv in den frühen 40er Jahren, als sich die methodistische Bewegung durch Massenveranstaltungen und Predigtversammlungen unter freiem Himmel konstituierte und verbreitete. In den 50er Jahren begann Charles Wesley dann, sich von dieser Form evangelistischer Arbeit zurückzuziehen und sich den methodistischen "Gemeinden" in Bristol und London zu widmen.

Bis zum Ende seines Lebens blieb die Dichtung allerdings seine bevorzugte Ausdrucksform. Noch kurz vor seinem Tod diktierte er die folgenden Zeilen (die wohl eher durch die Nähe zu Wesleys Tod denn aus Gründen literarischer Qualität bekannt geworden sind):

---

[116]Vgl. die Liste der Tagebucheintragungen über Charles Wesleys Predigttätigkeit bei Tyson, Wesley's Theology of the Cross, Appendix A (unpaginiert); und Doughty, Charles Wesley, Preacher 263-267.

In age and feebleness extreme,
Who shall a helpless worm redeem?
Jesus, my only hope Thou art,
Strength of my failing flesh and heart.
O, could I catch a smile from Thee,
And drop into eternity.[117]

Als Charles Wesley 1788 starb, erschien in einer offiziellen methodistischen Publikation folgender Nachruf von John Wesley:

"Mr. Charles Wesley, who after spending fourscore
years with great sorrow and pain, quietly retired
into Abraham's bosom. He had no disease, but
after gradual decay of some months, 'the weary
wheels of life at last stood still.' His least
praise is his talent for poetry [!], although Dr.
[Isaac] Watts did not scruple to say that the
single poem, 'Wrestling Jacob', was worth all the
verses he himself had written."[118]

3. Die Collection of Hymns for the use of the People called Methodists: ein Gesangbuch als "methodistisches Manifest"

Die Lieder von Charles Wesley wurden vor allem bekannt durch die vielen Gesangbücher, deren Veröffentlichungen die Entstehung und Verbreitung der methodistischen Erweckungsbewegung begleiteten. Die Collection of Hymns for the use of the People called Methodists von 1780 ist bei weitem nicht das erste Gesangbuch, das die Brüder Wesley herausgaben, aber es ist sicher das bedeutendste. Von Anfang an war die Ausgabe von 1780 als Standard-Ausgabe für die methodistischen Gemeinschaften geplant: "a hymn-book as might be generally used in all our congregations", wie John Wesley in seinem Vorwort sagt.[119] Die Vielzahl der verschiedenen Gesangbücher, die die Wesleys bis zu diesem Zeitpunkt herausgegeben hatten, brachte inzwischen mehr Verwirrung als Bereicherung und

---

[117]Jones, Charles Wesley 257.
[118]In: Jones, Charles Wesley 261.
[119]Collection 73.

machte eine Vereinheitlichung nötig. Ein kurzer Überblick über die bis 1780 erschienenen Gesangbücher zeigt dies deutlich:

Schon ein Jahr vor seiner Bekehrungserfahrung hatte John Wesley in der Kolonie Georgia (unter dem Einfluß der Begegnung mit dem deutschen Pietismus und dessen Singstunden und Gesangbüchern) ein erstes Gesangbuch herausgegeben. Es trug den Titel *A Collection of Psalms and Hymns*[120] und war in mehrerer Hinsicht ein erster Versuch: Zunächst einmal scheint das kleine Buch das erste Liederbuch überhaupt zu sein, das in Nordamerika gedruckt wurde. Darüber hinaus ist es eines der ersten Gemeinde-Gesangbücher in der anglikanischen Kirchengemeinschaft, die bis zu diesem Zeitpunkt offiziell das Kirchenlied im Gottesdienst nicht kannte (das *Book of Common Prayer* enthielt nur Lieder nach Psalmenparaphrasen und metrische Fassungen liturgischer Texte).[121] Zuletzt stellt es den Beginn einer langen Reihe von Gesangbüchern dar, die die Brüder Wesley für ihre Gemeinden schufen. *A Collection of Psalms and Hymns* enthält 70 Psalmen und Lieder und ist in drei Abschnitte unterteilt, die den wichtigsten Tagen des liturgischen Wochenzyklus entsprechen: Sonntag, Mittwoch und Freitag, sowie Samstag. Der erste Abschnitt, der dem Sonntag als erstem Tag der Woche und als ihr Ausgangs- und Höhepunkt gewidmet ist, bietet Psalmen und Lieder, die thematisch unter den Begriffen Lobpreis und Anbetung zusammengefaßt werden können. Der zweite Abschnitt ist den traditionellen Fastentagen der Woche gewidmet und bietet thematisch Psalmen und Lieder der Reue und Buße. Der letzte Abschnitt ist dem Samstag gewidmet, dem Wesley das Thema Schöpfung zuordnet. Dieses erste Gesangbuch ist - wie alle folgenden auch - eine Zusammenstellung von Psalmen oder Liedern unterschiedlicher Provenienz. Bemerkenswert ist, daß eine *Collection of Psalms and Hymns* nicht nur am Beginn wesleyanischer Gesangbuch-Ausgaben, sondern auch an deren Ende steht: Noch 1784 erschien eine Ausgabe mit diesem Titel, wobei immerhin ein Drittel ihres Bestandes mit dem der ersten *Collection of Psalms and Hymns* identisch ist. John

---

[120]A Collection of Psalms and Hymns [Charles-Town 1737] reprint hg. von F. Baker/G.W. Williams (The Wesley Historical Society VI), Charleston/SC 1964. Meine folgenden Bemerkungen über dieses Gesangbuch basieren auf der Einführung in die eben genannte Ausgabe, die R. Stevenson unter dem Titel "John Wesley's first Hymn-Book" gibt, S. V-XXIII (es handelt sich hierbei um eine Wiederholung eines früheren Artikels). Vgl. auch England, First Wesley Hymn Book 225-238.

[121]Für die Zeit vor Wesley vgl. Benson, English Hymn 73-218.

Wesley zog für die Ausgabe von 1737 u.a. Lieder von Isaac Watts, George Herbert, Thomas Ken, Samuel Wesley Sen. und Samuel Wesley Jun. sowie fünf seiner eigenen Übersetzungen von Liedern aus dem deutschen Pietismus heran.[122] Noch findet sich kein einziges Lied von Charles Wesley in der Sammlung. Dasselbe trifft zu auf *A Collection of Psalms and Hymns*, die John Wesley ein Jahr später in England herausgab.[123] Dieses Gesangbuch unterscheidet sich nur in Details von der ersten Ausgabe. 1741 erschien ein drittes Gesangbuch mit demselben Titel, das viele Auflagen durchlief. Die zweite Auflage enthielt mehrere Lieder von Charles Wesley; von diesem Zeitpunkt an wurde er zur Quelle für die Lieder der entstehenden methodistischen Bewegung. In den Jahren 1739, 1740 und 1742 gaben die beiden Brüder zusammen drei Bände von *Hymns and Sacred Poems* heraus, die fast ausschließlich aus Liedern der Wesleys bestehen. Einen Ausschnitt aus ihnen bildet die 1753 erschienene Sammlung *Hymns and Spiritual Songs, intended for the use of Real Christians of all Denominations*[124]. Das kleine Werk enthielt nur 48 Lieder, durchlief aber über 30 Auflagen. Schon einige Jahre früher war ein Gesangbuch erschienen, das einen ähnlichen Kreis ansprach, wenn auch nicht mit der gleichen explizit ökumenischen Orientierung: *Hymns for those that seek and those that have Redemption* (1747). Im Jahre 1761 veröffentlichte John Wesley ein neues allgemeines Gesangbuch für die methodistischen Gemeinschaften, diesmal mit Melodien: *Select Hymns with Tunes Annext; Designed chiefly for the Use of the People called Methodists*. Die 133 Lieder, die es enthält, stammen alle aus früheren Gesangbuch-Ausgaben der Wesley-Brüder.

Der kurze Überblick macht deutlich, daß John Wesley schon einige Anläufe zu einem "allgemeinen" Gesangbuch für die methodistischen Gemeinschaften unternommen hatte, bevor die *Collection of Hymns for the use of the People called Methodists* entstand. Eine erste Ausarbeitung dieses Gesangbuchs von 1780 lag schon 1773

---

[122]Dazu gehören: "O God, thou bottomless abyss" (E. Lange, "O Gott, du Tiefe sondern Grund"); "Jesu, to thee my heart I bow" (N.L. von Zinzendorf, "Reiner Bräutgam meiner Seelen"); "O Jesu, source of calm repose" (J.A. Freylinghausen, "Wer ist wohl wie Du"); "Thou Lamb of God, thou Prince of Peace" (C.F. Richter, "Stilles Lamm und Friedensfürst"); "My soul before thee prostrate lies" (C.F. Richter, "Hier legt mein Sinn sich vor dir nieder").

[123]Für die folgenden Angaben vgl. Beckerlegge, Development 22-30 und Beckerlegge, Sources 31-38.

[124]Der Titel zeigt gut die ökumenische Ausrichtung der entstehenden methodistischen Bewegung, sicher nicht zuletzt ein Erbe des deutschen Pietismus.

vor, aber Wesley brauchte noch Jahre, bevor er das Endprodukt zur Veröffentlichung brachte. Sein Vorwort zu der Ausgabe zeigt deutlich, was er von dem Buch erwartete:

"What we want is a collection neither too large,
that it may be cheap and portable, nor too small,
that it may contain a sufficient variety for all
ordinary occasions. Such a hymn-book you have now
before you. It is not so large as to be either
cumbersome or expensive. And it is large enough
to contain such a variety of hymns as will not
soon be worn threadbare. It is large enough to
contain all the important truths of our most holy
religion, whether speculative or practical; yea,
to illustrate them all, and to prove them both by
Scripture and reason. And this is done in a
regular order. The hymns are not carelessly
jumbled together, but carefully ranged under
proper heads, according to the experience of real
Christians. So that this book is in effect a
little body of experimental and practical
divinity. ... I am persuaded that no such hymn-
book as this has yet been published in the
English language. In what other publication of
the kind have you so distinct and full an account
of scriptural Christianity? Such a declaration of
the heights and depths of religion, speculative
and practical? So strong cautions against the
most plausible errors, particularly those that
are now most prevalent? And so clear directions
for making our calling and election sure, for
perfecting holiness in the fear of God?"[125]

Das Gesangbuch, dem dieses Vorwort mitgegeben wurde, erfüllte die Erwartungen seines Herausgebers vollauf, wie die vielen Auf-

---

[125]Collection 73f. Wesleys Vorwort weist an einigen Stellen eine gewisse gedankliche Nähe zu Freylinghausens Vorwort im *Neuen Geist-reichen Gesangbuch* (1714[1]) auf. Der deutsche Pietist schreibt: "Die Ursach, so mich zu dergleichen Arbeit abermal bewogen, ist insgemein, weil Christliche und geistreiche Lieder eines der allerbequemsten Mittel sind, die Erkäntniß Göttlicher Wahrheit und daraus herfliessende wahre Gottseligkeit unter den Menschen zu befordern ... sowohl aus der Schrift als der Erfahrung..."

lagen zeigen, die es durchlief. Aber auch dieses neue "abschließende" Gesangbuch war nicht das Ende wesleyanischer Gesangbuch-Ausgaben: 1785 erschien eine gekürzte Fassung unter dem
Titel *A Pocket Hymnbook, for the use of Christians of all denominations*, von dem zwei Jahre später eine Neuausgabe unter
dem selben Titel veröffentlicht wurde. Dieses Gesangbuch war das
letzte in der langen Liste von Gesangbüchern, die aus Wesleys
Hand kamen. Das herausragende Dokument in dieser Liste ist und
bleibt die *Collection of Hymns for the use of the People called
Methodists*. Der Kongregationalist B. Manning schrieb nicht ohne
Grund (und nicht ohne Zustimmung zu finden) über dieses Buch:

"This little book ... ranks in Christian
literature with the Psalms, the Book of Common
Prayer, the Canon of the Mass. In its own way, it
is perfect, unapproachable, elemental in its
perfection. You cannot alter it, except to mar
it; it is a work of supreme devotional art by a
religious genius."[126]

Von den 525 Liedern, die dieses Gesangbuch enthält, stammen
bei weitem die meisten von Charles Wesley. Einige Lieder sind
aber auch von John Wesley und einige wenige von Isaac Watts, je
eines von den beiden Samuel Wesleys, eines von George Herbert
und zwei von Henry More. Die meisten Lieder hat John Wesley in
irgendeiner Form überarbeitet. Auch nahm er 19 seiner 33
Übersetzungen von Liedern des deutschen Pietismus auf, die er in
der Kolonie Georgia angefertigt hatte. Die Lieder seines Bruders
entnahm John den vielen schon vorher veröffentlichten Gesangbüchern; in der Collection von 1780 findet sich kein vorher unver-
öffentlichtes Wesley-Lied.

Eine Aufzählung der verschiedenen Quellen dieses Gesangbuchs macht noch nicht seine Eigenart deutlich. Wie John Wesley
in seinem Vorwort betont, geschah die Zusammenstellung der
unterschiedlichen Lieder nach einem bestimmten Ordnungsprinzip: "the experience of real Christians."[127] Das Ordnungsprinzip der *Collection* ist ganz eindeutig das eines poetischen

---

[126]Manning, Hymns of Wesley 14.
[127]Collection 74. Vgl. Olney Hymns, in Three Books, London 1779, Preface VIII: "I
hope most of these hymns, being the fruit and expression of my own experience, will
coincide with the views of real christians of all denominations."

Pilgrim's Progress,[128] der poetischen Biographie eines Christen. Anstatt einer Orientierung am Kirchenjahr oder an den Grundüberzeugungen des Glaubens strukturiert John Wesley dieses Gesangbuch nach der persönlichen Erfahrung des Heilswegs für einen "wirklichen" Christen. Wie dieser Heilsweg aussieht, mag ein kurzer Überblick über die Anordnung der *Collection* zeigen: Der erste Teil des Gesangbuches hat Einführungscharakter. Ein erster Abschnitt ist dem Ruf zur Umkehr gewidmet. Der sich anschließende Abschnitt beschreibt verschiedene Themen der Verkündigung: die Schönheit des Christentums, die Güte Gottes, Tod, Gericht, Himmel und Hölle. Ein dritter Abschnitt besteht aus Gebeten und Bitten. Der zweite Teil des Buches ist dem großen Gegensatz zwischen rein äußerlicher ("formal") und innerlichpersönlicher ("inward") Religion gewidmet. Jeder Seite des Gegensatzes gilt ein eigener Abschnitt. Im dritten Teil des Buches dreht sich dann alles um die persönliche Erfahrung des Heils: Ein erster Abschnitt enthält Gebete um Reue. Ein zweiter ist denjenigen gewidmet, die unter der Last ihrer Sünden leiden. Im anschließenden Abschnitt finden sich Lieder zum Thema "Wiedergeburt"; gleich darauf folgt ein Abschnitt für solche Bekehrten, die "rückfällig" geworden sind. Ein abschließender Abschnitt ist denjenigen gewidmet, die zur Erfahrung der Erlösung zurückfinden. Der vierte Teil des Gesangbuches gilt den Glaubenden und ihren unterschiedlichen Erfahrungen: Freude, Kampf, Gebet, Wachen, Arbeit, Leiden, Sensucht nach voller Erlösung - Wiedergeburt - Erlösung (hinter dieser Terminologie verbirgt sich der methodistische Gedanke der vollkommenen Heiligung), Fürbitte. In einem letzten Teil des Buches kommen die methodistischen Gemeinschaften zur Sprache. Die Lieder drehen sich hier um die Versammlungen der Erweckungsbewegung: das Zusammenkommen, die Danksagung, das Gebet und das Auseinandergehen. Der kurze Überblick über die Struktur der *Collection of Hymns for the use of the People called Methodists* zeigt, daß sie dem Weg der Glaubenden von der Umkehr zur Bekehrung bis zum Leben aus dem Glauben folgt. Ein solches Strukturprinzip war ungewöhnlich zu Wesleys Zeit. Es vernachlässigt ganz und gar die "objektiveren" Strukturprinzipien wie das Kirchenjahr oder die christliche Lehre. Dabei darf natürlich nicht vergessen werden, daß die methodistische Bewegung zur Zeit, als dieses Gesangbuch

---

[128]Vgl. Beckerlegge, John Wesley as Editor 58.

entstand, immer noch eine Erweckungsbewegung innerhalb der anglikanischen Kirche war - ihre Mitglieder also technisch noch an den Gottesdienst der Mutterkirche gebunden waren und die methodistischen Versammlungen als Zusatz zum religiösen Leben ihrer Pfarrgemeinde besuchten. Vergleicht man die Struktur der *Collection* mit anderen Gesangbüchern der Zeit, so fällt sie aus dem Rahmen des damals Üblichen. Die Gesangbücher des englischsprachigen Raums folgten entweder gar keinem klar erkennbaren Ordnungsprinzip, oder waren unter unzusammenhängenden Abschnitten wie "Schriftparaphrasen" und "Zur Eucharistie" gesammelt. Nur die anglikanisch-evangelikalen *Olney Hymns* von William Cowper und John Newton kommen in ihrem letzten Teil der Anordnung der *Collection* nahe. In diesem Gesangbuch finden sich Anklänge an den persönlichen Heilsweg des Glaubenden, wenn auch bei weitem in nicht so ausgeführter Form wie bei Wesley. Der Titel dieses letzten Teils des Gesangbuchs lautet: "On the Progress and Changes of the Spiritual Life"[129] und ist in folgende Abschnitte gegliedert: Solemn Addresses to Sinners - Seeking, Pleading, Hoping - Conflict - Comfort - Dedication and Surrender - Cautions - Praise - Short Hymns: Before Sermon, after Sermon, Gloria Patri. Die *Olney Hymns* erschienen 1779, ein Jahr vor der *Collection of Hymns for the use of the People called Methodists* - deren ungefährer Aufbau aber schon einige Jahre früher vorlag. Nun trifft dasselbe allerdings auch auf die *Olney Hymns* zu: Newton hatte den Gedanken an ein solches Gesangbuch schon Anfang der 70er Jahre gefasst. Woher beide Gesangbücher ihr neues und auffälliges Strukturprinzip haben, ist nicht eindeutig geklärt. Eines aber scheint mir sicher - und in der Forschung bis jetzt nicht genug beachtet: Der Aufbau der *Collection of Hymns for the use of the People called Methodists* wird verständlich(er), wenn man nicht allein nach Vorbildern aus dem englischsprachigen Raum, sondern vor allem auch aus dem deutschen Pietismus schaut, der den Wesleys ja die ersten Impulse für ihre Gesangbücher gab (vielleicht nicht umsonst betont John Wesley in seinem Vorwort, daß sein neues Gesangbuch in der *englischspra-*

---

[129]Vorangegangen waren: "On select Texts of Scripture" und "On occasional Subjects". John Newton schreibt im Vorwort über den dritten Teil: "The third Book is miscellaneous, comprising a variety of subjects relative to a life of faith in the Son of GOD, which have no express reference either to a single text of Scripture, or to any determinate season or incident", Olney Hymns, in Three Books, London 1779, Preface XI. Vgl. auch Demaray, John Newton 225-242.

chigen Welt einzigartig ist). Selbst wenn sich nämlich direkte Verbindungen zwischen den *Olney Hymns* und der wesleyanischen *Collection* aufweisen lassen (was mir durchaus möglich erscheint - Wesley und Newton kannten sich), so wird sich dies sicher als eine Einflußnahme Wesleys auf Newton erweisen. Newton hatte Wesley nämlich Ende der 50er Jahre aufgesucht und um Rat gebeten, als Wesley schon ein bekannter Führer der evangelikalen Erweckungsbewegung war (und nebenbei auch mit der Herausgabe von Gesangbüchern einige Erfahrung hatte). Es scheint daher wenig hilfreich, für die Frage nach dem Ursprung der wesleyanischen *Collection* bei Verbindungslinien mit den *Olney Hymns* stehenzubleiben. Ein Blick auf den deutschen Pietismus hilft hier weiter. Die deutschen pietistischen Gesangbücher des 17. und 18. Jahrhunderts zeichnen sich durch eine besondere Betonung der geistlichen Situation des Glaubenden aus, wenn sie diese auch integrieren in einen Aufbau, der theologische, katechetische oder liturgische Schwerpunkte früherer Gesangbücher nicht verneint.[130] Ihr Hauptanliegen ist dennoch deutlich. J.A. Freylinghausen formuliert das eigentliche Strukturprinzip seines *Neuen Geist-reichen Gesangbuchs* ganz explizit, indem er beschreibt, wie alles "nach der Oeconomie und Ordnung des Heils eingerichtet ist"[131]. Die Verbindungslinien zwischen den pietistischen Gesangbüchern und Wesleys *Collection* werden auch an einem Detail deutlich: Bei Wesley ist genau jener Abschnitt von Liedern am breitesten, der im deutschen Pietismus das Hauptinteresse fand: Lieder, die für den Glaubenden in verschiedenen Situationen seines geistlichen Lebens bestimmt sind. Blickt man von den pietistischen Gesangbüchern auf die wesleyanische *Collection of Hymns for the use of the People called Methodists*, so erscheint der Aufbau dieses Gesangbuchs als Radikalisierung einer Tendenz, die der deutsche Pietismus vorbereitet hatte: Bei Wesley kommt es zu einer *ausschließlichen* Konzentration auf die geistliche Situation des Menschen, von der Zeit vor seiner Bekehrung bis zu einem Leben in

---

[130]Vgl. hierzu Röbbelen, Theologie und Frömmigkeit im Gesangbuch 40-45.

[131]Neues Geist-reiches Gesangbuch, auserlesene, so Alte als Neue, geistliche und liebliche Lieder, Nebst den Noten der unbekannten Melodeyen, in sich haltend, Zur Erweckung heiliger Andacht und Erbauung im Glauben und gottseligen Wesen, hg. von J.A. Freylinghausen, Halle (1714[1]) 1726[3], Vorwort. Eine ähnliche Formulierung findet sich schon im *Berliner Gesangbuch* von J. Porst (1708): "nach der Ordnung des Heils"; Freylinghausens *Geist-reiches Gesangbuch* von 1704 nennt eine Anordnung "wie es die Oeconomie unserer Seeligkeit erfordert und mit sich bringt", vgl. Völker, Gesangbuch 553f.

der Gemeinschaft der Glaubenden. Daß sich hinter diesem Strukturprinzip ein individualisierter "ordo salutis" verbirgt, ist richtig. Die *Collection of Hymns for the use of the People called Methodists* ist aber weit entfernt von einem Gesangbuch-Aufbau (wie er aus der protestantischen Orthodoxie bekannt ist), wo theologisch-dogmatische Themen des "ordo salutis" herangezogen werden[132]. Wesley konzentriert sich auf die innere Erfahrung des einzelnen Glaubenden und macht diese zum Strukturprinzip seines Gesangbuchs.

Fast programmatisch wirkt in diesem Zusammenhang das Lied von Charles Wesley, das John Wesley an den Beginn der Sammlung stellt. Es sei an dieser Stelle als Zusammenfassung einer Einführung in die *Collection of Hymns for the use of the People called Methodists* vorgestellt und interpretiert.

4. Der Auftakt zu der Collection: "O for a thousand tongues to sing"

Das Lied trägt im Original die Überschrift "For the Anniversary Day of One's Conversion", womit ein ganz spezifischer Sitz-im-Leben angegeben ist. Charles Wesley schrieb den Text höchstwahrscheinlich am 21. Mai 1739 zum Gedenken an den ersten Jahrestag seiner Bekehrung. Diese Tatsache ist nicht zuletzt ein Hinweis auf die zentrale (spirituelle) Bedeutung des Bekehrungserlebnisses innerhalb der methodistischen Erweckungsbewegung. Reflektiert Wesley zunächst einfach die Dankbarkeit für seine eigene Bekehrung, so gibt er doch auch zugleich - wie der Titel andeutet - allen Anhängern des Methodismus ein Sprachrohr für ihre eigene (und die ihnen gemeinsame) fundamentale Erfahrung der Erlösung. Das Lied hat somit seinen Sitz-im-Leben im spirituellen Weg jedes einzelnen Mitglieds der Gemeinschaft, das an der Erfahrung der Bekehrung und an der Notwendigkeit der Verkündigung teilhat. Nicht umsonst leitet dieses Lied seit der *Collection of Hymns for the use of the People called Methodists* praktisch jedes methodistische Gesangbuch ein. Es ist zum Leitmotiv methodistischen Singens und zu einem der wichtigsten Zeugnisse methodistischer Spiritualität geworden.

Ich zitiere und interpretiere das Lied in seiner ganzen Länge, wie Charles Wesley es ursprünglich schrieb. Die gekürzte berühmte

---

[132]Vgl. Röbbelen, Theologie und Frömmigkeit im Gesangbuch 286-290.

Fassung "O for a thousand tongues to sing" ist zwar wirkungsgeschichtlich die allein relevante, zeigt aber die ursprüngliche
Intention nicht so deutlich wie die längere Fassung. Hier zunächst
der Text des Liedes:

Glory to God, and praise, and love   (1)
Be ever, ever given,
By saints below, and saints above,
The church in earth and heaven.

On this glad day the glorious Sun   (2)
Of Righteousness arose;
On my benighted soul He shone,
And fill'd it with repose.

Sudden expired the legal strife;   (3)
'Twas then I ceased to grieve;
My second, real, living life
I then began to live.

Then with my heart I first believed,   (4)
Believed with faith Divine;
Power with the Holy Ghost received
To call the Saviour mine.

I felt my Lord's atoning blood   (5)
Close to my soul applied;
Me, me He loved - the Son of God
For me, for me He died!

I found, and own'd His promise true,   (6)
Ascertain'd of my part;
My pardon pass'd in heaven I knew,
When written on my heart.

O for a thousand tongues to sing   (7)
My dear Redeemer's praise!
The glories of my God and King,
The triumphs of His grace.

My gracious Master, and my God,   (8)
Assist me to proclaim,
To spread through all the earth abroad
The honours of Thy name.

Jesus, the name that charms our fears,   (9)
That bids our sorrows cease;
'Tis music in the sinner's ears,
'Tis life, and health, and peace!

He breaks the power of cancell'd sin,   (10)
He sets the prisoner free;
His blood can make the foulest clean,
His blood avail'd for me.

He speaks; and, listening to His voice,   (11)
New life the dead receive,
The mournful, broken hearts rejoice,
The humble poor believe.

Hear Him, ye deaf; His praise, ye dumb,   (12)
Your loosen'd tongues employ;
Ye blind, behold your Saviour come;
And leap, ye lame, for joy.

Look unto Him, ye nations; own   (13)
Your God, ye fallen race!
Look, and be saved through faith alone;
Be justified by grace!

See all your sins on Jesus laid;   (14)
The Lamb of God was slain,
His soul was once an offering made
For every soul of man.

Harlots, and publicans, and thieves   (15)
In holy triumph join;
Saved is the sinner that believes
From crimes as great as mine.

Murderers, and all ye hellish crew,   (16)
Ye sons of lust and pride,
Believe the Saviour died for you;
For me the Saviour died.

Awake from guilty nature's sleep,   (17)
And Christ shall give you light,
Cast all your sins into the deep,
And wash the Ethiop white.

With me, your chief, you then shall know,   (18)
Shall feel your sins forgiven;
Anticipate your heaven below,
And own that love is heaven.[133]

Das Lied beginnt mit einem doxologischen Auftakt - wie übrigens eine nicht unwesentliche Anzahl von anderen Liedern von Charles Wesley auch:[134] *Glory to God, and praise.* Dieser Beginn wird in der doxologischen Zwischenstrophe (7) inhaltlich und terminologisch aufgenommen und erweitert: *My dear Redeemer's praise! The glories of my God and King.* Bemerkenswert in der Ausgangsstrophe ist der ekklesiologische Kontext der Doxologie, besonders auf dem Hintergrund des im folgenden geschilderten individuellen Bekehrungserlebnisses. Dieses individuelle Bekehrungserlebnis scheint durch die (objektiv formulierte) Ausgangsdoxologie aufgehoben zu sein im Lobpreis der ecclesia militans und der ecclesia triumphans durch die Zeiten.

Die Strophen 2-6 geben innerhalb des zu Beginn gesicherten doxologisch-ekklesiologischen Kontextes eine Beschreibung jenes Tages, auf den das Lied - wie der Titel deutlich macht - zurückblicken will: den Tag der Bekehrung (für Charles Wesley genau datierbar auf den 21. Mai 1738). Strophe 2 charakterisiert ihn in durchaus traditionellen Bildern als Tag, an dem die Sonne der Gerechtigkeit über der von nächtlichem Dunkel überschatteten Seele aufging. Die anschließende Strophe macht deutlich, daß das

---

[133]Poetical Works I, 299-301 (vgl. auch die ursprünglich als Liedpredigt konzipierte Interpretation bei Colquhoun, Hymns 235-242).

[134]Vgl. z.B. die folgenden doxologischen Anfangszeilen: "Glory, and praise, and love to Thee", Poetical Works I, 240; "Glory, and thanks, and praise", Poetical Works V, 128; "Glory, honour, thanks, and praise", Poetical Works V, 390. Die Beispiele könnten beliebig vermehrt werden.

Aufgehen dieser Sonne der Gerechtigkeit das Ende jeglicher Werkgerechtigkeit (*the legal strife*) bedeutet. Dem korrespondiert in Strophe 13 die Betonung auf dem "sola fide" der Reformation (erinnert sei an die Bedeutung, die Luthers Galaterkommentar bei der Bekehrung Wesleys spielte). Der Beginn des neuen Lebens (*My second, real, living life*) geschieht allein durch den Glauben, einen Glauben, der Gabe Gottes ist und von Herzen kommt, wie die folgende Strophe (4) hervorhebt. Diese Strophe deutet auch schon das Thema an, das die nächste Strophe bestimmt und von jetzt an das ganze Lied durchzieht. Es ist das lutherische "pro me", das in verschiedenen Variationen und mit Hilfe poetischer Formgebungen (hier handelt es sich um eine sogenannte (doppelte) Epizeuxis, oder sofortige Wiederholung eines Begriffs) anklingt: *Me, me He loved...For me, for me He died!* Ein damit eng verbundener, für Wesley zentraler Gedanke steht hinter dem Ausdruck *I felt...(the) blood...applied* (Strophe 5), der - ebenso wie das "pro me" - sein ganzes poetisches Werk durchzieht. Der Begriff ist Chiffre für die Heilsvermittlung in der Bekehrung.

Strophe 7 schließt als Doxologie den mit einer Doxologie begonnenen ersten (rückblickenden) Teil ab und leitet gleichzeitig den nächsten Teil ein, der - auf der Grundlage des Rückblicks auf die eigene Bekehrung - zur Verkündigung übergeht.[135] Diese doxologische Zwischenstrophe nimmt die doxologische Ausgangsstrophe des Liedes thematisch auf, erweitert sie aber auf der Basis des Rückblicks auf die eigene Bekehrung. So wird der zu Beginn genannte Adressat der Doxologie *God* nun genauer charakterisiert als *My dear Redeemer*, und als Objekt des Lobpreises werden ganz spezifisch genannt *The triumphs of His grace*. Die ganze Doxologie ist darüber hinaus persönlicher, wärmer und überschwenglicher formuliert als diejenige der Ausgangsstrophe. Diese doxologische Zwischenstrophe steht am Übergang vom deskriptiven zum kerygmatischen Teil des Liedes und markiert diesen. Die folgende

---

[135]Nuelsen, Wesley und das deutsche Kirchenlied 47 verweist auf das Lied von Johann Mentzer "O daß ich tausend Zungen hätte", das sich im Gesangbuch der Brüdergemeine fand, verneint aber eine mögliche Verbindung mit dieser Strophe Charles Wesleys, weil es keinerlei Anhalt für eine Bekanntschaft Wesleys mit diesem Lied gibt. Die Argumentation scheint schwach, denn gerade die Ähnlichkeit der Formulierung könnte ein solcher Anhaltspunkt sein. Andererseits weiß die Legendenbildung um Charles Wesley davon, daß das Lied auf einen Ausspruch des Herrnhuters Peter Böhler zurückgeht, der zu Wesley gesagt haben soll: "Wenn ich tausend Zungen hätte, ich würde Gott mit ihnen allen preisen." Möglich ist natürlich auch, daß sich der Ausspruch Böhlers auf Mentzers Lied zurückführen läßt. Gewißheit wird sich an diesem Punkt wohl nicht gewinnen lassen.

Strophe befindet sich zwar schon innerhalb des so markierten kerygmatischen Teils, steht aber insofern allein, als sie die einzige Strophe des ganzen Liedes darstellt, die als direktes Gebet kenntlich ist. Dieses Gebet besteht in der Bitte um Beistand bei der Verkündigung. Schloß die vorangehende Strophe ab mit dem Lobpreis Gottes aufgrund der *triumphs of His grace,* so wird dies zum Ausgangspunkt der Gottesanrede im Gebet: *My gracious Master, and my God, Assist me to proclaim.* Gleichzeitig werden in diesem Gebet die Reichweite und das Thema der Verkündigung angegeben: *To spread through all the earth abroad The honours of Thy Name.* Die Betonung dieses grenzenlosen, weltweiten Verkündigungsauftrags erinnert unwillkürlich an John Wesleys berühmtes Motto: "The world is my parish". Diese Welt wird bei Charles Wesley näher charakterisiert (und gleichzeitig "individualisiert") als *sinner* und *prisoner.* Auch die zu verkündigende Botschaft wird näher charakterisiert und personalisiert in einem einzigen Wort: *Jesus.* Es ist die Beschreibung dieser Person, die die Strophen 9-11 füllt. Interessant ist die Verbindung zwischen der Strophe, die ein Gebet um Beistand bei der Verkündigung darstellt, und diesen Strophen. Endet das Gebet mit einer Beschreibung des Inhalts der Verkündigung als *To spread...The honours of Thy name,* so beginnt die folgende Strophe mit dem Wort *Jesus,* dem Gottesnamen, der charakterisiert wird als *the name that charms our fears* (es handelt sich technisch um das Stilmittel einer Anadiplosis). Wesley verbindet die Beschreibung der Person Jesu auf das engste mit einer soteriologischen Perspektive: Gotteserkenntnis ist Wissen um und Erfahrung der Erlösung. Dabei werden die soteriologischen Kategorien der jeweiligen (geistlichen) Situation der Adressaten der Verkündigung angepaßt: Für die Gefangenen wird Jesus zum Befreier, für die (geistlich) Toten zum Lebensspender, für die Trauernden zur Freude.

Sind die Strophen 9-11 durch indirekte Verkündigung anhand einer Beschreibung der Person Jesu charakterisiert, so sind die letzten sieben Strophen des Liedes einer ganz expliziten Form der Verkündigung gewidmet. Charles Wesley spricht die Adressaten seiner Botschaft direkt an und zwar anhand einer ganzen Anhäufung von Appellen in Imperativform. Allein 15 solcher Imperative finden sich in den letzten sieben Strophen, die dadurch den Anschein eines einzigen großen Aufrufs erwecken. Strophe 12 bedient sich biblischer Kategorien: Die Tauben werden aufgerufen zu hören, die Blinden zu sehen, die Lahmen zu springen. Strophe 13 dehnt den Adressatenkreis aus auf alle Völker, *ye nations*, die wieder qualifiziert werden als *fallen race*, ähnlich wie schon zu Beginn die ganze Erde als *sinner* beschrieben werden konnte. Der Aufruf zur Bekehrung, der an alle gerichtet ist, lautet: *be saved through faith alone, Be justified by grace!* Ganz deutlich wird in dieser Verkündigung die methodistische Aufnahme der reformatorischen Botschaft von der Rechtfertigung durch Glauben allein. Der Universalismus des angebotenen Heiles wird in der folgenden Strophe noch einmal besonders betont: *For every soul of man.* Die Strophen 15 und 16 gehen von der explizit biblischen Terminologie langsam zu einer eher zeitgenössischen Terminologie über. Die Adressaten sind jetzt *Harlots, and publicans, and thieves...sons of lust and pride.* Bemerkenswerterweise stellt Charles Wesley sich (bzw. seine Sünden) wiederholt auf eine Ebene mit denen seiner Zuhörer: *crimes as great as mine, the Saviour died for you; For me the Saviour died.* Die (im Ursprung paulinische) Selbstbezeichnung als *chief of sinners* ist der markanteste - und für Charles Wesley typische - Ausdruck dieser Identifikation. Strophe 17 nimmt das zu Beginn des Liedes gebrauchte Bild von der Dunkelheit der Zeit vor der Erlösung auf in dem (biblischen) Appell, aus dem Schlaf der Sünde aufzuwachen und (von) Christus das Licht zu empfangen. Andere bildhafte biblische Appelle schließen sich an.

Die letzte Strophe greift eine für Charles Wesley typische Thematik auf. Er sieht in der Bekehrungserfahrung (und der damit verbundenen Sündenvergebung) ein eschatologisches Moment: Der Himmel beginnt auf Erden in der Erfahrung der Liebe Gottes. Diese Erfahrung ist Antizipation der kommenden Herrlichkeit: *Anticipate your heaven below.* Ein solcher eschatologischer Ausblick findet sich in vielen Liedern von Charles Wesley und zwar so auffallend häufig, daß diese Tatsache (von einem methodistischen Bewunderer der Lieder) beschrieben wurde als "the habit...of ending his hymns, whatever their burden, in the courts of heaven. Into the earthly songs of praise breaks the music of the archangels."[136] Im ganzen betrachtet ist dieses Lied von Anfang bis Ende durchzogen von für Charles Wesley typischen Topoi, die sich in vielen anderen Liedern wiederfinden. Dazu gehören z.B. die Konzentration auf soteriologische Kategorien, die zentrale Bedeutung der Erfahrung (der Bekehrung), die häufige (aus dem Pietismus übernommene) Verwendung der Chiffre "Blut" für die

---

[136]Lofthouse, Charles Wesley 134.

am Kreuz geschehene Erlösung und deren Appropriation durch den Glaubenden (*the blood applied*). Weiterhin sind dazuzurechnen die Betonung der Bedeutung des Namens Gottes, dessen Kennen/-Erkennen bei Wesley zum Synonym für die Annahme der Versöhnung wird, und die Heranziehung eschatologischer Kategorien für die Beschreibung des neuen Lebens. Zwei für Charles Wesley wichtige Themen, die in diesem Lied nicht anklingen, sind die Teilnahme an der göttlichen Natur, in der sich für den Dichter das Verhältnis von Gott und Glaubendem am eindrücklichsten verwirklicht, und seine vielfältige Beschäftigung mit der ethischen Komponente des neuen Lebens, besonders mit dem im Methodismus heiß diskutierten Thema der christlichen Vollkommenheit. Trotzdem kann das Lied weitgehend als Zusammenfassung der zentralen Gedanken in Charles Wesleys poetischem Werk, aber auch in der *Collection of Hymns for the use of the People called Methodists* gelten.

Nach der eben vorgelegten Einzelinterpretation des Liedes seien nun noch einige weiterführende Fragen kurz behandelt: Zunächst ist eine genauere Interpretation von Sprecher und Adressat dieses Liedes wichtig. Wie viele von Charles Wesleys Liedern hat auch das vorliegende Beispiel eine durchgängig dialogische Struktur. Sprecher ist das erlöste Ich, das auf den Tag der Bekehrung zurückblickt. So richtet sich der erste Teil - beginnend und endend mit einer Doxologie - primär an Gott. Ein direktes Zeugnis dafür ist auch das aufgrund der Beschreibung der Bekehrung formulierte Gebet in Strophe 8. Der zweite Teil ist von der Verkündigung bestimmt und richtet sich an alle, die die Frohbotschaft hören sollen. Dieser Wechsel des Dialogpartners ist häufig bei Charles Wesley. Gerade bei einer Liedüberschrift wie "For the Anniversary Day of One's Conversion" zeigt er, daß sich die wesleyanische Spiritualität nicht einseitig auf eine fromme Selbstbetrachtung des bekehrten Ich konzentriert, sondern direkt zur Verkündigung drängt.

Zum Thema des Liedes und seiner Verarbeitung ist folgendes zu sagen: Das zentrale Thema, wie der Titel schon ankündigt, ist die Heilsvermittlung in der Bekehrung. Dies wird einerseits doxologisch-rückblickend, andererseits kerygmatisch-appellartig entfaltet. In immer neuen Bildern und unter immer wechselnden Blickwinkeln werden das Geschehen und die Erfahrung der Bekehrung geschildert bzw. auf sie verwiesen. Dabei steht nicht allein das subjektive Erlebnis im Zentrum, sondern vor allem der objektive Grund, der dieses Erlebnis ermöglicht, nämlich die

Heilstaten Gottes in Christi Tod und Auferstehung. Beide Aspekte sind wie in einem Mosaik miteinander verwoben.

Was die in dem Lied verarbeiteten Traditionen betrifft, so ist das hier vorliegende wie alle Lieder von Charles Wesley zunächst und vor allem von einer großen Nähe zur Bibel geprägt. Dies nicht unbedingt in dem Sinne, daß biblische Themen aufgegriffen und verarbeitet werden; Charles Wesleys "Biblizismus" geht im Grunde tiefer. Seine ganze Sprache bewegt sich in der biblischen Welt, in deren Bildern, Vokabular und Vorstellungen. Fast wie unbewußt scheint Wesley, der Dichter, als Muttersprache die Sprache der Bibel zu sprechen. In den neun Strophen des gekürzten Liedes, wie es die *Collection of Hymns for the use of the People called Methodists* eröffnet,[137] finden sich immer noch 21 Anklänge an biblische Stellen - und zwar der unterschiedlichsten Art. Dieser poetische Biblizismus ist sicher das wichtigste Element der von Charles Wesley verarbeiteten Traditionen. Er verweist aber auch gleich auf ein weiteres Element: Besonders in der Art, wie in den Liedern die Psalmen anklingen, wird deutlich, daß Charles Wesley auf liturgische Traditionen, nämlich das anglikanische *Book of Common Prayer* und besonders dessen Psalmenübersetzung zurückgreift. Der Einfluß der anglikanischen Liturgie und ihrer sprachlichen Kraft auf Wesleys poetisches Werk sollte nicht unterschätzt werden - überhaupt war der frühe Methodismus viel intensiver an das liturgische Leben der anglikanischen Kirche gebunden, als es seine spätere Entwicklung vermuten läßt (erinnert sei in diesem Zusammenhang an Charles Wesleys eucharistische Lieder). Ein dritter, entscheidender inhaltlicher Einfluß auf Charles Wesleys poetisches Gedankengut ist die reformatorische Tradition, die sich für Wesley im lutherischen "pro me" und im "solus Christus, sola gratia, sola fide" einfängt. Wesleys Bekehrungserlebnis ist ja eng mit Luthers Galaterkommentar verbunden. Nun ist es aber nicht die reformatorische Tradition in ihrer reinen Form, die sich niederschlägt, sondern in der Form, wie sie im deutschen Pietismus lebendig war. Das eben beschriebene Lied mit seiner Betonung der Bekehrung, der persönlichen Heilserfahrung und dem Drang zur Verkündigung legt davon beredetes Zeugnis ab.

Soviel zu den Traditionen, die Charles Wesleys poetisches Werk durchziehen. Diese Traditionen prägen nicht unwesentlich die Sprache und die Sprachform des Liedes, wie leicht ersichtlich ist.

---

[137]Die Collection hat folgende Strophen des Originals beibehalten: 7-10, 12-14, 17-18.

Die Sprache des Liedes ist darüber hinaus durch eine Tendenz zum Überschwenglichen gekennzeichnet, was besonders die doxologische Zwischenstrophe deutlich macht: *O for a thousand tongues to sing* My *dear Redeemer's praise*. Auch die vielen Ausrufezeichen, mit denen Charles Wesley seine Lieder versah, weisen in diese Richtung. Charakteristisch ist nicht zuletzt die emotive Qualität der Sprache (*dear Redeemer, glad day*), die zum Teil ein Erbe des Pietismus darstellt - das Charles' Bruder John Wesley bei der Edition der Liedsammlungen allerdings an verschiedenen Stellen zu unterdrücken suchte. So nimmt man an, daß aus diesem Grund das betont emotionale "Jesu, Lover of my soul"[138] keinen Eingang in die *Collection of Hymns for the use of the People called Methodists* fand. - Zur Sprachform des Liedes ist folgendes zu sagen: Der erste Teil ist durch die doxologische Einrahmung explizit als Lobpreis gekennzeichnet, ein Lobpreis für die Bekehrung, der aber durchaus auch Bekenntnischarakter hat. Der zweite Teil des Liedes ist demgegenüber ganz der Verkündigung gewidmet. Didaktische Ansätze finden sich so gut wie keine, obwohl andere Lieder von Wesley durchaus auch lehrhaften Charakter tragen können.

Die Sprachform gibt erste Hinweise auf die Zielgruppe, die das Lied erreichen will. Der Verkündigungsteil nennt ja ganz präzise die Ansprechpartner. Es handelt sich um die Hörer der methodistischen Botschaft (die zu Beginn vor allem die einfacheren Bevölkerungsschichten erreichte). Sie werden zur Bekehrung aufgerufen. Der erste Teil des Liedes mit seinem doxologisch-deskriptiven Rückblick auf den Tag der Bekehrung gibt dem einzelnen Anhänger der methodistischen Erweckungsbewegung ein Medium, eine Ausdrucksmöglichkeit für seine eigene Erfahrung in die Hand, schafft aber auch - durch das grundlegende gemeinsame Bekehrungserlebnis - eine gewisse Identität unter denjenigen, die sich

---

[138]Poetical Works I, 259f. Ich zitiere die erste Strophe, die die emotionale Qualität des ganzen Liedes gut verdeutlicht:
Jesu, Lover of my soul,
Let me to Thy bosom fly,
While the nearer waters roll,
While the tempest still is high:
Hide me, O my Saviour, hide,
Till the storm of life is past;
Safe into the haven guide;
O, receive my soul at last.

dieses Lied zu eigen machen.[139] Es ist somit immer zugleich Privatlied und Gruppenlied.

John Wesley hat dieses Lied seines Bruders als Auftakt des Gesangbuches von 1780 gewählt, das mit einem Abschnitt unter dem Titel "Exhorting, and beseeching to return to God" beginnt. Bemerkenswert ist, daß John Wesley den ersten Teil des Liedes nicht aufnimmt, sondern direkt mit der doxologischen Zwischenstrophe 7 beginnt. Die rückblickende Beschreibung auf den Tag der eigenen Bekehrung, die bei Charles Wesley Ausgangspunkt der Verkündigung ist, entfällt somit. Es bleiben ein doxologischer Beginn, das daran sich anschließende Gebet und die direkt zur Bekehrung aufrufenden Strophen. Das so entstandene Lied ist - trotz der Kürzungen - immer noch ein wesentlicher Ausdruck der methodistischen Bewegung und ihres Liedguts.

Exkurs: Die gegenwärtige Forschungslage[140]

Eine Untersuchung, die sich mit der *Collection of Hymns for the use of the People called Methodists* beschäftigt, hat erst seit wenigen Jahren ein dafür unerläßliches Werkzeug zur Hand, nämlich eine wissenschaftliche Edition dieses methodistischen Liederbuches.[141] Sie erschien 1983 als separater Band in einer neuen Gesamtausgabe der Werke John Wesleys(!) und stellt die erste Ausgabe der *Collection* dar, die wissenschaftlichen Ansprüchen gerecht wird (leider ist sie bis jetzt auch das einzige Material von Charles Wesley, das in einer wissenschaftlichen Ausgabe vorliegt; seine Briefe, Predigten und sein Tagebuch harren weiterhin einer Aufarbeitung und Edition). Aber noch eine zweite Entwicklung hat

---

[139]Vgl. Marshall/Todd, English Congregational Hymns 62: "An unconfident singer learns by example the joys of salvation, while a happy convert is reminded of his or her joyful certainty."

[140]Ausführlicher hierzu: T. Berger, Charles Wesley und sein Liedgut: eine Literaturübersicht, in: ThR 84 (1988) 441–450. Dieser Exkurs wurde für die Drucklegung in die Arbeit aufgenommen.

[141]A Collection of Hymns for the use of the People called Methodists, hg. von F. Hildebrandt/O.A. Beckerlegge (The Works of John Wesley VII), Oxford 1983. Inzwischen ist im Erscheinen begriffen: The Unpublished Poetry of Charles Wesley, hg. von S.T. Kimbrough/O.A. Beckerlegge, Nashville/Tenn. 1988. Das Werk ist auf drei Bände angelegt.

zu einer wesentlichen Verbesserung der Ausgangsposition meiner Untersuchung der Lieder in der *Collection* beigetragen: Seit ungefähr 20 Jahren mehren sich im englischsprachigen (noch spezifischer: im nordamerikanischen Raum) im Rahmen einer allgemeinen Renaissance von (John) Wesley-Studien Veröffentlichungen, die die Lieder Charles Wesleys von einer theologischen Perspektive aus analysieren. Diese Veröffentlichungen bilden einen wichtigen Beitrag für eine Arbeit, die der Frage nach einer "Theologie in Hymnen" nachgeht. Daß diese Entwicklung einer theologischen Fragestellung einen Fortschritt gegenüber früheren Schwerpunkten des Interesses an Charles Wesley und seinen Liedern darstellt, macht ein kurzer Überblick über den bisherigen Gang der Forschung deutlich.

Wie nicht anders zu erwarten, findet sich von Anfang an die intensivste Beschäftigung mit dem Methodismus im englischsprachigen Raum, wobei man mit der Verbreitung des Methodismus in Nordamerika bald neben dem Ursprungsland England auch die USA als Zentrum des Interesses am Methodismus lokalisieren kann. Im 19. Jahrhundert treten beide Heimatländer des Methodismus mit Veröffentlichungen über die Bewegung hervor. Diese Veröffentlichungen gehen - trotz aller Verschiedenheit - letztlich in eine ähnliche Richtung: Es handelt sich zum größten Teil um historisch-biographische Beiträge, die oft dem Genre der Erbauungsliteratur zuzurechnen sind. Sie sind fast ausschließlich von Methodisten für Methodisten geschrieben. In einer Zusammenstellung der methodistischen Literatur aus den Jahren 1733-1869 werden insgesamt 2254 Titel aufgeführt, darunter allein 320 Biographien.[142] Besonders die Beschäftigung mit Charles Wesley verläuft ganz und gar in diesen Bahnen. Immer wieder wird *The Life of the Reverend Charles Wesley, M.A.*[143] beschrieben, wobei die Inhaltsverzeichnisse dieser Biographien sich auch in ihren Akzentsetzungen wenig unterscheiden. Die Lieder werden in allen Veröffentlichungen hoch gepriesen, wenn auch so gut wie nie wirklich analysiert. Oftmals gibt der Titel ein Werk schon als Erbauungsliteratur zu erkennen. Charles Wesley ist der *Poet*

---

[142]Vgl. Schneeberger, Theologische Wurzeln 18.

[143]Vgl. z.B. J. Whitehead, The Life of the Rev. Charles Wesley, M.A., late student of Christ-Church, Oxford, collected from his private journal, Dublin 1805^2 (1793^1); J. Telford, The Life of Rev. Charles Wesley M.A., London 1900^2 (1886^1).

Preacher,[144] *Poet of Methodism*,[145] *Poet of the Evangelical Revival*[146]. Solche Veröffentlichungen sind allerdings nicht auf das 19. Jahrhundert beschränkt; auch im 20. Jahrhundert findet man noch Beiträge dieses Stils über den *Evangelist and Poet*,[147] *Singer of the Evangelical Revival*[148] oder auch (spezifischer) den *Singer of Six Thousand Songs*[149] und *The first Methodist*[150]. Andererseits war das 19. Jahrhundert nicht ausschließlich durch Veröffentlichungen dieser Art gekennzeichnet. Das historische Interessse schlug sich nicht allein in biographischer (Erbauungs-)Literatur nieder, sondern auch in den ersten Editionen wesleyanischer "Gesammelter Werke". Was Charles Wesley und sein Liedgut betrifft, sind hier von besonderer Bedeutung *The Poetical Works of John and Charles Wesley*, die G. Osborn zwischen 1868 und 1872 herausgab.[151] Aber auch der Versuch von T. Jackson, Charles Wesleys Tagebuch zu veröffentlichen[152] und seine ausführliche Biographie mit viel autobiographischem Material[153] sind dieser Entwicklung zuzurechnen. Selbst wenn Jacksons Biographie dabei

---

[144]C. Adams, The Poet Preacher: a brief memorial of Charles Wesley, the eminent preacher and poet, New York 1859.

[145]J. Kirk, Charles Wesley, the poet of Methodism. A lecture, London 1860.

[146]F. Colquhoun, Charles Wesley, 1707-1788. The Poet of the Evangelical Revival (Great Churchmen), London o.J. Das Büchlein umfaßt nur knapp 40 Seiten, stellt aber eine präzise und ausgewogene Einführung dar.

[147]F.L. Wiseman, Charles Wesley, Evangelist and Poet, New York 1932; ähnlich F.L. Wiseman, Charles Wesley and his Hymns (Wesley Bi-Centenary Manuals VI), London o.J. [1938?].

[148]E.T. Clark, Charles Wesley. The Singer of the Evangelical Revival (The Upper Room), Nashville/Tenn. 1957.

[149]E.P. Myers, Singer of Six Thousand Songs; a life of Charles Wesley, London 1965.

[150]F.C. Gill, Charles Wesley, the first Methodist, New York 1964.

[151]The Poetical Works of John and Charles Wesley, reprinted from the originals, with the last corrections of the authors, together with the poems of Charles Wesley not before published, Bd. I-XIII, hg. von G. Osborn, London 1868-1872. Die Bände enthalten an die 4600 (veröffentlichte) Einzelstücke der beiden Wesleys und ungefähr 3000 bis dorthin unveröffentlichte Texte Charles Wesleys, die allerdings nicht seinen vollständigen Nachlaß darstellen.

[152]The Journal of the Rev. Charles Wesley. To which are appended selections from his correspondence and poetry, Bd. I-II, hg. von T. Jackson, London 1849. Diese Ausgabe des Tagebuches war nicht vollständig. Erst später erschien: The Journal of the Rev. Charles Wesley. The early journal, 1736-1739, hg. von J. Telford (The Finsbury Library), London 1910.

[153]T. Jackson, The Life of the Rev. Charles Wesley, M.A., some time student of Christ Church, Oxford: comprising a review of his poetry; sketches of the rise and progress of Methodism; with notices of contemporary events and characters, London 1841[1].

zur Hagiographie tendiert, ist sie doch (allein schon wegen der Fülle an Detailinformationen und autobiographischem Material) immer noch eine Fundgrube für jedes neue *Life of the Rev. Charles Wesley, M.A.*. Die Sammlung von Predigten Charles Wesleys[154] hat sich inzwischen als "unecht" erwiesen: Die Predigten wurden zwar von Charles gehalten, stammen aber fast alle von seinem Bruder John. Interessant ist auf diesem Hintergrund die Tatsache, daß es so gut wie keine neuere wissenschaftlich wirklich befriedigende Aufarbeitung des historisch-biographischen Materials über Charles Wesley gibt, geschweige denn eine "theologische Biographie", wie M. Schmidt sie für John Wesley vorlegte. Man muß sich weiterhin größtenteils mit populärwissenschaftlichen Arbeiten zufriedengeben. Eine gewisse Ausnahme bildet die Biographie Charles Wesleys von A.A. Dallimore.[155]

Im 20. Jahrhundert wandte man sich auf dem Hintergrund eines bis dahin fast ausschließlich biographischen Interesses an Charles Wesley nun seinen Liedern zu und zwar unter zwei unterschiedlichen Gesichtspunkten. Die erste Gruppe von Veröffentlichungen konzentriert sich auf die literarischen Charakteristika der Lieder und die in ihnen verarbeiteten Traditionen. Als Klassiker dieser Art von Fragestellung ist das Werk von H. Bett, *The Hymns of Methodism in their literary relations*[156] zu nennen. Der Autor würdigt die Lieder von Charles Wesley als literarische Zeugnisse - was seiner Meinung nach bis zu diesem Zeitpunkt noch nicht genügend geschehen ist, obwohl nach ihm feststeht: "the hymns of Methodism constitute the finest body of devotional verse in the [english] language".[157] Bett konzentriert sich bei seiner Würdigung bzw. Untersuchung auf die in den Liedern verarbeiteten Traditionen (Schriftzitate und Allusionen, Gedanken der Kirchenväter, Einflüsse des *Book of Common Prayer*, literarische Anleihen), aber er formulierte auch einen Katalog von Kriterien der Unterscheidung zwischen Liedern von John oder Charles Wesley,

---

[154]Sermons by the late Rev. Charles Wesley, London 1816. Inzwischen liegen aber vor: Charles Wesley's Earliest Evangelical Sermons: Six Shorthand Manuscript Sermons now for the first time transcribed from the original, hg. von T.R. Albin/O.A. Beckerlegge (Occasional Publications of the Wesley Historical Society), London 1987.

[155]A.A. Dallimore, A Heart Set Free. The Life of Charles Wesley, Westchester/Ill. 1988.

[156]H. Bett, The Hymns of Methodism in their literary relations, London 1913[1], 1920[2], 1945[3].

[157]Bett, Hymns of Methodism 2.

der mit einigen Erweiterungen und Korrekturen immer noch akzeptiert ist.[158] Das Problem der genauen Autorenschaft einiger wesleyanischer Lieder hat die Forschung aber weiterhin beschäftigt. Betts Pionierarbeit ist dadurch nicht geschmälert worden: Er hat als einer der ersten in mühsamer Detailarbeit die unterschiedlichen Quellen, aus denen Charles Wesley schöpfte, analysiert und dargestellt. Eher mit einem explizit literarischen Interesse arbeiten die anderen grundlegenden Werke über die Lieder, die in diese Gruppe von Veröffentlichungen fallen. Hierzu sind zu rechnen: R. Flew, *The Hymns of Wesley. A study of their structure*[159] und besonders die Arbeiten von F. Baker, der sowohl eine Ausgabe von Liedern unter dem Titel *Representative Verse of Charles Wesley*[160] besorgte, als auch später seine Einführung in diese Sammlung als eigene Untersuchung über die poetischen Charakteristika der Lieder veröffentlichte.[161] Bei beiden Arbeiten deutet schon der Titel die literarische Perspektive der Arbeiten an: Charles Wesleys Werk wird als "Verses" beschrieben, nicht etwa als "Hymns". Von literaturwissenschaftlicher Seite selbst ist Charles Wesleys Liedern bis jetzt wenig Aufmerksamkeit gewidmet worden; D. Davies Kapitel über "The Classicism of Charles Wesley" in seinem Buch *Purity of Diction in English Verse* ist hier als Ausnahme zu nennen.[162] Eine in diesem Kapitel angeschnittene literaturwissenschaftliche Frage wird allerdings auch in der weiteren Forschung lebhaft diskutiert: Es handelt sich um Charles Wesleys Stellung im Verhältnis zur Romantik, wobei ihn eine Seite als Vorläufer der Romantik verstehen will, während die andere Seite auf seiner Einbindung in den Klassizismus des "Augustan Age" beharrt.[163]

---

[158]Bett, Hymns of Methodism 129-135.

[159]R.N. Flew, The Hymns of Charles Wesley. A study of their structure, London 1953.

[160]Representative Verse of Charles Wesley, hg. von F. Baker, London 1962.

[161]F. Baker, Charles Wesley's Verse. An introduction, London 1964[1], 1988[2]. Vgl. auch seine Vorarbeiten für eine Edition der Briefe von Charles Wesley: Charles Wesley as revealed by his letters, London 1948; und F. Baker, The Prose Writings of Charles Wesley, in: LQHR 182 (1957) 268-274.

[162]D. Davie, Purity of Diction in English Verse, New York 1953, 70-81.

[163]So u.a. besonders Davie und Dale; für eine Bindung an die Romantik, mehr noch: für einen Einfluß des Methodismus auf die entstehende Romantik plädiert F.C. Gill, The Romantic Movement and Methodism. A study of English Romanticism and the Evangelical Revival, London 1937. Vgl. auch M.A. Noll, Romanticism and the Hymns of Charles Wesley, in: EvQ 46 (1974) 195-223.

Fast gleichzeitig mit diesen Veröffentlichungen über literarische Aspekte kam es auch zu einer theologischen Beschäftigung mit den Liedern von Charles Wesley. Diese Beschäftigung führt uns zu der zweiten Gruppe von Veröffentlichungen über die Lieder, die das 20. Jahrhundert charakterisieren. Den Beginn des theologischen Interesses kann man anhand der Bücher von J. Rattenbury festmachen, der in den 40er Jahren zwei Untersuchungen vorlegte, die lange Zeit als Standardwerke angesehen wurden, wenn Rattenbury auch nicht unbedingt als wirklicher Theologe gelten kann: *The Evangelical Doctrines of Charles Wesley's Hymns*[164] und *The Eucharistic Hymns of John and Charles Wesley*[165] sind bemerkenswerterweise noch nicht von neueren Untersuchungen zu denselben Themen abgelöst worden. Auch die Sammlung von Vorträgen des Kongregationalisten B.L. Manning, *The Hymns of Wesley and Watts*[166] und das kleine Werk von G.H. Findlay, *Christ's Standard Bearer*[167] sind hier zu nennen, wenn sie auch eigentlich auf der Grenzlinie zwischen einer literarischen und theologischen Fragestellung stehen. Besonders Findlay beschäftigt sich nach einigen einleitenden Bemerkungen zu literarischen Charakteristika (ein Kapitel ist den Ausrufezeichen in den Liedern gewidmet) mit inhaltlichen Fragen und Themen, die er anhand von Schlüsselwörtern in den Liedern darstellt. Sowohl das Buch von Findlay als auch das von Manning behandeln dabei nicht Charles Wesleys Lieder als solche, sondern ganz spezifisch die Sammlung der *Collection of Hymns for the use of the People called Methodists*. Wirklich theologisch analysiert wurden die Lieder aber erst in den letzten 20 Jahren und zwar meistens in Form von Dissertationen in England und vor allem in den USA. Man kann hier fast von einer Charles Wesley-Renaissance sprechen - die sich allerdings auf dessen theologisches Gedankengut konzentriert und z.B. nicht zu einem neuerwachenden Interesse an seiner Biographie führt. Die

---

[164] J.E. Rattenbury, The Evangelical Doctrines of Charles Wesley's Hymns, London 1941[1], 1942[2].

[165] J.E. Rattenbury, The Eucharistic Hymns of John and Charles Wesley, London 1948. Zum Opfergedanken in den eucharistischen Liedern vgl. R.L. Fleming, The Concept of Sacrifice in the Eucharistic Hymns of John and Charles Wesley, PhD thesis Southern Methodist University, Dallas 1980.

[166] B. Manning, The Hymns of Wesley and Watts. Five informal papers, London 1942[1], 1948[5].

[167] G.H. Findlay, Christ's Standard Bearer. A study in the hymns of Charles Wesley as they are contained in the last edition (1876) of A Collection of Hymns for the Use of the People called Methodists by the Rev. John Wesley, M.A., London 1956.

Dissertationen, die sich von einer theologischen Perspektive aus mit den wesleyanischen Liedern beschäftigen, tun dies fast immer anhand einer thematischen Konzentration. Dies trifft übrigens sowohl auf die (wenigen) Arbeiten zu den Liedern von John Wesley als auch denen von Charles Wesley zu.[168] Noch im Grenzbereich der literarischen und theologischen Fragestellung stehen die Dissertationen von J. Dale, *The theological and literary qualities of the poetry of Charles Wesley in relation to the standards of his age*[169] und G. Morris, *Imagery in the Hymns of Charles Wesley*[170]. Dales Dissertation ist im Grunde der These gewidmet, daß Charles Wesley fest eingebunden ist in den Klassizismus des "Augustan Age" und nicht etwa als Frühromantiker zu verstehen ist; die Arbeit bringt aber auch wichtige Einsichten in die Verbindungslinien zwischen poetischer Form und religiöser Aussage in den Liedern. Die (literaturwissenschaftliche) Dissertation von Morris untersucht im Detail die bildhafte Sprache von 300 repräsentativen Liedern von Charles Wesley. Den Schwerpunkt auf die theologische Perspektive legen demgegenüber die Dissertationen von B. Welch, *Charles Wesley and the Celebrations of Evangelical Experience,*[171] J. Ekrut, *Universal redemption, assurance of salvation, and Christian perfection in the hymns of Charles Wesley,*[172] J. Townsend, *Feelings related to Assurance in Charles Wesley's Hymns*[173] und J. Tyson, *Charles Wesley's Theology of the Cross*[174]. Ekruts

---

[168]Vgl. z.B. L. Anderson, The doctrine of Christian holiness as found in the writings of John Wesley and reflected in his hymns, M.A. thesis St. John's University, Collegeville/Minn. 1969. Der Titel ist allerdings ganz irreführend, weil im Grunde die Lieder von Charles Wesley analysiert werden.

[169]J. Dale, The theological and literary qualities of the poetry of Charles Wesley in relation to the standards of his age, PhD thesis, Cambridge 1960; vgl. J. Dale, Some echoes of Charles Wesley's Hymns in his Journal, in: LQHR 184 (1959) 336-344.

[170]G.L. Morris, Imagery in the Hymns of Charles Wesley, PhD thesis, University of Arkansas 1969.

[171]B.A. Welch, Charles Wesley and the Celebrations of Evangelical Experience, PhD thesis, University of Michigan 1971.

[172]J.C. Ekrut, Universal redemption, assurance of salvation, and Christian perfection in the hymns of Charles Wesley, with poetic analyses and tune examples, M.Mus. thesis Southwestern Baptist Theological Seminary, Fort Worth/Texas 1978.

[173]J.A. Townsend, Feelings related to Assurance in Charles Wesley's Hymns, PhD thesis Fuller Theological Seminary, Pasadena/California 1979.

[174]J.R. Tyson, Charles Wesley's Theology of the Cross: An Examination of the Theology and Method of Charles Wesley as seen in his Doctrine of the Atonement, PhD thesis, Drew University, Madison/NJ 1983. Eine Zusammenfassung bietet: J.R. Tyson, Charles Wesley's Theology of Redemption: A Study in Structure and Method, in: Wesleyan Theological Journal 20 (1985) 7-28.

(eigentlich musikwissenschaftliche Arbeit) konzentriert sich auf drei Themenbereiche der Lieder: Heilsuniversalismus, Heilsgewißheit und christliche Vollkommenheit. Dem Autor geht es vor allem um eine Darstellung und Analyse dieser Themenbereiche, wie sie sich in den Liedern finden. Die Dissertation von Tyson ist mit fast 1000 Seiten das bis jetzt umfangreichste Werk einer theologischen Untersuchung der Lieder von Charles Wesley. Der Autor konzentriert sich auf Wesleys theologia crucis, die er innerhalb seiner Lehre der Versöhnung lokalisiert und analysiert. Tyson arbeitet mit detaillierten Wort- und Motivuntersuchungen im Umfeld des soteriologischen Zentrums von Wesleys Gedankengut. Seine Untersuchungen überzeugen ihn davon, daß Charles Wesley ein "bedeutender Theologe" ist, der als solcher nicht genug gewürdigt wird. Wohl aus diesem Grund hat sich Tyson auch nach seiner Dissertation weiterhin mit Charles Wesley beschäftigt: 1986 erschien sein Buch über Wesleys Lehre von der Heiligung, das als "biographische und theologische Untersuchung" charakterisiert ist.[175] Die 1988 fertiggestellte Dissertation von C. Gallaway ist einem spezifischen theologischen Aspekt der *Collection* von 1780 gewidmet, nämlich dem Verständnis der Gegenwart Christi.[176] Der Autor befragt in seiner Arbeit die relevanten Lieder der *Collection* auf dieses Thema hin.

Soweit ein kurzer Überblick über den Gang der Forschung. Es kamen fast nur Buchveröffentlichungen zur Sprache, da Artikel, die Charles Wesley oder auch seinen Liedern gewidmet sind, in einer gewissen Parallelität und thematischen Abhängigkeit zu den Buchveröffentlichungen stehen, so daß selten neue Aspekte angesprochen werden. Zur Ergänzung und Vervollständigung sei erwähnt, daß die Beschäftigung mit dem Methodismus im deutschen Sprachraum aus verschiedenen Gründen nie besonders intensiv gewesen zu sein scheint. Zwar fanden verschiedene Aspekte des Lebens und der Theologie John Wesleys sowie die Entstehung methodistischer Gemeinschaften einige Beachtung, aber ein Interesse an Charles Wesley außerhalb methodistischer Kreise gab es so gut wie nicht. Selbst im deutschen Methodismus war die Beschäftigung mit Charles Wesley und seinen Liedern auf ein Minimum be-

---

[175] J.R. Tyson, Charles Wesley on Sanctification. A Biographical and Theological Study, Grand Rapids 1986.
[176] C. Gallaway, The Presence of Christ with the Worshiping Community. A study in the hymns of John and Charles Wesley, PhD thesis Emory University, Atlanta/Georgia 1988.

schränkt,[177] nicht zuletzt wohl auch deshalb, weil das Liedgut des deutschen Methodismus viel stärker von den nordamerikanischen Erweckungsliedern des 19. Jahrhunderts beeinflußt ist, als von dem ursprünglichen wesleyanischen Liedgut der Bewegung.[178] Als Ausnahmen zu diesen Bemerkungen über die Beschäftigung mit dem Liedgut des Methodismus im deutschen Sprachraum müssen das Werk des methodistischen Bischofs J. Nuelsen, *John Wesley und das deutsche Kirchenlied*[179] und die Dissertation von E. Mayer über *Charles Wesleys Hymnen*[180] genannt werden. Nuelsen beschäftigte sich als erster eingehend mit den Liedern des deutschen Pietismus, die John Wesley während seiner Zeit in Nordamerika kennenlernte und übersetzte. Seine Untersuchung ist immer noch das Standardwerk zu diesem Thema. E. Mayers Dissertation untersucht mit einem primär literarkritischen Ansatz eine Auswahl wesleyanischer Lieder; ihre Forschungsergebnisse nehmen einiges der späteren Arbeiten von F. Baker vorweg. Auf die Beiträge (des nach England emigrierten Lutheraners, dann Methodisten) F. Hildebrandt[181] und die Arbeiten von M. Schmidt[182] sei hier zumindest hingewiesen. Sie belegen ein gewisses Interesse am Methodismus auch außerhalb methodistischer Kreise. Daß dieses Interesse eine Ausnahme darstellt, zeigt ein Blick in das dreibändige Standardwerk *Handbuch der Dogmen- und Theologiegeschichte*, das auf 2000 Seiten dem Methodismus nur wenige Sätze widmet. Die Wesleys erscheinen im Namensregister erst gar nicht.

---

[177]Vgl. z.B. A.J. Bucher, Ein Sänger des Kreuzes, Basel 1912; K.G. Eißele, Charles Wesley, Sänger des Methodismus, Bremen 1932. Eißele hat den Verdienst, in seine Biographie auch eine Übersetzung einiger ausgewählter Lieder von Charles Wesley aufgenommen zu haben.

[178]Vgl. K. Dahn, Die Hymnologie im deutschsprachigen Methodismus, in: Der Methodismus, hg. von C.E. Sommer (KW A/VI), Stuttgart 1968, 166-184.

[179]J.L. Nuelsen, John Wesley und das deutsche Kirchenlied (BGM IV), Bremen 1938. Vgl. zu diesem Thema auch: O.A. Beckerlegge, John Wesley and the German Hymns, in: LQHR 165 (1940) 430-439; H. Bett, John Wesley's Translations of German Hymns, in: LQHR 165 (1940) 288-294.

[180]E. Mayer, Charles Wesleys Hymnen. Eine Untersuchung und literarische Würdigung, Diss. Tübingen 1957 (masch.).

[181]F. Hildebrandt, From Luther to Wesley, London 1951; F. Hildebrandt, Christianity according to the Wesleys, London 1956.

[182]Vgl. M. Schmidt, John Wesley, Bd. I-II, Zürich 1953-1966; Bd. I–III, 1987[2]; M. Schmidt, Art. "Methodismus", in: RGG 4 (1960[3]) 913-919; M. Schmidt, Methodismus, in: Konfessionskunde, hg. von F. Heyer, Berlin 1977, 595-605.

Das Jubiläumsjahr 1988, in dem man sowohl des 250. Jahrestages der Bekehrung der Wesley-Brüder als auch der 200. Wiederkehr des Todestages Charles Wesleys gedachte, hat eine Fülle an Literatur hervorgebracht. Es liegt in der Natur der Sache, daß ein Großteil dieser Literatur "hagiographischer" Natur ist; immerhin feiert hier eine Glaubensgemeinschaft die Ausgangserfahrung ihrer Gründer, ohne die sie nie entstanden wäre. Da sich streng wissenschaftliche Werke nur bis zu einem gewissen Grad nach Jubiläumsjahren planen lassen, waren im Jahre 1988 nicht zwangsläufig neue wissenschaftliche Erkenntnisse zu erwarten. Darüber hinaus scheint es im Licht der eben beschriebenen Forschungsgeschichte nur verständlich, daß das Interesse an Charles Wesley auch in dem Jahr, in dem seiner Bekehrungserfahrung und seines Todes gedacht wird, hinter dem Interesse an John Wesley zurückgetreten ist. Allerdings gab es Anzeichen, daß das Interesse an seinen Liedern eine Bestärkung erfährt.[183] .

Der Überblick über die Forschung hat deutlich gemacht, daß einerseits die Frage nach einer "Theologie in Hymnen" als Forschungsanliegen auch für die Lieder von Charles Wesley noch durchaus relevant und offen ist, daß andererseits aber inzwischen auch eine Entwicklung zu einer theologischen Betrachtung der Lieder eingesetzt hat, die wichtige Vorarbeiten für die Beantwortung einer solchen Frage liefert.

B. Charakteristika wesleyanischer Lieder

Vor der eigentlichen theologischen Interpretation der Lieder in der *Collection of Hymns for the use of the People called Methodists* erscheint es angebracht, auf einige typische Merkmale der Lieder Charles Wesleys an sich aufmerksam zu machen. Es handelt sich hierbei um Charakteristika, die sein ganzes poetisches Schaffen durchziehen und deshalb sinnvollerweise *vor* einer Einzelinterpretation theologischer Themen dargestellt werden. Dabei ist es auch in diesem Zusammenhang wichtig, die Lieder selbst sprechen zu lassen. Ich versuche, anhand charakteristischer Beispiele einige typische Merkmale des wesleyanischen poetischen Schaffens

---

[183]Vgl. z.B. das Büchlein von S.T. Kimbrough, Lost in Wonder. Charles Wesley: The Meaning of his Hymns today, Nashville/Tenn. 1987.

zu skizzieren. Zu Beginn ist aber eine grundsätzliche Frage kurz anzuschneiden: die Frage, ob es sich bei den poetischen Äußerungen von Charles Wesley wirklich um Lieder oder aber um Gedichte handelt, von denen viele später für den Gemeindegesang umfunktioniert wurden.

1. Lieder oder Gedichte?

Im Grunde scheint die Frage nach der formalen Charakterisierung des poetischen Werkes von Charles Wesley zumindest für die *Collection of Hymns for the use of the People called Methodists* von sekundärer Bedeutung. Die *Collection* von 1780 ist ganz eindeutig als methodistisches Gemeinde-Gesangbuch angelegt; die sich in ihr befindenden Materialien fungieren also (spätestens seit ihrer Aufnahme in die *Collection*) als Gemeindelieder. Diese kontextuelle Definition sagt aber noch wenig über die ursprüngliche Intention des Autors, besonders wenn dieser nicht identisch ist mit dem Herausgeber des späteren Sammelwerkes. Darüber hinaus darf nicht vergessen werden, daß die methodistischen Gesangbücher (wie viele andere auch) nie ausschließlich nur als Vorlagen für den gottesdienstlichen Gemeindegesang dienten, sondern eine wichtige Funktion als private Andachtsbücher erfüllten. Die Frage nach der formalen Charakterisierung des poetischen Werkes von Charles Wesley ist also nicht nur hinsichtlich der primären Intention des Autors von Bedeutung, sondern auch im Zusammenhang mit der *Collection* von 1780.

Dabei ist leicht ersichtlich, daß die Frage, ob es sich bei dem vorliegenden Material um Lieder oder Gedichte handelt, gar nicht eindeutig beantwortet werden kann. Einerseits scheint die Trennungslinie zwischen beiden Kategorien in vielen Fällen bei Charles Wesley nicht applikabel, andererseits hat die Wirkungsgeschichte einzelner Stücke oft die ursprünglich eindeutig erscheinende Charakterisierung aufgehoben (so besonders im weiter unten besprochenen Beispiel "Come, O thou Traveller unknown"). Darüber hinaus scheint Wesley selbst nach anfänglichem Zögern jegliche terminologische Unterscheidung zwischen den beiden Formen aufgegeben zu haben; er sprach im Endeffekt von seinem eigenen Werk nur noch als "hymns".[184] In den frühen

---

[184]Vgl. Baker, Charles Wesley's Verse 90-92.

Jahren seiner Veröffentlichungen finden sich noch differenzierende Titel wie *Hymns and Sacred Poems* zur Charakterisierung seiner Sammlungen, wobei allerdings klar ist, daß es sich hierbei um ineinander überfließende, nicht etwa um sich gegenseitig ausschließende Begriffe handelt. Diese Differenzierungen entfallen später.

Wohl das beste Beispiel in der *Collection* für ein Gemeindelied, das ursprünglich als lyrisches Gedicht oder besser sogar als Ballade zu charakterisieren ist, stellt Wesleys Verarbeitung von Gen 32,24-32 dar. "Come, O thou Traveller unknown" wurde noch nach Charles Wesleys Tod von seinem Bruder John als "poem"(!) bezeichnet, von dem Isaac Watts gesagt haben soll, daß dieses eine Gedicht allein sein ganzes eigenes Werk in den Schatten stelle. Die ursprünglich 14 Strophen wurden bis auf 2 in die *Collection* übernommen.[185] Hier der Text:

Come, O thou Traveller unknown,   (1)
Whom still I hold, but cannot see!
My company before is gone,
And I am left alone with thee;
With thee all night I mean to stay,
And wrestle till the break of day.

I need not tell thee who I am,   (2)
My misery or sin declare;
Thyself hast called me by my name,
Look on thy hands, and read it there.
But who, I ask thee, who art thou?
Tell me thy name, and tell me now.

In vain thou strugglest to get free,   (3)
I never will unloose my hold;
Art thou the Man that died for me?
The secret of thy love unfold:
Wrestling, I will not let thee go
Till I thy name, thy nature know.

---

[185] Bei den zwei entfallenen Strophen handelt es sich um die ursprünglichen Strophen 5 und 7, also Strophen, die innerhalb der langen Beschreibung des Ringens mit dem Unbekannten stehen. Durch den Wegfall der beiden Strophen wird dem Gedicht nichts von fundamentaler Bedeutung genommen. Für die volle Länge des Gedichts siehe Poetical Works II, 173-176.

Wilt thou not yet to me reveal (4)
Thy new, unutterable name?
Tell me, I still beseech thee, tell;
To know it now resolved I am:
Wrestling, I will not let thee go
Till I thy name, thy nature know.

What though my shrinking flesh complain (5)
And murmur to contend so long?
I rise superior to my pain:
When I am weak, then I am strong;
And when my all of strength shall fail
I shall with the God-man prevail.

Yield to me now - for I am weak, (6)
But confident in self-despair!
Speak to my heart, in blessings speak,
Be conquered by my instant prayer:
Speak, or thou never hence shalt move,
And tell me if thy name is LOVE.

'Tis Love! 'Tis Love! Thou diedst for me; (7)
I hear thy whisper in my heart.
The morning breaks, the shadows flee,
Pure Universal Love thou art:
To me, to all, thy bowels move -
Thy nature, and thy name, is LOVE.

My prayer hath power with God; the grace (8)
Unspeakable I now receive.
Through faith I see thee face to face;
I see thee face to face, and live!
In vain I have not wept and strove -
Thy nature, and they [!] name, is LOVE..

I know thee, Saviour, who thou art - (9)
Jesus, the feeble sinner's friend;
Nor wilt thou with the night depart,
But stay, and love me to the end:

Thy mercies never shall remove,
Thy nature, and thy name, is LOVE.

The Sun of Righteousness on me   (10)
Hath rose with healing in his wings;
Withered my nature's strength; from thee
My soul its life and succour brings;
My help is all laid up above:
Thy nature, and thy name, is LOVE.

Contented now upon my thigh   (11)
I halt, till life's short journey end;
All helplessness, all weakness, I
On thee alone for strength depend;
Nor have I power from thee to move:
Thy nature, and thy name, is LOVE.

Lame as I am, I take the prey,   (12)
Hell, earth, and sin with ease o'ercome;
I leap for joy, pursue my way,
And as a bounding hart fly home,
Through all eternity to prove,
Thy nature, and thy name, is LOVE.[186]

Es ist leicht ersichtlich, daß "Come, O thou Traveller unknown" nicht mit dem Kontext des gottesdienstlichen Gemeindegesangs vor Augen konzipiert worden ist, auch wenn die Geschichte von Jakobs Kampf am Jabbok zu den bevorzugten Predigttexten Charles Wesleys zählte. Das Gedicht, das diesen Text als Grundlage hat, erschien zum ersten Mal veröffentlicht in den *Hymns and Sacred Poems* von 1742, gehört also in die Anfangszeit wesleyanischen Schaffens innerhalb der methodistischen Erweckungsbewegung.

Charles Wesley nimmt in diesem Gedicht, das den Titel "Wrestling Jacob" trägt, die alttestamentliche Geschichte von Jakobs Kampf mit dem Engel am Jabbok als Folie für eine ganz andere "Geschichte", die er allerdings im Licht dieses alttestamentlichen Ringens interpretiert. Es handelt sich um die entscheidende Lebensbegegnung eines Menschen mit Christus, die von Charles Wesley auf dem Hintergrund von Jakobs Kampf am Jabbok ver-

---

[186]Collection Nr. 136.

standen wird als Ringen um die Erkenntnis des Namens, das aber heißt: des Wesens des zuvor unbekannten Gegenüber: Gott. Folgende Berührungspunkte zwischen den beiden Geschichten ergeben sich: Zunächst sind beide innerhalb einer Reise situiert: Jakob zieht von Haran zurück in das Land Kanaan; das "ich" des Gedichts ist auf einer Reise, die zu Beginn nicht näher charakterisiert wird, sich aber gegen Ende als "Lebensreise" (*life's short journey*) erweist. Beide Reisende sind allein: *My company before is gone, And I am left alone.* Es ist Nacht. Kunstvoll wird sowohl in der Jakobs-Geschichte als auch bei Charles Wesley das Ringen um die Erkenntnis des unbekannten Gegenüber, mit dem beide Reisende sich konfrontiert sehen, in die Nacht verlegt, und die Lösung des Rätsels um die Identität des Unbekannten mit der kommenden Morgenröte verbunden. Sowohl Jakob als auch das "ich" des Gedichts bitten um einen Segen; beide gehen aus dem Ringen mit dem Unbekannten nicht spurenlos hervor.

Wie überzeugend Charles Wesley die Geschichte von Jakobs Kampf am Jabbok zur Folie der Begegnung des "ich" mit Christus macht, wird an einer detaillierteren Interpretation deutlich. Das Gedicht beginnt in Strophe 1 als Aufruf, der aber gleichzeitig Situationsbeschreibung und Themenangabe darstellt. Angesprochen ist das unbekannte, unsichtbare Gegenüber: *Come, O thou Traveller unknown.* Keinerlei überflüssige Information wird in den kurzen Sätzen gegeben; andeutungsweise erfährt man, daß der Sprecher auf einer nächtlichen Reise allein ist. Nur das Thema der folgenden Strophen wird formuliert: *With thee all night I mean to stay, And wrestle till the break of day.* In Strophe 2 beginnt das sich bis zur zentralen Strophe 7 hinziehende Ringen um die Identität des unbekannten Gegenüber mit der ersten direkten Frage in dem Gedicht: *who, I ask thee, who art thou?* Auch die Identität des sprechenden "ich" wird bemerkenswerterweise nicht näher gedeutet, man erfährt allerdings durch (fast rätselhafte) Hinweise, daß der Unbekannte um dessen Identität weiß, ja daß er sie "in seinen eigenen Händen lesen" kann. Strophe 3 verschärft die Situation des Ringens um die Identität des Unbekannten mit der zweiten direkten Frage des Gedichts, die nun die christologisch-soteriologische Stoßrichtung der Begegnung deutlich macht: *Art thou the Man that died for me?* Das nächtliche Ringen um die Identität des Unbekannten wird hier und in den folgenden Strophen gedeutet als Ringen um das Geheimnis seines Namens und damit seines Wesens (und seiner Liebe). Die kurze Charakterisierung des

Unbekannten als *God-man* in Strophe 5 verstärkt die bisherigen christologischen Hinweise. Am Ende der sechsten Strophe kommt das Ringen und Fragen zu einem Höhepunkt in der Aufforderung des Sprechers an den Unbekannten: *Speak ... And Tell me if thy name is LOVE*. Die folgende Strophe ist das Zentrum des Gedichts: Die Identität des Unbekannten wird offenbar. Unterstrichen wird der Offenbarungs-Charakter der Stelle dadurch, daß das Ende der Nacht und der Beginn des Morgens mit diesem Geschehen zusammenfallen: *The morning breaks, the shadows flee*. In der Offenbarung der Identität des Unbekannten wird die drängende Frage der vorangegangenen Strophe, aber auch die Fragen der anderen Strophen in einer verstärkenden Wiederholung direkt aufgenommen und bejaht: *'Tis Love! 'Tis Love! Thou diedst for me*. Auffallend ist, daß der Sprecher dieser Offenbarung weiterhin das "ich" der vorangegangenen Strophen ist.[187] Dieser Umstand läßt die Erkenntnis der Identität des Unbekannten als intra-personales Geschehen, als innere Erfahrung des suchenden und ringenden "ich" erscheinen. Strophe 7 gibt gleichzeitig auch den "Refrain" an, der von hier an alle Strophen abschließt: *Thy nature, and thy name, is Love*. Dies ist der Schlüssel zur Identität des Unbekannten. Die folgenden Strophen sind im Grunde ein jubelndes Feiern dieser Erkenntnis und eine genauere Beschreibung des sich so offenbarenden Gegenüber. Keine Dunkelheit und keine Schatten verhindern ja mehr die Sicht - wobei Charles Wesley das Kommen des Tages ganz deutlich mit dem Erwachen des Glaubens gleichsetzt: *Through faith I see thee face to face ... I know thee, Saviour, who thou art*. Die näheren Charakterisierungen des Gegenüber sind eindeutig christologisch-soteriologischer Natur: *Saviour ... Jesus ... sinner's friend ... Sun of Righteousness*. Mit der Sonne der Gerechtigkeit, die bei Tagesanbruch über dem Sprecher aufgegangen ist (und ihn auch beim Kommen der Nacht nicht verlassen wird), setzt dieser seine Reise fort. Selbst die Spuren des nächtlichen Ringens mit dem Unbekannten (*upon my thigh I halt ... Lame as I am*) sind ihm dabei kein Hindernis, sondern Hinweis auf die Kraft Gottes. Die letzte Strophe bietet den für Wesley typischen eschatologischen Ausblick, in dem das Ende der Lebensreise anvisiert und mit der in alle Ewigkeit währenden Liebe Gottes kontrastiert wird.

---

[187]Clark, Charles Wesley's greatest Poem 166 spricht zu Recht von dem ganzen Text als "a dramatic monologue".

Das Gedicht "Wrestling Jacob" beschreibt ein Geschehen, das Wesley immer wieder in seinen Gedichten und Liedern thematisiert: die Begegnung mit Christus, die Umkehr zum neuen Leben, die Erfahrung der Gnade, den Tag der Bekehrung. "Wrestling Jacob" ist in diesem Sinne durchaus als typisch für das Schaffen Wesleys zu bezeichnen. Innerhalb der *Collection of Hymns for the use of the People called Methodists* stellt es aber auch das wohl beste Beispiel für ein Gemeindelied dar, das als solches nur schwer zu verwenden ist. Zunächst mußte John Wesley bei der Edition der Lieder seines Bruders dieses Lied fast in seiner ganzen Länge aufnehmen, sollte der Sinn nicht vollkommen zerstört werden; es stellt also eines der vielstrophigen Lieder in der Sammlung dar, die so wohl kaum gesungen wurden. Von der Länge abgesehen sind auch der kunstvolle Aufbau und die Entwicklung des Themas nur schlecht beim gemeinschaftlichen Singen zu erfassen - sie lassen "Wrestling Jacob" eher zum Lesens bei der privaten Andacht oder aber zum (gesanglichen?) Vortrag in einer kirchlichen Versammlung geeignet erscheinen. Letztlich ist deutlich, daß das Gedicht mit seinem kunstvollen Aufbau und der sorgfältigen Wortwahl nicht unbedingt für die Kreise geeignet oder zumindest ansprechend war, die die methodistische Erweckungsbewegung vor allem erreichte. All dies sind Indizien dafür, daß es sich bei "Wrestling Jacob" um eines jener wesleyanischen Stücke handelt, die der Autor selbst zunächst als "sacred poem" bezeichnete, die aber im Laufe der Zeit als Lieder verwendet bzw. verstanden wurden.[188]

Soviel zum Problem des Genus der sich in der *Collection* befindenden Texte Charles Wesleys. Es ist deutlich, daß es sich um eine Sammlung unterschiedlicher literarischer Gattungen handelt, wobei einige eindeutig als Gedichte zu charakterisieren sind (so "Come, O thou Traveller unknown"), während andere von vorneherein als Gemeindelieder konzipiert wurden. Der größere Teil der sich in der *Collection* befindenden Stücke kann aber wohl nur zwischen diesen beiden Polen eingeordnet werden. Wie schon erwähnt, werden die literarischen Differenzierungen bis zu einem gewissen Grade sowieso aufgehoben durch die gemeinsame Eingliederung in ein Gemeinde-Gesangbuch. - Eine Bemerkung sei hier eingefügt hinsichtlich der Melodien der wesleyanischen Lieder: Die Bezie-

---

[188]Daß "Wrestling Jacob" als Gemeindelied nicht unbedingt an Attraktivität gewinnt, darf zumindest vermutet werden. Die Vertonung und die Art der Kürzungen (manchmal bis auf 4 Strophen) in späteren methodistischen Gesangbüchern bestärken diese Vermutung.

hung zwischen Wort und Ton ist im wesleyanischen Liedgut denkbar schwach und fast immer sekundär (weshalb in der vorliegenden Untersuchung die Melodien nicht berücksichtigt werden). Charles Wesley schrieb nur Liedtexte; diese wurden dann meistens zu schon bestehenden Melodien gesungen, wobei es oft lange dauerte, bis eine bestimmte Melodie definitiv mit einem bestimmten Text verbunden wurde. Im Falle des wesleyanischen Liedguts sind die Melodien also so gut wie nie Teil der (ursprünglichen) Identität der Lieder.

Eine weitere Frage, die im Kontext einer Charakterisierung dieser "Lieder" aufzuwerfen ist (besonders wenn es sich letztlich doch um Gedichte handelt), ist die nach dem literarischen Hintergrund des wesleyanischen Schaffens und dessen Einbettung bzw. Verbindung zum poetischen Kontext seiner Zeit. Dieser Frage ist der folgende Abschnitt gewidmet.

2. Der literarische Kontext

Zeitlich ist das wesleyanische poetische Schaffen einzuordnen im Kontext der Dichtung des sogenannten "Augustan Age" (des englischen Klassizismus). Diese Dichtung hatte gegen Ende des 17. Jahrhunderts die prunkhafte Barockdichtung abgelöst und deren überladenen Formen Verständlichkeit, Einfachheit, Ordnung und Distanz zu Gefühlsäußerungen entgegengesetzt. Die klassizistische Dichtung kann in vielem als poetischer Ausdruck der Überzeugungen der Aufklärung verstanden werden. Das wohl reinste Beispiel klassizistischer Dichtung in England sind die moralisch belehrenden, nicht selten auch satirischen Gedichte von Alexander Pope (1688-1744). Der von Pope maßgeblich bestimmte klassizistische Rahmen wurde aber schon bald erweitert (wenn auch nicht wirklich gesprengt), u.a. durch ein neuerwachendes Interesse an der Renaissance-Dichtung (z.B. Edmund Spensers) und an der Dichtung John Miltons.[189] Besonders die Ablehnung aller direkten und betonten Gefühlsäußerungen im ursprünglichen Klassizismus wurde abgelöst durch ein wachsendes Interesse an Dingen, die über die nüchterne Vernunft hinausgingen. Diese Erweiterung des klassizistischen Rahmens wurde nie program-

---

[189] J. Wesley nennt im Vorwort zur Collection beide als Vorbilder seiner Zeit, vgl. Collection 74.

matisch (und im klaren Gegensatz zum Klassizismus) formuliert, aber die dieser Richtung angehörenden Dichter werden nicht selten - und nicht zu Unrecht - als Vorromantiker bezeichnet. Charles Wesleys poetisches Schaffen zeigt klare Affinitäten zu dieser erweiterten klassizistischen Dichtung. Ein Streit darüber, ob Wesley als Klassizist oder als Vorromantiker zu bezeichnen ist,[190] scheint mir aber ganz sinnlos. Letztlich ist dies nicht eine Frage um die Einordnung des wesleyanischen poetischen Schaffens selbst zwischen Klassizismus und Romantik, sondern um die Stellung einer Gruppe von Dichtern des reifen Klassizismus, die dessen Rahmen in Richtung späterer romantischer Tendenzen zu erweitern begannen. Charles Wesley ist nur einer dieser Dichter - und durchaus nicht das beste Beispiel für die Beantwortung dieser Frage.

Daß Charles Wesley nicht nur in der Zeit der klassizistischen Dichtung lebte, sondern sich diese Dichtung zu eigen gemacht hatte, sie kannte und schätzte, zeigen nicht zuletzt seine eigenen poetischen Äußerungen. Wortwahl, Stil, Metrum, Reim, Struktur - sie alle verweisen auf den Klassizismus als Nährboden.[191] Charakteristisch sind auch die Anlehnungen an die lateinischen und griechischen Klassiker - bei Charles Wesley überwiegen die lateinischen Klassiker (besonders Virgil und Horaz) bei weitem.[192] Auf die auffälligen Latinismen in seinem Werk ist oft hingewiesen worden.[193] Aber es finden sich auch viele Anlehnungen an englische Dichter wie John Milton, George Herbert, John Dryden, Matthew Prior und Edward Young.[194] Ein sprechendes Beispiel hierfür bietet das berühmte Lied von Charles Wesley "Love divine, all loves excelling", das John Wesley in die *Collection of Hymns for the use of the People called Methodists* aufnahm. Charles Wesley macht hier ganz offensichtlich Anleihen an einen Text von John Dryden (1631-1700), der in seinem Werk *King Arthur* Venus ein Lied zur Ehre Britannias singen läßt:

"Fairest Isles, all isles excelling,
Seat of pleasures, and of loves;

---

[190]Siehe dazu Exkurs, Anm. 163.

[191]Eine ausführliche Behandlung dieses Themas findet sich bei Baker, Charles Wesley's Verse 9-12, 19-87; vgl. auch Beckerlegge, Attempt at Classification 219-227; und Beckerlegge, Charles Wesley's Vocabulary 152-161.

[192]Vgl. Bett, Hymns of Methodism 70f.

[193]Vgl. z.B. Baker, Charles Wesley's Verse 19-25.

[194]Vgl. Bett, Hymns of Methodism 73-85; Tyson, Wesley and Edward Young 110-118.

Venus here will choose her dwelling,
And forsake her Cyprian groves."[195]

Charles Wesley schafft in Anlehnung an diese Vorlage ein Lied, das das Thema der Schönheit und Liebe eines bestimmten Insel-Wohnsitzes abwandelt: Die alles überragende Schönheit wird nun demjenigen zugesprochen, der Wohnung nehmen soll (der Liebe Gottes: "Jesus"). Diese göttliche Liebe wird aufgerufen, im Herzen jedes einzelnen Gläubigen einzuziehen:

Love divine, all loves excelling,
Joy of heaven, to earth come down,
Fix in us thy humble *dwelling,*
All thy faithful mercies crown!
Jesu, thou art all compassion,
Pure, unbounded love thou art;
Visit us with thy salvation!
Enter every trembling heart.

Come, almighty to deliver,
Let us all thy grace receive;
Suddenly return, and never,
Never more thy temples leave.
Thee we would be always blessing,
Serve thee as thy hosts above,
Pray, and praise thee without ceasing,
Glory in thy perfect love.

Finish then thy new creation,
Pure and spotless let us be;
Let us see thy great salvation,
Perfectly restored in thee;
Changed from glory into glory,
Till in heaven we take our place,
Till we cast our crowns before thee,
Lost in wonder, love, and praise.[196]

---

[195]J. Dryden, King Arthur (1691), 2. Akt, 5. Szene, II. 1-4.

[196]Collection Nr. 374 (Hervorhebung von mir). Die Herausgeber der Studienausgabe merken an, daß das ursprüngliche Komma nach der ersten Zeile (das später durch ein Semikolon ersetzt wurde) den Beginn eher als Bekenntnis des Glaubens denn als Anrufung erscheinen läßt. - Für die volle Länge des Liedes vgl. Poetical Works IV,

Daß Charles Wesley wirklich nur zu Beginn Drydens Vorlage kopierte, wird durch den ganz unterschiedlichen Verlauf beider Gedichte deutlich. Dies ist charakteristisch für Wesleys Dichtung: Die ganz ungenierten Anleihen sind selten von fundamentaler Bedeutung; sie wirken eher zufällig und bestimmen so gut wie nie das Gesamtbild eines Stückes. Ein Literarkritiker beschrieb dieses Phänomen der wesleyanischen Dichtung einmal als "habit of *inconspicuous reference* to previous literature".[197] In diesem Sinne ist "Love divine, all loves excelling" ein gutes Beispiel für die Art der Verbindungen zwischen Charles Wesleys poetischem Schaffen und dem literarischen Kontext, in welchem er sich befand: Sicher war der Dichter Charles Wesley im (erweiterten) Klassizismus seiner Zeit verwurzelt; sicher auch machte er viele (und offene) Anleihen an dichterische Traditionen, mit denen er vertraut war. Seine evangelikale Erfahrung und seine Einbettung in die methodistische Erweckungsbewegung bildeten aber das primäre Datum, an dem sich alles andere messen lassen mußte und dem alles andere untergeordnet wurde. Auf diesem Hintergrund wird verständlich, warum Charles Wesleys poetisches Schaffen viel intensiver als das seiner Zeitgenossen von einem ganz bestimmten Text beeinflußt ist: der Bibel. Es ist dieser Text - und nicht der klassizistische Kontext - der die primäre literarische Vorlage für die wesleyanische Dichtung bildet.

3. Die Verwurzelung in der Heiligen Schrift

Die Selbstbezeichnung John Wesleys als "homo unius libri" läßt sich ohne Schwierigkeiten - und vielleicht sogar mit größerem Recht - auf Charles Wesley übertragen.[198] Es ist letztlich dieses eine

---

219f. Die fehlende 2. Strophe (die John Wesley höchstwahrscheinlich aus theologischen Gründen nicht aufnahm) lautet:
Breathe, O breathe Thy loving Spirit,
Into every troubled breast,
Let us all in Thee inherit,
Let us find that second rest:
Take away our power of sinning,
Alpha and Omega be,
End of faith and its Beginning,
Set our hearts at liberty.
[197] Davie, Purity of Diction 75 (Hervorhebung von mir).
[198] So auch Beckerlegge, Man of One Book: Charles Wesley 44.

Buch, die Bibel, die das poetische Schaffen Wesleys von der Wurzel her bestimmt. Die Themen, die Sprache, die Welt der Lieder sind alle geformt und genährt durch den biblischen Mutterboden. Methodistische Bewunderer Wesleys erfreuen sich deshalb an dem Gedanken, daß im Falle eines Verschwindens aller biblischer Schriften die Bibel dennoch anhand der wesleyanischen Lieder fast vollständig rekonstruiert werden könnte. Als Hinweis auf die wirklich phantastische Bandbreite an Allusionen, Anlehnungen und Zitaten aus der Bibel, die sich in den Liedern finden,[199] mag dieser Gedanke sogar nützlich sein.

Charles Wesleys Kenntnis der Schrift basierte - über das ständige Lesen hinaus - auf einigen Tatsachen, die für das Verständnis der Verwurzelung seiner Dichtung in der Bibel unerläßlich sind. Zunächst war er als Klassizist mit den biblischen Ursprachen vertraut und arbeitete nicht selten mit dem Urtext. Dies spiegelt sich in einigen seiner Lieder wieder, wo die Wortwahl ganz eindeutig auf den Urtext zurückgeht und diesem gerecht wird, obwohl die Standard-Übersetzung der Zeit den Text anders wiedergibt.[200] Im allgemeinen muß man aber Wesleys biblische Sprache in Anlehnung an eben diese Standard-Übersetzung verstehen, die sogenannte *Authorized Version*. Sie war im Jahre 1611 (unter James I, deshalb auch *King James' Version*) veröffentlicht worden als Kompromißwerk zwischen schon bestehenden Übersetzungen aus katholisierenden und aus puritanischen Kreisen - ein frühes Beispiel des Versuchs einer Einheitsübersetzung. Die *Authorized Version* wurde (zumindest für 300 Jahre) zur maßgeblichen Bibelausgabe der englischsprachigen Welt. John Wesley machte zwar in seinen *Explanatory Notes on the New Testament* von 1755 einige (konservative) Korrekturvorschläge aufgrund seiner Kenntnis des Urtexts, aber im ganzen war die *Authorized Version* zur Zeit der Wesleys anerkannte Autorität für die Wiedergabe des biblischen Texts. Ihre Sprache bildet die Muttersprache des Dichters Charles Wesley. Nur an einem Punkt weicht er konstant von der *Authorized Version* ab. Es handelt sich um Anlehnungen an die Psalmen in seinen Liedern. Für die Psalmen greift Wesley zurück auf die (ältere) Psalmenübersetzung im *Book of Common Prayer*,

---

[199] Collection 5, Anm. 4 bietet eine Liste der am häufigsten wiederkehrenden Stellen in der Collection of Hymns for the use of the People called Methodists. Vgl. zu Wesleys Schriftinterpretation auch: Kimbrough, Wesley as Biblical Interpreter 139-153.

[200] Beispiele bei Bett, Hymns of Methodism 21-32.

mit der er als Geistlicher der anglikanischen Kirche (und als solcher verpflichtet zum Stundengebet) vertraut war.[201] Dieser Punkt sollte nicht leichtfertig übergangen werden. Wesley kannte den Urtext gut genug, um zu sehen, daß die *Authorized Version* in den meisten Fällen die bessere Übersetzung bot. Wahrscheinlich war aber seine durch das liturgische Gebet geformte Vertrautheit mit der Psalmenübersetzung des Stundengebets stärker als gewisse Schwächen dieser Übersetzung.

Neben seiner Kenntnis der biblischen Ursprachen und der Vertrautheit mit der *Authorized Version* standen Wesley die Mittel der biblischen Wissenschaft seiner Zeit zur Verfügung, von denen er regen Gebrauch machte. Besonders drei exegetische Werke hatten bleibenden Einfluß auf ihn und sein poetisches Schaffen:[202] die Exegese des Neuen Testaments des pietistischen Gelehrten Johannes Albrecht Bengel (1687-1752), die 1742 unter dem Titel *Gnomon Novi Testamenti* erschien und auch John Wesley besonders faszinierte, die Exegese des Pentateuch von Robert Gell (1595-1665) aus dem Jahre 1659 und der die ganze Bibel umfassende Kommentar des Nonkonformisten Matthew Henry (1662-1714). Dieser Kommentar, der zwischen 1708 und 1710 in fünf Bänden unter dem Titel *Exposition of the Old and New Testament* erschien, hatte wohl von allen exegetischen Arbeiten den größten Einfluß auf Charles Wesley.[203] In den Liedern finden sich immer wieder Anlehnungen an die Exegese von Matthew Henry.

Wie das seiner exegetischen Autoritäten, so war natürlich auch Wesleys Verhältnis zur Bibel nicht von einer historisch-kritischen Gedankenwelt geprägt. Seine Hochachtung für die Kirchenväter und seine Vertrautheit mit ihren Werken führten weiterhin dazu, daß er gerade in der allegorischen Interpretation ein geeignetes Werkzeug der Schriftinterpretation fand.[204] Hinsichtlich des Alten Testaments wurde diese allegorische Interpretation ergänzt von einer konzentriert christologischen Interpretation. Alles wurde für

---

[201] Beispiele bei Bett, Hymns of Methodism 17-20.

[202] Charles Wesley selbst nennt diese Werke im Vorwort zu seinen Short Hymns of Select Passages of the Holy Scriptures.

[203] Ausführlicher hierzu: Lloyd, Wesley's Debt to Matthew Henry 330-337; Routley, Wesley and Matthew Henry 345-351.
Als wohl explizitestes Beispiel dieses Einflusses von Matthew Henry auf Charles Wesley ist hier das Lied Nr. 309 in der Collection zu nennen, wo Wesley direkt eine Stelle aus Henrys Kommentar poetisch paraphrasiert.

[204] Vgl. Dale, Qualities 64-78, dessen Darstellungen allerdings unter einer unnötig negativ-polemischen Front gegen die allegorische Exegese leiden.

118

Wesley zur Folie für Christus: die Führergestalten von Moses und Josua, das Opfer des Isaak, das Königtum Davids, um nur die häufigsten Beispiele zu nennen. Das Alte Testament wird christozentrisch gelesen, wie das Neue Testament ganz selbstverständlich auch. "Christozentrisch" heißt für Wesley aber gleichzeitig "soteriologisch"; er hat als Dichter wenig Interesse an anderen Aspekten der Bibel. In gewissem Sinne ist es richtig, daß er in jedem Text die ganze Frohbotschaft finden will[205] - selbst wenn der Text diese Interpretation nicht freiwillig liefert.

Die Art der Verwurzelung des wesleyanischen poetischen Schaffens in der Schrift ist vielschichtiger Natur. Zunächst nährt sich Wesleys Dichtung ganz offensichtlich aus der Gedankenwelt und den Themen der Schrift; selten sucht Wesley seine Inspiration außerhalb dieses Bereichs. Aber nicht nur die Themenvorgabe, auch die Sprache ist biblisch getränkt - nicht in dem Sinne, daß Wesley bewußt Schriftzitate in jedem Vers einführt; der Einfluß ist viel subtiler. Die biblische Sprache ist in gewissem Sinne die Muttersprache Wesleys. Ihm selbst wohl oft unbewußt formen sich seine poetischen Gedanken in der sprachlichen Welt der *Authorized Version*. Nur so erklärt sich, daß in manchen Liedern in jeder Zeile Allusionen an Schriftstellen zu finden sind, meistens aus ganz verschiedenen biblischen Büchern, die nichts miteinander zu tun haben. Die Lieder werden zu Mosaiken von Hinweisen auf die Schrift, sichtbar für alle, die in der Schrift und der *Authorized Version* so zuhause sind wie Charles Wesley (was natürlich bedeutet, daß diese Hinweise heutzutage vielfach nicht mehr entdeckt und verstanden werden). Neben diesen fast unbewußten Einflüssen der Schrift auf die wesleyanische Dichtung gibt es aber auch ganz direkte Bezugnahmen. Das beste Beispiel dafür ist die Sammlung von Liedern zu Bibeltexten, die Charles Wesley 1762 unter dem Titel *Short Hymns on Select Passages of the Holy Scriptures* in zwei Bänden herausgab. Die Sammlung folgt der Anordnung der biblischen Bücher und bietet poetische Interpretationen für ausgewählte Stellen. Schon in der ersten Ausgabe ist durch das Lay-out der Bände die Tendenz zum Andachtsbuch unverkennbar. *Short Hymns on Select Passages of the Holy Scriptures* ist eher als Meditation zur Ergänzung der persönlichen Schriftlesung denn als eigentliches Gesangbuch zu verstehen. Im Vorwort betont Charles

---

[205]Vgl. Tyson, Wesley's Theology of the Cross 803.

Wesley seine Abhängigkeit von den schon erwähnten exegetischen Werken seiner Zeit.[206]

John Wesley übernahm Lieder aus dieser Sammlung in die *Collection of Hymns for the use of the People called Methodists*. Ein gutes Beispiel für alles, was hier über die Verwurzelung des wesleyanischen poetischen Schaffens in der Bibel gesagt worden ist, bietet eines dieser Lieder, das zunächst in den *Short Hymns on Select Passages of the Holy Scriptures* veröffentlicht wurde und sich nun in der Collection befindet:

O thou who camest from above   (1)
The pure celestial fire t'impart,
Kindle a flame of sacred love
On the mean altar of my heart!

There let it for thy glory burn   (2)
With inextinguishable blaze,
And trembling to its source return
In humble love, and fervent praise.

Jesu, confirm my heart's desire   (3)
To work, and speak, and think for thee;
Still let me guard the holy fire,
And still stir up thy gift in me.

Ready for all thy perfect will,   (4)
My acts of faith and love repeat,
Till death thy endless mercies seal,
And make the sacrifice complete.[207]

Der Schrifttext, zu dem das Lied geschrieben wurde, ist Lev 6,13, den die *Authorized Version* folgendermaßen wiedergibt: "The fire shall ever be burning upon the altar; it shall never go out." Es ist offensichtlich, daß Wesley von diesem kultischen Gebot in Leviticus nur das Bedeutungsfeld entnimmt; der eigentliche Sinn der alttestamentlich-priesterlichen Bestimmung ist ihm nicht wichtig. Das Bedeutungsfeld, das er übernimmt, wird in ungefähr in den Worten

---

[206]Wesley, Short Hymns, Preface.

[207]Collection Nr. 318. Die Herausgeber bieten auf S. 733 eine Liste aller Bibelstellen, auf die Wesley ihrer Meinung nach in diesem Lied anspielt (zu korrigieren ist der Hinweis auf Eccles 2,7; es muß sich hier um Eccles 12,7 handeln).

Feuer - Altar - Opfer eingefangen. Die Situation, auf die er dieses Bedeutungsfeld anwendet, ist die des Glaubenden, der darum bittet, daß in ihm (auf dem "Altar des Herzens") das ständige, unauslöschliche Feuer der Liebe entfacht wird, das sein ganzes Leben zu einem Gott wohlgefälligen Opfer macht. Eine ähnliche Interpretation findet sich schon bei Matthew Henry, wenn sie auch nicht so explizit und ausgeformt ist wie bei Wesley. Henry spricht in der Exegese zu diesem Text von dem "fire of holy love", das ununterbrochen im Glaubenden brennen soll:

"By this law we are taught to keep up in our minds a constant disposition to all *acts of piety and devotion*, an habitual affection to divine things, so as *to be always ready* to every good word and *work*. We must not only not quench the Spirit, but we must *stir up the gift that is in us*. Though we be not always *sacrificing*, yet we must keep *the fire of holy love always burning*; and thus we must pray always."[208]

Henry verbindet das Bild von der ununterbrochenen Flamme der Liebe mit dem ständigen Gebet, während bei Wesley eher das Thema vom ganzen Leben als Gottesdienst anklingt (interessanterweise finden sich auch im Umfeld klassizistischer Dichtung Anlehnungen an ähnliche Themenbereiche, wie sie in diesem Lied erscheinen, explizit in einem Gedicht von Richard Blackmore (1654-1729), das den Titel "A Hymn to the Sacred Spirit" trägt[209]). Soviel zum biblischen Text, den Wesley diesem Lied zugrundegelegt hat. In ihm erschöpfen sich natürlich nicht die Allusionen an Schriftstellen. Fast zu jeder Zeile dieses Liedes können (mehr oder weniger überzeugende) korrespondierende biblische Stellen aufgezeigt werden, wobei der unterschiedliche

---

[208]Henry, Exposition I (unpaginiert). Die (von mir) hervorgehobenen Stellen haben eine direkte Entsprechung in Wesleys Lied.
[209]Dieses und weitere Beispiele zitiert in: Collection 473. Blackmore beschreibt die Einwohnung des Heiligen Geistes folgendermaßen:
Vile Man becomes, when purified by grace,
Thy living temple, and abiding place.
His heart is made thy altar, whence
To heav'n arise pure flames of holy fire;
To the blest seats above aspire,
Winged with celestial love, and strong desire.

Charakter dieser Hinweise zu betonen ist. Manche sind ganz direkt, so z.B. der Hinweis auf 2 Tim 1,6 in der letzten Zeile von Strophe 3. Andere stützen sich nur auf einen gemeinsamen Begriff (Rm 10,1 und Zeile 1 der dritten Strophe), während wieder andere sich gedanklich, wenn auch nicht unbedingt sprachlich, an eine bestimmte Schriftstelle anlehnen (Zeile 2 der ersten Strophe spielt an auf Lk 12,49). In einem Fall muß man sogar auf den griechischen Urtext zurückgreifen, um Wesleys Anlehnung an eine bestimmte Stelle richtig einordnen zu können. Es handelt sich um die Verbindung von Lev 6,13 und 2 Tim 1,6, die Wesley folgendermaßen herstellt: *Still let me guard the holy fire, And still stir up thy gift in me.* Im griechischen Original fordert Paulus Timotheus auf, das Charisma in ihm wieder zu *entfachen*, wobei das griechische "ἀναζωπυρεῖν" deutlich als Bauelement das Wort "Feuer" enthält - eine Tatsache, auf die schon Henry in seinem Kommentar aufmerksam gemacht hatte.[210] Auf dem Hintergrund des Urtextes und des Hinweises auf ihn im Kommentar von Matthew Henry wird Wesleys Verbindung vom Feuer, das auf dem Altar brennt, und dem Charisma in Timotheus bzw. im Glaubenden durchaus verständlich.

Soviel zu der Verwurzelung des wesleyanischen poetischen Schaffens in der Bibel. Es ist deutlich geworden, daß die Aussage vom "Biblizismus" Wesleys ein vielgestaltiges und vielschichtiges Phänomen umreißt, das in einem Koordinatennetz von theologischen, exegetischen und historischen Verknüpfungen interpretiert werden muß. Deutlich ist aber auch, daß der literarische Kontext, dem Wesley in anderem Zusammenhang nahe steht, an diesem Punkt wenig Einfluß hatte. Es war die methodistische Erweckungsbewegung, die letztlich die tiefe und lebendige Verwurzelung in der Schrift förderte und trug.

4. Die Impulse aus kirchlich-theologischen Traditionen

Auch wenn die Verwurzelung in der Bibel das primäre Charakteristikum wesleyanischer Dichtung darstellt, so war Charles Wesley doch nicht von einem puritanischen Biblizismus

---

[210]Bett, Hymns of Methodism 30 geht davon aus, daß Wesley direkt auf den Urtext rekurrierte. Mir erscheint der Hinweis auf den Kommentar von Henry in diesem Zusammenhang jedoch von Bedeutung. Die Verbindung von Lev 6,13 und 2 Tim 1,6 ist dort ja schon vorgegeben.

besessen, der alle anderen Einflüsse kategorisch ausschloß. Dies wird schon deutlich durch die Art und Weise, in der der literarische Kontext, in dem Wesley sich befand, Einfluß auf sein Schaffen nahm. Es wird darüber hinaus deutlich durch Impulse und Anleihen, die Wesley aus kirchlich-theologischen Traditionen empfing und in seine Dichtung integrierte. Ich erwähne diese Tatsache hier der Vollständigkeit halber; die *Collection of Hymns for the use of the People called Methodists* ist im Grunde wenig von Wesleys Vertrautheit mit kirchlichen Traditionen geprägt. Dies hängt nicht zuletzt mit dem Strukturprinzip zusammen, das John Wesley der Sammlung zugrundelegte: eben den persönlichen Glaubensweg des Einzelnen. Diese individualistisch-soteriologische Konzentration ist aber nicht unbedingt charakteristisch für Charles Wesleys *ganzes* Schaffen. So darf z.B. nicht vergessen werden, daß Wesley in Anlehnung an ein dogmatisches Werk seiner Zeit über die Heilige Dreifaltigkeit[211] eine Sammlung von *Hymns on the Trinity* (1767) schuf oder in Anlehnung an ein Buch über die Eucharistie[212] seine *Hymns on the Lord's Supper* (1745) schrieb - beides Themenbereiche, die nicht unbedingt mit einer pietistischen Erweckungsbewegung in Verbindung gebracht werden. Erwähnenswert in diesem Zusammenhang sind auch die thematisch den Zeiten des Kirchenjahres folgenden Sammlungen von Liedern, so z.B. *Hymns for the Nativity of our Lord* (1744), *Hymns for our Lord's Resurrection* (1746) und *Hymns for Ascension Day* (1746).

Wesley scheute sich auch keineswegs, seine Lieder als Waffen in den theologischen Flügelkämpfen einzusetzen, die innerhalb der Erweckungsbewegung ausbrachen. In der Sammlung von *Hymns and Poems* von 1739 finden sich nicht wenige Lieder, die direkt gegen quietistische Tendenzen in Herrnhuter Kreisen gerichtet sind.[213] Kurze Zeit später erschienen *Hymns on God's Everlasting Love* (1741), die die strenge Prädestinationsauffassung der Anhänger George Whitefields angriffen. Auch in die Auseinandersetzungen um das Verständnis christlicher Vollkommenheit in

---

[211]Es handelt sich um das Werk von W. Jones [of Nayland], The Catholic Doctrine of a [sic] Trinity, Oxford 1756[1].

[212]Es handelt sich um das Werk von D. Brevint, The Christian Sacrament and Sacrifice, Oxford 1673[1].

[213]Vgl. auch die Attacken gegen Zinzendorf: "the German Tempter ... The German Pope ... O German Witchcraft! ... the German Wolf", in: Unpublished Poetry I, 173, 175, 180, 186.

der methodistischen Bewegung schaltete sich Charles Wesley mittels seiner Lieder ein (sein Bruder zensierte einige dieser Lieder, da sie nicht mit seiner eigenen Auffassung übereinstimmten).

All dies macht deutlich, daß Charles Wesleys poetisches Schaffen sich nicht ausschließlich auf Lieder persönlicher Heilserfahrung festlegen läßt. Auch dogmatische, theologische und liturgische Themen und Fragen fanden sein Interesse, wenn sie auch nicht unbedingt das Standard-Gesangbuch des frühen Methodismus, eben die *Collection of Hymns for the use of the People called Methodists*, charakterisieren.

Auf ein schönes Beispiel der Anlehnung an patristisches Gedankengut in der *Collection* sei hier zumindest hingewiesen: In drei verschiedenen Liedern[214] greift Charles Wesley einen Satz des Ignatius von Antiochien auf, der in seinem Brief an die Römer schreibt: "Meine Liebe ist gekreuzigt worden" (ad Rom 7,2). In dem bekannten Lied "O Love divine! What hast thou done" von Wesley wird dieser Satz zum in jeder Strophe wiederkehrenden Refrain. Ich zitiere die erste Strophe:

O Love divine! What hast thou done!
Th'immortal God hath died for me!
The Father's co-eternal Son
Bore all my sins upon the tree:
Th'immortal God for me hath died,
My Lord, my Love is crucified.[215]

Andere Beispiele der Anlehnung an patristische Stellen (besonders des Augustinus) könnten genannt werden.[216] Auf eine eingehendere Erörterung sei hier verzichtet, da dieses Charakteristikum der Lieder Charles Wesleys in der *Collection* weniger ausgeprägt scheint als in anderen Sammlungen.

---

[214] Vgl. Collection Nr. 25 Strophe 6; Nr. 26 Strophe 2; Nr. 27 als durchgehender Refrain.

[215] Collection Nr. 27 Strophe 1. Charles Wesley macht sich in seinem Refrain eine christologische Interpretation der ignatianischen Stelle zu eigen, die seit Origines traditionell war. Der Kontext legt es allerdings nahe, daß Ignatius hier nicht von dem Gekreuzigten spricht, sondern von seiner eigenen Liebe zur Welt, die gestorben ist. - Die Übernahme dieses Satzes in ein Lied findet sich auch schon in einer der Übersetzungen deutscher Kirchenlieder von John Wesley, vgl. Nuelsen, Wesley und das deutsche Kirchenlied 197.

[216] Vgl. Bett, Hymns of Methodism 39-52.

Damit ist die Übersicht über die wichtigsten allgemeinen Merkmale des poetischen Schaffens von Charles Wesley abgeschlossen. Die theologische Einzelinterpretation fundamentaler Themen der wesleyanischen Dichtung wird diese Merkmale voraussetzen, aber auch weiter illustrieren.

C. Theologische Themen in Einzelinterpretation

Mit dem Überblick über einige der wichtigsten Charakteristika der Lieder Charles Wesleys ist auch die Grundlage für eine theologische Interpretation der *Collection of Hymns for the use of the People called Methodists* gegeben. Eine solche Interpretation scheint am sinnvollsten anhand einer Einzelinterpretation theologischer Themen in der Collection. Dabei kann es nicht darum gehen, mit einem vorgefertigten Katalog dogmatischer Topoi an die Lieder heranzutreten, um diese dann systematisch abzufragen.[217] Vielmehr sollen die zu behandelnden Themen aus den Liedern selbst erwachsen und sie - quasi von innen her - erschließen. Wie in vorangegangenen Abschnitten wird auch hier versucht, die Texte selbst zu Wort kommen zu lassen.

Orientiert man sich hinsichtlich der Auswahl der zu interpretierenden Einzelthemen an der *Collection of Hymns for the use of the People called Methodists*, so ist der Ausgangspunkt der Interpretation leicht zu bestimmen. Es ist unübersehbar, daß unter den verschiedenen Themen, die die *Collection* durchziehen, gewisse soteriologische Motive eine herausragende Rolle spielen. Man kann diese Motive unter dem Sammelbegriff einer "soteriologischen Konzentration" zusammenfassen. Diese soteriologische Konzentration ist das fundamentale Merkmal der "Theologie in Hymnen", wie sie sich in der *Collection* findet. Ihr gilt der erste Teil der Einzelinterpretation theologischer Themen.

---

[217]Diese Art des Vorgehens scheint mir die große Schwäche des Buches von J. Deschner, Wesley's Christology, an interpretation, Dallas 1960[1], 1988[2], zu sein. Hier wird John Wesleys Christologie anhand eines vorgefertigten christologischen Fragenkatalogs abgefragt, der zum Teil irrelevant ist für das Anliegen Wesleys.

1. Die soteriologische Konzentration

Was Charles Wesleys Lieder in der *Collection* betrifft, so ist ihre Konzeption der Heilsgeschichte ganz und gar auf die Applikation des Christusgeschehens im Leben des einzelnen Glaubenden konzentriert. Gottes Wirken wird primär (und fast ausschließlich) mit soteriologischen Kategorien beschrieben. Diese Tendenz - charakteristisch nicht nur für die Dichtung Charles Wesleys, sondern einer Vielzahl pietistischer Lieder aus dieser Zeit[218] - wird in der *Collection* noch verstärkt durch das Strukturprinzip, das John Wesley diesem Gesangbuch zugrundelegte. Die Anordnung der Lieder anhand des Glaubenswegs des einzelnen Christen forciert eine soteriologische Konzentration, die in den Liedern an sich schon angelegt war. So ist zum Beispiel das Thema "Schöpfung" in der *Collection* so gut wie nicht präsent,[219] während der Abschnitt "Describing the Goodness of God" größtenteils christologisch-soteriologisch motivierte Lieder enthält. Das Thema "Schöpfung" taucht in diesem Zusammenhang überhaupt nicht auf. Stattdessen wird ständig auf Jesu Leben und Sterben verwiesen. Viele der Lieder in diesem Abschnitt sind auch direkt an Christus als Adressaten gerichtet, wobei die Christus-Epitheta wiederum größtenteils soteriologisch fundiert sind: *Saviour, loving, all-atoning Lamb, Lover of souls, Friend of humankind*. Wichtig ist Charles Wesley dabei besonders die Betonung des allumfassenden Heilswillens Gottes (nicht im Sinne einer Apokatastasis-Lehre, sondern rein im Sinne des universalen Heils*angebots*). Ein charakteristischer Ausdruck für diesen Heilsuniversalismus ist in den Christus-Epitheta das Wörtchen "all", das dem jeweiligen Namen vorangestellt wird: *all-atoning Lamb, all-redeeming Lord*. Dem korrespondiert in den Liedern der ständig wiederkehrende Begriff "for all", der im folgenden Beispiel durch die poetische Technik von Anadiplosis, Anaphora und Epizeuxis besonders wirksam hervorgehoben wird:

---

[218]Vgl. z.B. W. Bettermann, Theologie und Sprache bei Zinzendorf, Gotha 1953, 65-75.

[219]Manchmal klingt das Thema "Schöpfung" in der Collection in Psalmenparaphrasen an, vgl. Collection Nr. 215-217. Es handelt sich hierbei allerdings nicht um Lieder von Charles Wesley, sondern von Isaac Watts. Vgl. zu diesem Thema auch Mayer, Charles Wesleys Hymnen 44-48.

O for a trumpet voice
On all the world to call,
To bid their hearts rejoice
In him who died for all!
For all my Lord was crucified,
For all, for all my Saviour died![220]

Dies ist nur ein Beispiel unter ungezählten anderen in der *Collection* für Wesleys besondere Betonung der Universalität des göttlichen Heilswillens. Aber schon dieses eine Beispiel deutet an, daß sich in dem Begriff "for all" eines der wichtigsten Motive der soteriologischen Konzentration in der *Collection* einfangen läßt. Dies ließe sich leicht mit einer endlosen Liste von Zitaten belegen. Ich halte es für angemessener, hier *ein* charakteristisches Beispiel für dieses zentrale Motiv wesleyanischen Liedschaffens im Detail zu analysieren.

a. "for all": wesleyanischer Heilsuniversalismus

Im ersten Abschnitt der *Collection of Hymns for the use of the People called Methodists*, der den Titel "Exhorting, and beseeching to return to God" trägt, findet sich die wesleyanische Betonung des universalen Heilswillens Gottes in einer gewissen Konzentration. Dies ist aufgrund zwei miteinander verbundener Tatsachen leicht zu erklären. Zunächst ist der Universalismus des göttlichen Heilsangebots ganz eindeutig eine der Grundlagen der wesleyanischen Predigt und ihres Aufrufs zur Bekehrung, wie Charles Wesley in seinem Tagebuch notiert: "the power and seal of God are never wanting while I declare the *two great truths* of the everlasting Gospel, universal redemption and Christian perfection."[221] Es liegt nahe, das Thema des universalen Heilsangebotes Gottes besonders zum Auftakt einer Liedersammlung zu betonen, die den Weg des Einzelnen zum und im Glauben nachzeichnet: Der Aufruf zur Bekehrung ("beseeching to return to God") ergeht an alle, weil alle das Objekt von Gottes Heilswillen sind. Dementsprechend ist die Mehrzahl der Lieder in diesem Abschnitt nicht etwa an Gott als

---

[220]Collection Nr. 33 Strophe 7.
[221]So zitiert bei Colquhoun, Charles Wesley 17.

Adressaten gerichtet, sondern an *sinners,* die zur Bekehrung aufgerufen werden. Die Lieder sind also ganz eindeutig Verkündigung, Predigt-Lieder. Der zweite Grund für eine gewisse Konzentration von Aussagen zu diesem Thema im ersten Abschnitt des
Gesangbuchs hängt damit zusammen, daß John Wesley hier vor
allem Lieder seines Bruders aus einer früheren Sammlung
(Hymns on God's Everlasting Love) heranzog, die direkt gegen die
partikulare Heilsauffassung calvinistisch orientierter Gruppen
innerhalb der evangelikalen Erweckungsbewegung gerichtet war.
Viele dieser Lieder hatten einen ausgesprochen polemischen
Charakter, manche waren auch von beißender Ironie in ihrer
Ablehnung der calvinistischen Prädestinationslehre. John Wesley
übernahm allerdings in die *Collection* zum größten Teil Lieder aus
dieser Sammlung, die einen relativ moderaten Ton hatten.

Neben dem Eingangslied "O for a thousand tongues to sing" das
wohl bekannteste Lied dieses Abschnitts ist "Come, sinners to the
gospel feast". Es bringt die wesleyanische Betonung des universalen Heilswillens Gottes klar zum Ausdruck und sei deshalb an dieser Stelle analysiert. Der Text in der Collection ist eine stark gekürzte Form des Originals; nur neun von 24 Versen sind wiedergegeben.[222] John Wesley hat durch die Kürzung dem Lied aber nichts
von entscheidender Bedeutung genommen. Im Grunde sind einfach
verschiedene Szenen, die sich wiederholen, in einer Szene zusam-
mengeschmolzen. Das Lied basiert auf einer Schriftstelle, dem lukanischen Gleichnis vom großen Gastmahl (Lk 14,16-24).

> Come, sinners, to the gospel feast;
> Let every soul be Jesu's guest;
> Ye need not one be left behind,
> For God hath bidden all mankind.

> Sent by my Lord, on you I call; (2)
> The invitation is to all:
> Come all the world; come, sinner, thou!
> All things in Christ are ready now.

> Come, all ye souls by sin oppressed, (3)
> Ye restless wanderers after rest;

---

[222]Das Original findet sich in: Poetical Works IV, 274-277. John Wesley hat die
Strophen 1, 2, 12, 14, 19-22 und 24 beibehalten.

Ye poor, and maimed, and halt, and blind,
In Christ a hearty welcome find.

Come, and partake the gospel feast,   (4)
Be saved from sin, in Jesus rest;
O taste the goodness of your God,
And eat his flesh, and drink his blood.

Ye vagrant souls, on you I call   (5)
(O that my voice could reach you all!):
Ye all are freely justified,
Ye all may live - for Christ hath died.

My message as from God receive: (6)
Ye all may come to Christ, and live.
O let his love your hearts constrain,
Nor suffer him to die in vain!

His love is mighty to compel;   (7)
His conqu'ring love consent to feel,
Yield to his love's resistless power,
And fight against your God no more.

See him set forth before your eyes,   (8)
That precious, bleeding sacrifice!
His offered benefits embrace,
And freely now be saved by grace!

This is the time: no more delay!   (9)
This is the acceptable day;
Come in, this moment, at his call,
And live for him who died for all![223]

Charles Wesley nimmt sich in diesem Lied das lukanische
Gleichnis vom großen Gastmahl zur Vorlage seiner eigenen Einladung an alle zum Fest des Heils. Die mehrfache Wiederholung
des Imperatifs *Come*, mit dem das Lied auch beginnt, gibt dieser
Einladung eine drängende Eindrücklichkeit. Der Sprecher sieht

---

[223]Collection Nr. 2.

sich selbst als den Knecht aus dem Gleichnis, der von seinem Herrn (*my all-redeeming Lord*[224]) den Auftrag erhält, die Eingeladenen zum Fest zu rufen und - als diese sich verweigern - die Einladung "an alle" ergehen zu lassen: *Sent by my Lord, on you I call... My message as from God receive*. Im Lied, wie es sich in der *Collection* findet, sind vor allem die Strophen beibehalten, die den Aufruf des Boten an alle Jene enthalten, die nicht zur kleinen Gruppe der zunächst Eingeladenen gehören. Die Adressaten der Botschaft werden immer wieder genannt: *sinners, all the world, sinner, thou, all ye souls by sin oppressed, Ye vagrant souls*. Am häufigsten ist aber der Aufruf an "alle": *all mankind, to all, you all, Ye all, for all*.[225] In immer neuen Variationen läßt Charles Wesley den universalen Heilswillen und das universale Heilsangebot Gottes in diesem Lied anklingen. Wie es schon in der Ausgangsstrophe heißt: *Ye need not one be left behind, For God hath bidden all mankind*. Daß Wesley das lukanische Gleichnis vom Gastmahl in diesem wie in anderen Liedern[226] soteriologisch versteht, ist nicht nur deutlich anhand der Charakterisierung der Adressaten als Menschen, die in Schuld gefangen sind, sondern auch an der Art, wie der Dichter die Einladung zu dem Fest bzw. das Fest selbst beschreibt: Es ist *the gospel feast*,[227] bei dem die Gäste als *Jesu's guest* präsent sind. Alles ist gerichtet, *All things in Christ are ready now, In Christ a hearty welcome find*. Angeboten wird den Gästen bei diesem Fest nichts weniger als das Leben selbst: *Ye all may come to Christ and live*. In einer der Strophen, die keine Aufnahme in die *Collection* fand, wird dies noch genauer beschrieben. Hier wird deutlich, wie dem universalen Heilswillen Gottes für alle Menschen ("for all") das "alles" entspricht, das dem Glaubenden in Christus gegeben ist: *All, all in Christ is freely given, Pardon, and holiness, and heaven*. Wesley scheint dabei in Strophe 7 anzudeuten, daß die allen angebotene Gnade nicht zurückgewiesen

---

[224]Diese charakteristische Bezeichnung findet sich in Strophe 15 des Originals, die nicht in das Lied, wie es sich in der Collection findet, aufgenommen wurde.

[225]In Strophe 18 des ursprünglichen Liedes heißt es ganz explizit: Tell every creature under heaven.

[226]Vgl. z.B. das Lied "Sinners, obey the gospel word" (Collection Nr. 9), wo Charles Wesley auch mit der Vorlage des lukanischen Gleichnisses vom großen Gastmahl arbeitet.

[227]Der Begriff "gospel feast" taucht in Matthew Henry's exegetischem Kommentar zu Lk 14, 16-24 auf; vgl. Henry, Exposition Bd. V, unpaginiert. Es ist wahrscheinlich, daß Charles Wesley den Begriff von dort übernahm.

werden kann. Er beschreibt Gottes Liebe als *conqu'ring love* und spricht von *love's resistless power.* Andere Lieder machen aber ganz deutlich, daß der Heilsuniversalismus Wesleys sich allein auf das Heilsangebot Gottes beschränkt; nirgendwo wird angedeutet, daß auch die Annahme dieses Heils sich auf alle Menschen ausdehnt. Im Gegenteil: Immer wieder richtet der Dichter seine Verkündigung an solche, die auf Gottes Heilsangebot nicht eingehen. Fast ungläubig stellt er mehrfach die Frage:

Sinners, turn, why will you die?
God, your Saviour asks you why.
God, who did your souls retrieve,
Died himself, that you might live.
Will you let him die in vain?
Crucify your Lord again?
Why, ye ransomed sinners, why
Will you slight his grace, and die?[228]

Wenden wir uns nun wieder Strophe 7 des hier behandelten Liedes zu, so ist im Kontext des eben zitierten und anderer Lieder klar, daß diese Strophe nicht im Sinne einer Annäherung an eine Apokatastasis-Lehre verstanden werden darf, sondern als Hinweis auf den überzeugenden Anspruch der Liebe Gottes gelesen werden muß. Gerade die Tatsache, daß Gott sich allen zuwendet und seine Gnade ohne Vorbedingungen anbietet, macht die Ablehnung seiner Liebe im Grunde unverständlich. Wesley wird nicht müde, neben dem universalen Heilsangebot die Bedingungs-losigkeit der Liebe Gottes zu besingen: *Ye all are freely justified...freely now be saved by grace,* oder wie es eine in die *Collection* nicht aufgenommene Strophe ausdrückt: *Tell them my grace for all is free.*

In Strophe 4 wird eine spezifisch eucharistische Interpretation des Festes des Heils angedeutet. Die Einladung *O taste the goodness of your God* nimmt Ps 34,8 auf, eine Stelle, die von alters her eucharistisch verstanden und verwendet wurde. In der sich anschließenden Zeile ist die Interpretation des Festes des Heils als Teilnahme an der Eucharistie dann ganz explizit: *eat his flesh and*

---

[228]Collection Nr. 6 Strophe 2. Vgl. zum selben Thema Collection Nr. 7 und Nr. 8, aber auch schon eine der Übersetzungen deutscher Kirchenlieder von John Wesley, wo dieselbe rhethorische Frage auftaucht: "Why, sinner, wilt thou perish, why?", in: Nuelsen, Wesley und das deutsche Kirchenlied 205.

drink his blood. Diese Strophe 4 steht allerdings im Lied, wie es sich in der *Collection* findet, relativ vereinzelt, obwohl die Verbindung zwischen Heilserfahrung und eucharistischem Mahl für die Wesleys durchaus bezeugt ist. In dem vorliegenden Lied wird aber außer in Strophe 8 an keiner anderen Stelle ein eucharistischer Bezug wirklich deutlich.[229] Daß Charles Wesley einen direkten Bezug zwischen dem lukanischen Gleichnis vom großen Gastmahl und dem eucharistischen Mahl sah, zeigt ein anderes Lied, das in den *Hymns on the Lord's Supper* seinen Platz hat:

COME, to the supper come,
Sinners, there still is room;
Every soul may be His guest,
Jesus gives the general word;
Share the monumental feast,
Eat the supper of your Lord.

In this authentic sign
Behold the stamp Divine:
Christ revives his sufferings here,
Still exposes them to view;
See the Crucified appear,
Now believe He died for you.[230]

Ähnlich wie das viel längere Lied betont auch das eben zitierte Beispiel die Einladung an alle Menschen, die aufgrund von Gottes universalem Heilsangebot ergeht: *Every soul may be His guest.* Gleichzeitig macht das Lied ein weiteres zentrales theologisches Motiv der *Collection* zumindest ansatzweise deutlich: den ganz persönlichen Zuspruch des Heils, wie er charakteristisch ist für Charles Wesley. In der letzten Zeile wird nach der Betonung der Universalität des Heilswillens Gottes zur ganz persönlichen Heilserfahrung aufgerufen: *Now believe He died for you.* Auch in dem längeren Lied zum lukanischen Gleichnis wird die ganz per-

---

[229]Die implizit eucharistische Strophe 23 des Originals wurde in die Collection nicht aufgenommen:
Ye who believe His record true
Shall sup with Him, and He with you:
Come to the feast; be saved from sin,
For Jesus waits to take you in.
[230]Poetical Works III, 221.

sönliche Einladung zum Fest des Heils neben dem Aufruf an alle Menschen sichtbar: *Come all the world; come, sinner, thou!* Für Charles Wesley gehören beide, der ganz persönliche Aufruf zum Glauben und die Einladung an alle Menschen, untrennbar zusammen. Gott ruft alle, aber eben jeden als einzelnen. Dies spiegelt sich in den Liedern in zwei parallelen Ausdrücken: Dem häufig wiederkehrenden *for all* steht das mindestens eben so häufig wiederkehrende *for me* gegenüber. Oft finden sich beide oder ähnliche Begriffe auch zusammen in einer Strophe. So nennt Charles Wesley z.B. bei allgemeinen Verweisen auf die Menschheit, die vor Gott schuldig geworden ist, nicht selten seine eigene Person noch einmal ganz spezifisch: *the heavenly blessing, lost By all mankind, and me.*[231] Wie die Menschheit und damit der Einzelne schuldig geworden sind, so sind sie auch Objekte der Gnade Gottes. Im folgenden Beispiel wird dies mittels einer Antistrophe besonders betont:

What shall I do my God to love?
My Saviour and the world's to praise?
Whose bowels of compassion move
To me and all the fallen race?
Whose mercy is divinely free
For all the fallen race - and me![232]

Sind die Menschheit und der Einzelne schuldig vor Gott, damit aber auch zugleich Objekt der Gnadenzuwendung Gottes, so kann Charles Wesley gerade aufgrund seiner persönlichen Heilserfahrung die Einladung zum Heil an alle verkünden: *The arms of love that compass me Would all mankind embrace,* heißt es in einem Lied.[233]

Die vorangegangenen Beispiele machen deutlich, wie eng verbunden bei Wesley das "for all" und das "for me" sind. Dabei darf nicht vergessen werden, daß die jeweilige Betonung dieser beiden Begriffe in der *Collection* doch auf zwei ganz unterschiedliche theologische Einflüsse zurückgeht. Die ständige Hervorhebung der Universalität des Heilswillens Gottes entspringt im Grunde einer negativen Intention. Sie wendet sich, wie schon erwähnt, gegen die

---

[231] Collection Nr. 243 Strophe 1.
[232] Collection Nr. 367 Strophe 1.
[233] Collection Nr. 36 Strophe 4.

partikulare Heilsauffassung calvinistisch orientierter Anhänger besonders George Whitefields. Das "pro me" in den Liedern ist demgegenüber eher Zeichen einer positiven Übernahme paulinisch-reformatorischen Gedankenguts. Wie diese Übernahme sich in der *Collection* darstellt, ist das Thema des nächsten Abschnitts.

b. "for me": die individuelle Heilserfahrung

Aus Charles Wesleys Tagebuch wissen wir, wie eng das Ringen um das Verständnis des lutherischen "pro me" mit der Bekehrungserfahrung des Dichters verbunden war. In den Tagen vor der eigentlichen Bekehrungserfahrung am Pfingstsonntag 1738 las Charles Wesley mit einem Bekannten Luthers Galaterkommentar aus dem Jahre 1535 und rang um das existentielle Begreifen der lutherischen Betonung des "pro me" des Erlösungswerkes Christi. Luthers Interpretation von Gal 2,20 spielte dabei eine besondere Rolle: "Discamus tantum hoc verbum: 'Me', 'pro me', ut possimus certa fide concipere et non dubitare: 'pro me', ... Christus enim est laetitia et suavitas cordis pavidi et contribulati, authore Paulo qui eum hic dulcissimo titulo ornat, scilicet 'diligentem ME et tradentem se ipsum pro me'. ... Lege igitur cum magna Emphasi has voces: 'ME', 'PRO ME', et assuefacias te, ut illud, 'ME' possis certa fide concipere et applicare tibi, Neque dubites, quin etiam sis ex numero eorum, qui dicuntur (ME)."[234] Der Eindruck, den diese Stelle aus Luthers Galaterkommentar auf Wesley machte, wird in dessen Tagebuch in einem Eintrag kurz vor dem entscheidenden Pfingstsonntag des Jahres 1738 klar eingefangen:

"To-day I first saw Luther on the Galatians,
which Mr. Holland had accidentally lit upon. We
began, and found him nobly full of faith. My
friend, in hearing him, was so affected as to
breathe out sighs and groans unutterable. ... I
spent some hours this evening in private with
Martin Luther, who was greatly blessed to me,
especially his conclusion of the 2nd chapter. I

---

[234]M. Luther, WA Bd. XL/1, Weimar 1911, 299. Es ist leider nicht sicher, in welcher Sprache (lateinisch? deutsch? englisch?) Charles Wesley Luther las.

laboured, waited, and prayed to feel 'who loved
me, and gave Himself for me.'"[235]

Für Charles Wesley ließ sich seit den Tagen seiner Bekehrung -
und trotz einer späteren gewissen Entfremdung von Luther - in der
Kurzformel "for me" die persönliche Heilserfahrung des
Erlösungwerkes Christi, das für alle geschah, einfangen. Es ist
diese persönliche Erfahrung des Heils, die den Kern der wesley-
anischen Bekehrung des Jahres 1738 ausmacht. Später benutzen die
beiden Brüder Wesley die Begriffe "Formal Religion" und
"Inward Religion", um den Unterschied zwischen ihrem Leben vor
1738 und nach ihrer Bekehrungserfahrung zu benennen. Diese
Differenzierung war ihnen so wichtig, daß sich selbst in der
Collection of Hymns for the use of the People called Methodists zwei
Abschnitte befinden, die dieser Unterscheidung gewidmet sind.[236]
Dabei läßt sich "Formal Religion" beschreiben als Versuch des re-
ligiösen Lebens ohne eine persönliche Heilserfahrung - für die
Wesleys im Grunde eine Unmöglichkeit, die sie aber jahrelang
selbst praktiziert hatten: *A form of godliness was mine - The power I
never knew.*[237] "Inward Religion" basiert demgegenüber auf der
persönlichen gnadenvollen Erfahrung des Heils in Christus. Im
Grunde lebten die methodistische Erweckungsbewegung und ihre
Predigttätigkeit von dieser Unterscheidung. Es wurden ja durch
diese Erweckungsbewegung in den meisten Fällen nicht Menschen
erreicht, die noch nie die christliche Botschaft gehört hatten, sondern Menschen, die schon in der ein oder anderen Beziehung zu einer Kirche standen (meistens der anglikanischen), denen aber oft
ein persönlicher lebendiger Glaube fehlte. Es ist auf dem
Hintergrund dieser Tatsache nicht erstaunlich, daß die Kurzformel
"pro me" - verstanden als Hinweis auf die Notwendigkeit einer individuellen Erfahrung und Annahme des Heils - das poetische
Schaffen Charles Wesleys wie ein roter Faden durchzieht. Dabei
handelt es sich bei einer genaueren Differenzierung im Grunde um
zwei Kurzformeln, die unterschiedlichen Sprechakten angehören,
theologisch aber derselben Überzeugung entspringen und zusammen gesehen werden müssen: Spricht Wesley über seine eigene

---

[235]Wesley, Journal 142f. Für John Wesleys spätere Kritik an Luthers
Galaterkommentar vgl. Schmidt, John Wesley II, 59f.
[236]Collection Nr. 88-91 und Nr. 92-95.
[237]Collection Nr. 88 Strophe 2.

Heilserfahrung bzw. als Sprachrohr der Mitglieder der methodistischen Erweckungsbewegung, die diese Erfahrung teilten, so betont er - fast deskriptiv - das Erlösungswerk Christi "for me". Wendet er sich hingegen in der Verkündigung und Predigt an Menschen, denen die persönliche Erfahrung der Erlösung zugesprochen werden soll, so wird das "pro me", das Wesley als seine persönliche Erfahrung bezeugt, zum kerygmatischen Zuspruch, also zum "for you". Daß beide Aussageformen eng zusammengehören und auf dasselbe theologische Grundanliegen zurückzuführen sind, ist leicht zu erkennen. Darüber hinaus fungiert auch das persönlich-deskriptive "for me" bei Wesley nicht selten askriptiv: Was der Dichter von sich selbst aussagt, bekennt und benennt er als Möglichkeit auch für alle anderen Menschen. Es handelt sich also sowohl bei dem "for me" als auch bei dem "for you" um die Betonung der ganz persönlichen und individuellen Erfahrung und Annahme des durch Gott gewirkten Heils. In diesem Sinne sind beide Begriffe existentielle Kategorien, wie Wesley auch in seinem Tagebuch deutlich werden läßt: "I laboured, waited, and prayed *to feel* 'who loved *me*...'"[238] Das universale Heilsangebot Gottes an die Menschen, das Wesley nicht müde wird zu besingen, wird eben nicht universal, sondern individuell Wirklichkeit.

Der Intensität der individuellen Heilserfahrung korrespondiert die Intensität des persönlichen Sündenbewußtseins. Nicht selten findet sich in den Liedern, die die persönliche Heilserfahrung thematisieren, die Beschreibung der eigenen Person als *chief of sinners*,[239] sowie drastische Beschreibungen der eigenen Sündhaftigkeit vor der Bekehrung - die allerdings manchmal auch in Hinweisen auf eine formalistische Religionsausübung bestehen, die im Licht der Bekehrungserfahrung als Sünde interpretiert wird.[240] Dabei dienen diese Beschreibungen im Grunde zwei Zielen: Einerseits hebt sich auf der dunklen Folie der persönlichen Sündhaftigkeit um so heller die Erfahrung der Erlösung ab, und die Größe der Liebe Gottes und des mit der Erlösung verbundenen Existenzwandels wird eindrücklich betont. Andererseits dient die Beschreibung der eigenen Sündhaftigkeit auch wieder als Ermutigung für die Hörer der Frohbotschaft: Das Angebot des Heils ist nicht auf die "kleinen Sünder" beschränkt - genau die gibt es

---

[238]Wesley, Journal 143 (erste Hervorhebung von mir).
[239]Ein charakteristisches Beispiel bietet Collection Nr. 111.
[240]Vgl. z.B. Collection Nr. 88 Strophe 6, Nr. 90 Strophe 2-6, Nr. 91 Strophe 1-4.

theologisch gar nicht. Die individuelle Heilserfahrung steht jedem Einzelnen weit offen, wie diejenigen, denen die Erfahrung des Heils geschenkt wurde, bezeugen. Wichtig ist bei dieser Betonung der persönlichen Erfahrung des Heils die Passivität des Menschen in dieser Erfahrung: Sie ist Gottes Werk an den Menschen (die Hervorhebung der menschlichen Passivität beschränkt sich bei den Wesleys allerdings streng auf den Urheber der Erfahrung des Heils; gegen den Quietismus betonen die Wesleys ansonsten durchaus die menschliche Verantwortung im Prozeß des Lebens im Glauben). Hier sei nur ein Beispiel aus der *Collection* zitiert, in dem die eben besprochenen Aspekte gebündelt sind:

Let the world their virtue boast,
Their works of righteousness
I, a wretch undone and lost,
Am freely saved by grace.
Other title I disclaim,
This, only this is all my plea:
I the chief of sinners am,
But Jesus died for me.[241]

Die letzten beiden Zeilen dieser Strophe bilden den Refrain, der jede Strophe des Liedes abschließt: *I the chief of sinners am, But Jesus died for me.* Oft taucht in diesem Zusammenhang ein christologischer Titel auf, der als direkte Korrelation zu der anthropologischen Kategorie *chief of sinner* zu sehen ist. Christus wird als der *Friend of sinners* verstanden, der gerade auch den *chief of sinners* erlöst: *Friend of sinners, spotless Lamb, Thy blood was shed for me.*[242] Erfahrung der Erlösung ist bei Wesley immer ein personales Geschehen: Sie ist Christus-Erfahrung und Christus-Begegnung. Dies wird auch deutlich, wenn man nach dem grundlegenden Inhalt des Geschehens "pro me" fragt. Bei Charles Wesley lautet die Antwort ganz eindeutig und unzweifelhaft: Der grundlegende Inhalt des "pro me" ist Christi Leiden und Sterben für mich, die die Basis und Ermöglichung meiner individuellen Erfahrung des Heils darstellen. Die subjektive Erfahrung des

---

[241] Collection Nr. 111 Strophe 1.
[242] Collection Nr. 168, als Refrain in allen fünf Strophen.

Heils "pro me" gründet also im objektiven Heilsgeschehen "pro me".

In der *Collection* befindet sich ein Lied von Charles Wesley, das besser als alle anderen die persönliche gnadenvolle Erfahrung des Heils in Christus widerspiegelt - und das nicht ohne Grund. Nicht nur ist das Lied sicher eine der gelungensten poetischen Schöpfungen Charles Wesleys, es ist darüber hinaus auch direkt mit seinem Bekehrungserlebnis selbst verbunden, denn es wurde im Anschluß an den 21. Mai 1738 geschrieben. Hier zunächst der Text:

And can it be, that I should gain (1)
An interest in the Saviour's blood?
Died he for me, who caused his pain?
For me? Who him to death pursued?
Amazing love! How can it be
That thou, my God, shouldst die for me?

'Tis myst'ry all: th'Immortal dies! (2)
Who can explore his strange design?
In vain the first-born seraph tries
To sound the depths of love divine.
Tis mercy all! Let earth adore!
Let angel minds inquire no more.

He left his Father's throne above (3)
(So free, so infinite his grace!),
Emptied himself of all but love,
And bled for Adam's helpless race.
'Tis mercy all, immense and free,
For, O my God, it found out me!

Long my imprisoned spirit lay, (4)
Fast bound in sin and nature's night.
Thine eye diffused a quick'ning ray;
I woke; the dungeon flamed with light.
My chains fell off, my heart was free,
I rose, went forth, and followed thee.

No condemnation now I dread, (5)
Jesus, and all in him, is mine.

Alive in him, my living head,
And clothed in righteousness divine,
Bold I approach th'eternal throne,
And claim the crown, through Christ my own.[243]

Die erste Strophe des Liedes, das anscheinend gleich nach Charles Wesleys eigenem Bekehrungserlebnis entstand, ist ganz von dem Staunen über die persönliche Dimension des Heils in Christus geprägt.[244] Kunstvoll wirbt der Dichter fünf Fragen in die erste Strophe ein, wobei zweimal das *can it be* und dreimal das *for me* wiederholt werden und zwar so, daß das *for me* den Schluß der Strophe bildet und ihm damit auch die Schlußbetonung zukommt (Wesley kombiniert hier eine Mesodiplosis und eine doppelte Epistrophe). Das Leitmotiv kann in der - an Christus gerichteten - Schlußfrage zusammengefaßt werden: *can it be That thou, my God, shouldst die for me?* Obwohl diese Frage schon in der ersten Strophe positiv beantwortet wird, weist die zweite Strophe eine tiefere

---

[243]Collection Nr. 193. Das Lied in seiner ursprünglichen Länge findet sich in: Poetical Works I, 105f. In der Collection fehlt nur eine Strophe und zwar die ursprüngliche Strophe 5, durch deren Wegfall dem Lied aber nichts wesentliches verloren ging:
Still the small inward voice I hear,
That whispers all my sins forgiven;
Still the atoning blood is near,
That quench'd the wrath of hostile Heaven:
I feel the life His wounds impart;
I feel my Saviour in my heart.
Bett wollte das ganze Lied nicht Charles, sondern John Wesley zuschreiben, aber die Mehrzahl der Forscher sind ihm an diesem Punkt nicht gefolgt. Stutzig macht mich an dem Lied allein die letzte Strophe und deren Nähe zu einer der Übersetzungen eines deutschen Kirchenliedes von John Wesley. Dort findet sich folgendes Ende einer Strophe (zwei Zeilen sind praktisch identisch mit den Zeilen 1 und 3 der letzten Strophe des hier besprochenen Liedes!): No condemnation now I dread; I taste salvation in Thy name, Alive in Thee my living Head! In: Nuelsen, Wesley und das deutsche Kirchenlied 179. Schwierig ist allerdings die Bewertung dieser Ähnlichkeit, weil einerseits nicht mehr sicher ist, daß wirklich John (und nicht etwa auch Charles) alle diese Lieder übersetzte, und weil andererseits Charles ohne irgendwelche Bedenken poetische Anleihen machte, so daß von einer Übereinstimmung in der Formulierung allein noch nicht auf seine Autorenschaft geschlossen werden kann.
[244]Vgl. dazu auch Collection Nr. 27 Strophe 1:
O Love divine! What hast thou done!
Th'immortal God hath died for me!
The Fathers co-eternal Son
Bore all my sins upon the tree:
Th'immortal God for me hath died,
My Lord, my Love is crucified.

Ergründung dieses Geheimnisses der erlösenden Liebe Gottes ab: Das Paradox, daß der unsterbliche Gott für einen Sünder stirbt, kann letztlich nicht ergründet, sondern nur anbetend verehrt werden: *Let earth adore!* In den nächsten beiden Strophen wird die persönliche Erfahrung des Heilsgeschehens umschrieben. Mit dem Bild der Gefangenschaft deutet Wesley seinen Zustand vor der Befreiung (Erlösung als "Lösung der Fesseln") durch Christus. Wieder klingt das Staunen der ersten Strophe über das "pro me" des Erlösungswerkes an: *'Tis mercy all, immense and free, For, O my God, it found out me!* In der letzten Strophe schlägt dieses Staunen über die in Christus gewirkte und vom Einzelnen erfahrene Erlösung um in ein poetisches Bekenntnis gläubiger Zuversicht, das in seiner Aussagekraft seinesgleichen sucht: *Bold I approach th'eternal throne, And claim the crown, through Christ my own.*

Im Grunde ist in diesem einen Lied von Charles Wesley alles gesagt, was bei einer theologischen Interpretation dieses Motivs der persönlichen Heilserfahrung in seinen Liedern zu sagen ist: die logische Verbindung von objektivem Heilsgeschehen "pro me" und subjektiver Heilserfahrung, die Christozentrik des Geschehens, das Gnadenhafte der Heilserfahrung bei völliger Passivität des Menschen und der totale Existenzwandel durch diese Erfahrung.

Ein Begriff aus Luthers Kommentar zu Gal 2,20, der bei Wesleys Bekehrung eine solch wichtige Rolle spielte, weist den Weg zu einem weiteren zentralen Motiv innerhalb der soteriologischen Konzentration in den wesleyanischen Liedern. Es handelt sich um das Verb "applicare" in jener Stelle aus Luthers Galaterkommentar, das Charles Wesley verwendet, um die für ihn charakteristische Chiffre für die Vermittlung des Heils in Christus für den einzelnen Glaubenden zu bilden: "the blood applied". Einer Untersuchung dieses Begriffs sei der nächste Abschnitt gewidmet.

c. "the blood applied": Chiffre der Heilsvermittlung

Charles Wesleys Ausdruck "the blood applied" ist ein schillernder Begriff, der sich im Grunde aus zwei Bedeutungsfeldern zusammensetzt, die den Schlüssel für eine Interpretation liefern. Da ist zunächst das Bedeutungsfeld des Wortes "Blut", das sich bei Wesley fast ausschließlich auf das Blut Christi bezieht und eine Kurzformel für Christi Leiden und Tod und damit für das am Kreuz geschehene Werk der Erlösung darstellt. Es fällt schwer, hier nicht einen direkten Einfluß der Blut- und Wundentheologie des deutschen Pietismus und besonders Zinzendorfs auf Wesley zu vermuten. Schon in den Übersetzungen pietistischer Gesangbuchlieder von John Wesley finden sich zahlreiche Hinweise auf das Blut Christi als Kurzformel für das Erlösungswerk, die Wesley auch getreu wiedergibt: "I thirst, Thou wounded Lamb of God, To wash me in Thy cleansing blood, To dwell within Thy wounds", heißt es in einer dieser Übersetzungen eines Liedes von Zinzendorf.[245] Bekannt wurde vor allem Wesleys Übersetzung von Zinzendorfs Lied "Christi Blut und Gerechtigkeit", die sich eng an das Original anlehnt: "Jesu, Thy blood and righteousness, My beauty are, my glorious dress ... Lord, I believe the precious blood Which at the mercy-seat of God For ever doth for sinners plead".[246] Nach der späteren Entfremdung der methodistischen Erweckungsbewegung vom Pietismus herrnhuterscher Prägung reagierte John Wesley kritisch auf Charles weiterbestehende (wenn auch nicht einseitig-dominante) Hinwendung zu einer emotionalen Blut- und Wundentheologie.[247] Trotzdem merzte John nicht alle Lieder mit dieser Thematik aus der *Collection* aus. Es ist nun gerade im Kontext dieser Lieder, daß der Begriff "the blood applied" häufig auftaucht. Dies bringt uns zum zweiten Baustein des merkwürdigen Begriffs: dem Verb "apply". Zunächst ist festzustellen, daß es sich nicht um einen biblischen Begriff handelt. Charles Wesleys Vorliebe für die Wortverbindung "the blood applied" speist sich folglich aus einer anderen als der biblischen Quelle. Woher genau der Dichter diese Begriffsverbindung allerdings nahm, wird nur schwer eindeutig zu klären sein; hinzuweisen ist in diesem Kontext aber auf die Tatsache, daß sich in der lutherischen Orthodoxie eine wichtige Verbindung von Soteriologie und Pneumatologie ergeben hatte, die sich in dem Lehrstück "de gratia spiritus sancti applicatrice" niederschlug.[248] Dieses Lehrstück betrachtete das Wirken

---

[245]Nuelsen, Wesley und das deutsche Kirchenlied 196. Das Lied findet sich wieder in der Collection als Nr. 25.

[246]Nuelsen, Wesley und das deutsche Kirchenlied 202f. Das Lied findet sich wieder in der Collection als Nr. 183.

[247]Allerdings übt auch Charles Wesley scharfe Kritik an der herrnhuter Faszination mit der Blut- und Wundentheologie: "What is it that in all their meetings sounds? 'Wounds, wounds, & woundholes, nothing else but wounds'", in: Unpublished Poetry I, 192.

[248]Vgl. W. Elert, Morphologie des Luthertums, Bd. I: Theologie und Weltanschauung des Luthertums hauptsächlich im 16. und 17. Jahrhundert, München 1952², 124–154.

des Heiligen Geistes im Menschen von der Berufung bis zur Heiligung, dessen einzelne Stadien in einen differenzierten "ordo salutis" aufgefächert wurden. Ein solcher "ordo salutis" findet sich bekannterweise auch im Denken von John Wesley und - wenn auch nicht in systematischer Form, sondern eher im Ansatz - bei Charles Wesley. Eine genauere Interpretation des Ausdrucks "the blood applied" in der *Collection* wird zeigen, daß diese Begriffsverbindung sich durchaus innerhalb des Kontextes ansiedelt, in den die lutherische Orthodoxie (mit Nachwirkungen im Pietismus) das Lehrstück "de gratia spiritus sancti applicatrice" stellt.

Will man Wesleys Verwendung des Begriffs vorwegnehmend zusammenfassen, so kann man sagen, daß die Verbindung "the blood applied" als Kurzformel oder als Chiffre für die Zueignung und "Applizierung" des Heilswerks Christi an den einzelnen Glaubenden fungiert. Der Begriff umschreibt also die Heilsvermittlung. Dies wird zunächst deutlich in der Verwendung des Wortes "Blut" als Formel für das Heilswerk Christi am Kreuz.[249] Der Begriff wird in diesem Sinne so häufig gebraucht, daß "Blut" manchmal fast schon wie eine eigenständige Größe erscheint, der Handlungsfähigkeit zugesprochen wird.[250] Dies wird im folgenden Lied deutlich, das auch noch Spuren von Wesleys Nähe zur pietistischen Faszination mit Christi Blut und Wunden zeigt (ich zitiere es in einiger Länge, um gerade diesen Aspekt deutlich werden zu lassen, auch wenn das Lied im Kontext meines eigentlichen Interesses hier nicht so ergiebig ist):

> In manifested love explain
> Thy wonderful design:
> What meant the suffering Son of man,
> The streaming blood divine?
> ...
> Come then, and to my soul reveal
> The heights and depths of grace,
> The wounds which all my sorrows heal,
> That dear disfigured face.
> ...
> Jehovah in thy person show,

---

[249]Vgl. hierzu ausführlicher Tyson, Wesley's Theology of the Cross 133-196; und Morris, Imagery in the Hymns 230-235.

[250]Stellenangaben bei Morris, Imagery in the Hymns 133.

Jehovah crucified;
And then the pard'ning God I know,
And feel the blood applied.[251]

Das Lied macht in der Parallelisierung von leidendem
Gottessohn und Gottes Blut (erste Strophe), sowie von Gottes-
erkenntnis und Zueignung des Blutes an den Glaubenden (letzte
Strophe) deutlich, daß die Chiffre "Blut" für Christi Leiden und Tod
(und dessen Heilsbedeutung) steht. Der Begriff wird deshalb auch
oft mit einem Adjektiv verbunden, das diese Bedeutung noch
einmal besonders unterstreicht: So spricht Wesley z.B. vom "rei-
nigenden" oder "wertvollen" Blut und vom Opfer- oder Bundes-
blut.[252] In einem anderen Lied heißt es noch expliziter:
Th'atonement of thy blood apply[253] (- interessanterweise sieht sich
der Dichter bei dieser Bitte an der Seitenwunde Christi stehen).
Auch die anderen Lieder in der *Collection* weisen in dieselbe
Richtung: Vermittelt und zugeeignet wird das am Kreuz geschehene
Heil, sei es nun umschrieben als Sündenvergebung,[254] als Erfah-
rung des "pro me" der Erlösung,[255] als Frieden,[256] als Erkenntnis
der Liebe Gottes,[257] als Reinigung und Heiligung[258] oder als
Teilnahme an der göttlichen Natur.[259] Dabei ist zu beachten, daß
Wesley bei dieser Vermittlung und Zueignung des Heils nicht an
einen einmaligen Vorgang denkt, sondern an etwas, was das ganze
Leben der Glaubenden ständig durchzieht.

---

[251] Collection Nr. 124 Strophen 3, 5, 7. Für Charles Wesleys Beeinflussung durch die
pietistische Blut- und Wundentheologie vgl. z.B. auch Collection Nr. 29 Strophen 6
und 7:
His bleeding heart shall make you room,
His open side shall take you in.
...
For you the purple current flowed
In pardons from his wounded side.
[252] Vgl. Tyson, Wesley's Theology of the Cross 140-159.
[253] Collection Nr. 337 Strophe 4.
[254] Vgl. Collection Nr. 121 Strophe 6; Nr. 124 Strophe 7; Nr. 144 Strophe 8; Nr. 244
Strophe 3.
[255] Vgl. Collection Nr. 34 Strophe 8; Nr. 83 Strophe 1.
[256] Vgl. Collection Nr. 93 Strophe 2; Nr. 144 Strophe 8; Nr. 353 Strophe 3.
[257] Vgl. Collection Nr. 83 Strophe 1; Nr. 124 Strophe 7; Nr. 244 Strophe 2.
[258] Vgl. Collection Nr. 246 Strophe 4; Nr. 337 Strophe 2; Nr. 398 Strophe 5f; Nr. 508
Strophe 1; Nr. 509 Strophe 6.
[259] Vgl. Collection Nr. 366 Strophe 2.

Fragt man nun nach dem Handlungsträger dieser Zueignung des Heils, so ist die Antwort einerseits eindeutig und einfach: Handlungsträger ist immer Gott - der Mensch ist Empfänger dieser Handlung (es empfiehlt sich deshalb, hinsichtlich dieser Vermittlung von einer "Zueignung", nicht einer "Aneignung" zu sprechen). Allerdings finden sich in den wesleyanischen Liedern zwei unterschiedliche Ausprägungen der Handlungsträgerschaft Gottes in der Zueignung des Heils. Die eine - und zwar die schwächere - läßt Christus selbst das Heilswerk dem einzelnen zueignen: *Jesu, thy grace bestow; Now thy all-cleansing blood apply.*[260] In einigen wenigen Fällen entwickelt das "Blut" (wieder als Chiffre für das Heilswerk Christi) sogar eine eigene Handlungsträgerschaft als Übermittler des Heils:

I cannot wash my heart,
But by believing thee;
And waiting for thy blood t'impart
The spotless purity.[261]

In den allermeisten Fällen - und diese bilden die zweite Ausprägung des wesleyanischen Verständnisses der Handlungsträgerschaft Gottes - ist es allerdings der Heilige Geist, der das Heilswerk Christi dem einzelnen zueignet. Es ist an diesem Punkt, daß sich der Begriff "the blood applied" am deutlichsten mit dem lutherisch-orthodoxen Lehrstück "de gratia spiritus sancti applicatrice" deckt. Im folgenden Lied aus der *Collection* findet sich dieser Gedanke in einer ausgeprägten Form:

Spirit of faith, come down,
Reveal the things of God,
And make to us the Godhead known,
And witness with the blood:
'Tis thine the blood to apply,
And give us eyes to see,
Who did for every sinner die
Hath surely died for me.

---

[260]Collection Nr. 398 Strophe 6; vgl. Nr. 34 Strophe 8; Nr. 144 Strophe 8; Nr. 337 Strophe 4; Nr. 509 Strophe 6.
[261]Collection Nr. 398 Strophe 5.

No man can truly say
That Jesus is the Lord
Unless thou take the veil away,
And breathe the living word;
Then, only then we feel
Our interest in his blood,
And cry with joy unspeakable,
Thou art my Lord, my God!

O that the world might know
The all-atoning Lamb!
Spirit of faith, descend, and show
The virtue of his name;
The grace which all may find,
The saving power impart,
And testify to all mankind,
And speak in every heart!

Inspire the living faith
(Which whosoe'er receives
The witness in himself he hath,
And consciously believes),
The faith that conquers all,
And doth the mountain move,
And saves whoe'er on Jesus call
And perfects them in love.[262]

Das vorliegende Lied könnte man als epikletisches Gebet bezeichnen: Es handelt sich um eine ganz explizite Herabrufung des Heiligen Geistes: *Spirit of faith, come down ... Spirit of faith, de-*

---

[262]Collection Nr. 83. John Wesley nahm nur eine Strophe des Originals nicht in die Collection auf, dies höchstwahrscheinlich aufgrund der Annäherung an die pietistische Blut- und Wundentheologie:
I know my Saviour lives,
He lives, who died for me,
My inmost soul His voice receives
Who hangs on yonder tree:
Set forth before my eyes
Even now I see him bleed,
And hear his mortal groans, and cries,
While suffering in my stead.
In: Poetical Works IV, 197.

scend. Der Heilige Geist wird herabgerufen, um das Erlösungswerk Christi dem einzelnen zuzueignen. Die poetische Sprache überschlägt sich hier fast in der Anhäufung von Beschreibungen des Wirkens des Heiligen Geistes: Der Heilige Geist offenbart das Wesen Gottes, er schenkt dem Sünder die Erkenntnis des "pro me" der Erlösung, er "appliziert das Blut", er nimmt den Schleier der Unwissenheit von den Augen, er vermittelt das lebendige Wort, er bezeugt Jesu Heilswerk, er schenkt rettende Gande, er ruft lebendigen Glauben hervor. Im Grunde kann man in dieser Aufzählung, die natürlich nicht mit einer systematisch-theologischen Absicht vor Augen entstand, ohne Schwierigkeiten eine Form eines "ordo salutis" wiederentdecken, wie sie im Lehrstück "de gratia spiritus sancti applicatrice" zusammengefaßt wurde. Auch Charles Wesley verbindet Soteriologie und Pneumatologie eng, wobei die Christus-Bezogenheit der Pneumatologie unübersehbar ist, so z.B. wenn Christus um die Gabe des Heiligen Geistes gebeten wird:

> Lord, we believe the promise sure;
> the purchased Comforter impart!
> Apply the blood to make us pure.[263]

Zusammenfassend kann man sagen, daß sich in dem Begriff "the blood applied" die soteriologische Konzentration der Lieder Charles Wesleys noch einmal in einer Kurzformel konzentriert: Hier ist das wesleyanische Bild für die Zueignung des Heilswerks Christi an den einzelnen Glaubenden. Man kann sich tiefgründigere Bilder vorstellen, auch theologisch detailliertere, auch poetisch ansprechendere. Allerdings sollte nicht vergessen werden, daß für Wesley das Bild des Blutes Christi genau das zusammenfaßte, was ihm das zentralste an Christi Heilswerk war: das lebenspendende Opfer für uns. Folgerichtig sah er die Zueignung des Heils konzentriert ausgedrückt im Begriff der "Applizierung des Blutes Christi" im Einzelnen.

---

[263] Collection Nr. 246 Strophe 4.

d. "to feel - to know - to prove": Heilserfahrung und Heilsgewißheit

Faßt man die Heilsvermittlung und Heilszueignung an den einzelnen Glaubenden in wesleyanischer bildhafter Terminologie als "Applizierung des Blutes" Christi zusammen, so stellt sich die Frage, was sich an persönlicher Erfahrungswirklichkeit hinter dieser Chiffre verbirgt, oder anders ausgedrückt: wie der einzelne weiß, daß ihm dieses Heil zuteil geworden ist. Für Wesley war dies eine entscheidende Frage; sie klingt in den Liedern der *Collection* immer wieder an. Innerhalb meiner Untersuchung von Einzelthemen zur soteriologischen Konzentration der Lieder bildet diese Frage das letzte Element, das es zu behandeln gilt. Sie knüpft direkt an das eben behandelte Thema des wesleyanischen Verständnisses der Heilsvermittlung an, indem nun eben die Erfahrbarkeit dieses Vorgangs für den Einzelnen in den Blickpunkt tritt.

Die zentralen Begriffe in den Liedern, mit denen man diesen Fragenkomplex zusammenfassen kann, sind die Verben "to feel", "to know" und "to prove", die häufig kombiniert auftreten, und zwar so, daß die gefühlsmäßige Erfahrung und das Wissen ("to feel - to know") oder die gefühlsmäßige Erfahrung und die Gewißheit ("to feel - to prove") oder aber Wissen und Gewißheit ("to know - to prove") miteinander verbunden sind. Auch an diesem Punkt kann wieder eine gewisse Nähe wesleyanischen Gedankenguts zum deutschen Pietismus, nicht zuletzt Zinzendorfscher Prägung, festgestellt werden, der gegen ein veräußerlichtes und erstarrtes Luthertum die gefühlsmäßige Erfahrung des Heils stark betonte. So wird gerade auch in der Beschreibung der Bekehrung der Wesley-Brüder, die ja noch intensiv von der Begegnung mit dem deutschen Pietismus geprägt ist, dieses Element der Erfahrung des Heils sehr deutlich. Charles rang in seiner Lektüre von Luthers Galaterkommentar um das gefühlsmäßige Begreifen und persönliche Ergreifen des Erlösungswerks: "I laboured, waited, and prayed to feel 'who loved *me*, and gave Himself for *me*.'"[264] Das Gefühl wird hier ganz eindeutig zum Erkenntnisprinzip der Heilserfahrung und der Heilsgewißheit. Ganz ähnliches ergibt sich aus der klassischen Beschreibung der Bekehrungserfahrung John Wesleys:

---

[264]Journal of Charles Wesley 143.

"About a quarter before nine, while he was
describing the change which God works in the
heart through faith in Christ, I felt my heart
strangely warmed. I felt I did trust in Christ,
Christ alone for my salvation; and an assurance
was given me that he had taken away my sins, even
mine, and saved me from the law of sin and death."[265]

Beide Berichte machen zunächst einmal die Innerlichkeit des
Vorgangs der Bekehrungserfahrung deutlich. Wie bei John
Wesley, so wird auch in den Liedern von Charles Wesley immer
wieder auf das Herz des einzelnen Menschen als Ort dieser
Erfahrung verwiesen: *Whisper within, thou love divine, And cheer
my drooping heart*[266], heißt es in einem Lied, und in einem anderen
werden die Glaubenden aufgerufen: *Go ye forth to meet your Lord,
And meet him in your heart.*[267] Gut in diesen Kontext paßt auch das
biblische Bild der Bekehrung als Verwandlung des steinernen
Herzens bzw. als Leben mit einem neuen Herzen, das in Wesleys
Liedern des öfteren anklingt.[268] Diese Bilder weisen alle in dieselbe Richtung: Bekehrungserfahrung und Heilsgewißheit sind
persönliche Erfahrungen im inneren Erfahrungsbereich des
Glaubenden, wobei die gefühlsmäßige Erfahrung das Erkennt-
nisprinzip des objektiven Vorgangs der Vermittlung des Heils ist.
Die häufige Kombination der Chiffre "the blood applied" mit dem
Verb "to feel" ist ein deutlicher Hinweis auf diesen Zusam-
menhang. Um nur ein Beispiel aus einer großen Anzahl solcher
Stellen zu nennen: *Nothing I ask or want beside Of all in earth or
heaven, But let me feel thy blood applied...*[269] Aber nicht nur die
Heilszueignung selbst wird gefühlsmäßig ergriffen; der Dichter
umschreibt im Grunde das ganze Leben des Glaubenden mittels
dieser Kategorien. So bittet er z.B. auch um die gefühlsmäßige
Erfahrung und damit Bewußtmachung seiner eigenen Sünden:

---

[265]John and Charles Wesley 107.
[266]Collection Nr. 177 Strophe 3.
[267]Collection Nr. 53 Strophe 1.
[268]Ez 11,19 ist einer der biblischen Texte, der in Wesleys Liedern immer wieder auftaucht; vgl. z.B. Collection Nr. 9 Strophe 3; Nr. 26 Strophe 2; Nr. 34 Strophe 5; Nr. 98
Strophe 1; Nr. 100 Strophe 3; Nr. 106 Strophe 4; Nr. 113 Strophe 3; und öfter.
[269]Collection Nr. 121 Strophe 6.

By thy Spirit, Lord, reprove,
All mine inmost sins reveal;
Sins against thy light and love
Let me see, and let me feel,
Sins that crucified my God,
Spilt again thy precious blood.[270]

Aber nicht nur die eigenen Sünden werden erfahren, auch das
"pro me" der Erlösung, die Vergebung der Sünden, die Gegenwart
Gottes, die Liebe Gottes - all dies wird für Wesley im Innersten des
glaubenden Menschen erfahrbar und dadurch wißbar.[271] Man
sollte Wesley hier nicht zu schnell einen heillosen Subjektivismus
vorwerfen, er kennt durchaus objektive Grundlagen der Heilserfahrung und Heilsgewißheit. Außerdem geht er nie soweit, die
innere gefühlsmäßige Erfahrung des Einzelnen und die Realität
der Erlösung bedingungslos miteinander zu verknüpfen, so daß
denjenigen, denen die bewußte Erfahrung des Heils fehlt,
konsequent auch die Wirklichkeit des Heils abgesprochen wird.
Allerdings betont Wesley gegenüber einem primär kognitiven
Verständnis des Glaubens im Sinne eines intellektuellen Für-
wahrhaltens bestimmter "veritates revelatae" das Element der
persönlichen Erfahrung.

Grundlage der Heilserfahrung und der Heilsgewißheit ist aber
letztlich nicht die subjektive Erfahrung des einzelnen Glaubenden,
sondern das "testimonium spiritus sancti internum". Schon
Charles Wesleys Vater benannte auf seinem Sterbebett dieses
"testimonium internum" als das überzeugendste Indiz des
Glaubens: "The inward witness, son, the inward witness, ... that is
the proof, the strongest proof, of Christianity".[272] Dieses "testimonium internum" bzw. die darauf aufbauende Heilsgewißheit des
einzelnen wurden schon bald nach Entstehen der methodistischen
Erweckungsbewegung zu einem der zentralen Angriffspunkte von
(anglikanischen) Gegnern der Bewegung. Immer wieder mußten
sich die Wesleys in den kommenden Jahren mit Vorwürfen des
ausufernden Enthusiasmus, der Privatoffenbarungen an die

---

[270]Collection Nr. 98 Strophe 2; vgl. z.B. auch Nr. 97 Strophe 2.

[271]Vgl. Collection Nr. 29 Strophe 2; Nr. 33 Strophe 5; Nr. 53 Strophe 2; Nr. 83 Strophe 2;
Nr. 84 Strophe 5; Nr. 97 Strophe 2; Nr. 121 Strophe 6; Nr. 127 Strophe 1.

[272]So zitiert in einem Brief von J. Wesley, in: Works of John Wesley XXVI: Letters
289.

einzelnen Bekehrten und geistlicher Selbstsicherheit ausein-
andersetzen. So schreibt Charles Wesley schon im Jahre 1738 von
einem Besuch beim Bischof von London, der sie wegen dieser gegen
sie erhobenen Anklagen zu sprechen wünschte:

"I waited with my brother on the Bishop of
London, to answer the complaints he had heard
against us, that we preached an absolute
assurance of salvation. Some of his words were,
'If by "assurance" you mean an inward persuasion,
whereby a man is conscious in himself, after
examining his life by the law of God, and
weighing his own sincerity, that he is in a state
of salvation, and acceptable to God, I don't see
how any good Christian can be without such an
assurance.' 'This', we answered, 'is what we
contend for..."[273]

Dabei ist zu beachten, daß es sich bei der methodistischen
Betonung der Heilsgewißheit des einzelnen Glaubenden im Grunde
(nur) um das Wissen eines augenblicklichen Zustandes handelt,
nicht etwa um eine Heilsgewißheit im Sinne einer Prädestinationslehre, die auch die Zukunft mitumfaßt. Charles Wesley ist
an diesem Punkt ganz zurückhaltend. In einem Lied spricht er sich
deutlich gegen die Vorstellung eines "donum perseverantiae"
aus.[274] Darüber hinaus darf nicht vergessen werden, daß die
Wesleys nicht etwa die Wirklichkeit der Erlösung von der
gefühlsmäßigen Erfahrung der Erlösung abhängig machten, auch
wenn sie meinten, daß in den meisten Fällen beide Elemente zusammengehören sollten.[275] Deutlich ist auch die streng pneumatologische Grundlage der Heilserfahrung und Heilsgewißheit bei
Wesley.[276] Es ist letztlich der Heilige Geist, der das Heil zueignet
und die Gewißheit des Heils schenkt. Dieses "testimonium spiritus

---

[273] Journal of Charles Wesley 208; vgl. auch die Korrespondenz dieser Jahre, z.B.
Works of John Wesley XXV: Letters 562-566; Works of John Wesley XXVI: Letters,
besonders 244-252, 254f, 287-294; sowie sekundär Schmidt, John Wesley II, 171f.
[274] Vgl. Collection Nr. 308.
[275] Vgl. J. Wesleys Brief vom 31.7.1747 an seinen Bruder Charles, in: Works of John
Wesley XXVI: Letters 254f.
[276] Vgl. Smith, Holy Spirit in the Hymns 20-48. Zur Frage der Heilsgewißheit ausführlicher Townsend, Feelings related to Assurance 135-176.

sancti internum" ist ein Vorgang, der gefühlsmäßig erfahren wird ("to feel"), aber - da er von Gott initiiert ist - Wissen vermittelt ("to know"), ja mehr noch: unzweifelhafte Gewißheit schenken kann ("to prove").

In der *Collection* findet sich ein Lied, das Charles Wesleys Gedanken zur Heilserfahrung und Heilsgewißheit unüberbietbar zusammenfaßt. Es sei hier in seiner ganzen Länge zitiert. In der *Collection* erscheint es um zwei wichtige pneumatologische Strophen gekürzt, so daß die ursprüngliche Intention des Dichters nicht mehr ganz so deutlich wird.[277] Allerdings ist der Kontext in der *Collection* - obwohl sekundär - doch für das Verständnis des Liedes hilfreich. John Wesley nahm dieses Lied seines Bruders als Teil des Abschnitts "Describing Inward Religion" auf, in dem sich in vier Liedern so etwas wie eine Kurzformel wesleyanischer Überzeugungen findet. Hier der Text des Liedes:

How can a sinner *know* (1)
His sins on earth forgiven?
How can my Saviour show
My name inscribed in heaven?
What we ourselves have felt, and seen,
With confidence we tell,
And publish to the sons of men
The signs infallible.

We who in Christ believe (2)
That He for us hath died,
His unknown peace receive,
And feel His blood applied:
Exults for joy our rising soul,
Disburden'd of her load,
And swells, unutterably full
Of glory, and of God.

His love, surpassing far (3)
The love of all beneath,
We find within, and dare

---

[277] Vgl. Collection Nr. 93; es fehlen die ursprünglichen Strophen 4 und 5. John Wesley veränderte außerdem das Metrum des Liedes, aber ohne in die theologische Aussage einzugreifen.

The pointless darts of death:
Stronger than death, or sin, or hell,
The mystic power we prove,
And conquerors of the world we dwell
In heaven, who dwell in love.

The *pledge* of future bliss   (4)
He now to us imparts,
His gracious Spirit is
The *earnest* in our hearts:
We antedate the joys above,
We taste the' [sic] eternal powers,
And know that all those heights of love,
And all those heavens are ours.

Till He our life reveal,   (5)
We rest in Christ secure:
His Spirit is *the seal*,
Which made our pardon sure:
Our sins His blood hath blotted out,
And sign'd our soul's release:
And can we of His favour doubt,
Whose blood declares us His?

We by His Spirit prove,   (6)
And know the things of God,
The things which of his love
He hath on us bestow'd:
Our God to us His Spirit gave,
And dwells in us, we *know*,
The witness in ourselves we have,
And all His fruits we show.

The meek and lowly heart,   (7)
Which in our Saviour was,
He doth to us impart,
And signs us with His cross:
Our nature's course is turn'd, our mind
Transform'd in all its powers,
And both the witnesses are join'd
The Spirit of God with ours.

Whate'er our pardoning Lord   (8)
Commands, we gladly do,
And guided by His word
We all His steps pursue:
His glory is our sole design,
We live our God to please,
And rise with filial fear Divine
To perfect holiness.[278]

Das Thema des Liedes wird gleich in der die erste Strophe eröff-
nenden Frage angegeben: *How can a sinner know His sins on earth
forgiven?* Es geht um die Erfahrbarkeit bzw. das Wissen um die
Vergebung der Schuld und damit die Gewißheit der Erlösung. Die
sich gleich anschließende Frage bildet im Grunde einen parallelismus membrorum zur Ausgangsfrage, allerdings wird das
Thema jetzt zugespitzt auf die persönliche Frage nach dem
Erkenntnisprinzip der Erlösung für den Einzelnen. Der Dichter
läßt keinen Zweifel daran, daß es eine Antwort auf diese Fragen
gibt. Die dritte und letzte Frage, die sich in dem Lied (am Ende von
Strophe 5) findet, ist deshalb auch nur noch rhethorischer Art: *And
can we of His favour doubt, Whose blood declares us His?* Schon am
Ende der ersten Strophe verweist Wesley ja zur Beantwortung seiner Fragen auf *signs infallible,* und diese Terminologie der
Gewißheit durchzieht das ganze Lied: *With confidence we tell, ...
We rest in Christ secure: His Spirit is the seal, Which made our
pardon sure.* Immer wieder tauchen auch in Anlehnung an die
Ausgangsfragen Verben des Wissens und der Gewißheit auf: *we
ourselves have felt, and seen, ... We by his Spirit prove, And know
the things of God.* Das Verb "to know" findet sich in dem Lied allein
viermal, das Verb "to prove" immerhin zweimal. Beide Verben
nehmen Schlüsselpositionen ein, weil sie direkt mit der
Ausgangsfrage und damit dem zentralen Thema des Liedes ver-
knüpft sind. Wesley beantwortet die Ausgangsfragen im Grunde
mit einem Hinweis auf die kollektive Erfahrung der Erlösung, wie
sie die Glaubenden *(We who in Christ believe)* erleben. Gut jo-
hanneisch verweist er auf das, was die Zeugen gesehen und gehört
haben; allerdings tritt bei Wesley das "Hören" gegenüber dem

---

[278]Poetical Works V, 363-365.

"Fühlen" deutlich in den Hintergrund. Das, was er dann als Erfahrung des Heils beschreibt, findet offensichtlich im innersten Erfahrungsbereich der Glaubenden statt und muß deshalb auf der sprachlichen Ebene erst zum Ausdruck gebracht werden: *We find within ... in our hearts ... in us ... in ourselves.* Die Erfahrung selbst beschreibt Wesley mit einer Reihe von Bildern: als Erfahrung vorher unbekannten Friedens, als die "Applizierung des Blutes Christi" *(feel His blood applied)*, als die Erfahrung überwältigender Freude und der Überwindung der Welt. In den Strophen 4-6 (von denen John Wesley die ersten zwei nicht in die *Collection* übernahm) kommt dann die pneumatologische Dimension der Heilserfahrung und Heilsgewißheit ganz deutlich zur Sprache. Christus gibt den Glaubenden seinen Heiligen Geist, der Angeld und Vorgeschmack kommender Herrlichkeit, aber auch das Siegel der Erlösung ist. Das innere Zeugnis des Heiligen Geistes gibt die Gewißheit der Gotteskindschaft: *We by His Spirit prove, And know the things of God ... Our God to us His Spirit gave, And dwells in us, we know, The witness in ourselves we have ... And both the witnesses are join'd, The Spirit of God with ours.* Die Richtung, in die Wesleys Gedanken verlaufen, ist eindeutig: Er orientiert sich im Grunde an der paulinischen Aussage vom Zeugnis der Erlösung, das Gottes Geist unserem Geist gibt. Auf der Basis dieser paulinischen Stelle und des johanneischen Konzepts des "Wissens"[279] argumentiert Wesley für eine Heilserfahrung und Heilsgewißheit, die im Grunde gar nicht vom subjektiven Gefühl des einzelnen ausgehen, sondern Gottes Werk im Inneren der Glaubenden sind.

Soviel zu zentralen soteriologischen Themen in den Liedern der *Collection of Hymns for the use of the People called Methodists.* Es wird deutlich geworden sein, daß es sich im Grunde um eine soteriologische Konzentration innerhalb einer soteriologischen Konzentration handelt. Wesleys Augenmerk ist auf die Erfahrung der Zueignung des am Kreuz geschehenen Erlösungswerks im Leben des einzelnen Glaubenden gerichtet. Dabei ist es durchaus nicht undenkbar, zu argumentieren, daß es sich bei dieser soteriologischen Konzentration wirklich um das Herzstück der Frohbotschaft handelt - zumindest Wesley war davon überzeugt, wie seine Lieder deutlich machen. In den folgenden Abschnitten werden einige weitere Themen aufgegriffen, die die *Collection* und

---

[279]Vgl. die häufigen Anspielungen auf Stellen aus dem 1. Johannesbrief in dem Lied, besonders 1 Joh 1,3; 1 Joh 4,16; 1 Joh 3,24; 1 Joh 4,13; 1 Joh 5,10; 1 Joh 5,2.

damit das wesleyanische Liedgut durchziehen. Die Tatsache, daß diese Themen nicht direkt innerhalb der soteriologischen Konzentration abgehandelt werden, heißt natürlich nicht, daß sie von soteriologischen Konnotationen frei sind - ein solches Niemandsland kennt Charles Wesley gar nicht.

2. Heilserfahrung und Offenbarungsverständnis

Bei der wesleyanischen Verbindung von Heilserfahrung und Offenbarungsverständnis handelt es sich um einen Themenbereich, der im Laufe der vorliegenden Untersuchung schon in einem anderen Zusammenhang angesprochen wurde. Im Kontext der Überlegungen, ob es sich bei den poetischen Texten Charles Wesleys um Lieder oder aber um Gedichte handelt, wurde der Text "Wrestling Jacob" herangezogen,[280] der nicht nur ein gutes Beispiel für die Problematik des poetischen Genre wesleyanischer Texte darstellt, sondern auch eines der zentralen Beispiele für Wesleys Faszination mit der Frage nach dem Namen Gottes ist, hinter der sich sein Offenbarungsverständnis verbirgt. "Wrestling Jacob" kreist im Grunde um genau diese Frage, die ja auch gut zu der hier poetisch umgesetzten biblischen Geschichte paßt: So wie Jakob bei seinem Kampf am Jabbok den Unbekannten bittet: *"Tell me, I pray thee, thy name"*[281], so läßt Wesley das "ich" des Liedes den Unbekannten bitten: *Tell me thy name.*[282] Mehr noch, diese Frage wird zum ständig wiederkehrenden, nur wenig sich verändernden Refrain in jeder Strophe: *I will not let thee go Till I thy name, thy nature know.* Was diese Frage nach dem Namen Gottes zu einem eigenständigen Thema in den wesleyanischen Liedern macht, ist natürlich nicht der wiederkehrende Refrain in diesem einen Lied, sondern die Tatsache, daß diese Frage in dieser oder einer ähnlichen Form in der *Collection* erstaunlich häufig auftaucht. An einigen Stellen nimmt Wesley direkt diese Frage (wahrscheinlich mit dem Bild des Kampfes Jakobs am Jabbok vor Augen) auf: *Wrestle with Christ in mighty prayer; Tell him, 'We*

---

[280]Vgl. Abschnitt B.1.

[281]So der Text von Gen 32,29 in der Übersetzung der "King James"-Bibel, mit der Wesley arbeitete.

[282]Der vollständige Text findet sich in der vorliegenden Untersuchung in Abschnitt B.1. In die Collection wurde "Wrestling Jacob" (gekürzt) als Nr. 136 aufgenommen.

will not let thee go, Till we thy name, thy nature know.[283] Aber auch in anderen Formen und Formulierungen erscheinen diese Bitte und das hinter ihr sich verbergende Anliegen in den Liedern der *Collection: Tell me thy nature, and thy name, And write it on my heart.*[284] *Thy mystic name in me reveal,*[285] *Thou wilt in me reveal thy name.*[286] Diese und ähnliche Bitten finden sich immer wieder.

Es stellt sich die Frage, was sich inhaltlich hinter diesen Bitten verbirgt. Zunächst einmal ist offensichtlich, daß es Wesley als Antwort auf sein Anliegen, das er als Frage nach dem Namen Gottes formuliert, nicht einfach um die Nennung eines "Namens" geht, dessen Entschlüsselung und Kenntnis letztlich nur Neugierde befriedigen. Es muß, das wird aus der Intensität der Frage und der Schlüsselstellung, die sie in einigen Liedern einnimmt, klar, doch wohl um viel mehr gehen. Der Beantwortung der Frage kommt man näher, wenn in die Überlegungen ein paralleler Begriff miteinbezogen wird, der meistens mit der Frage nach dem "Namen" Gottes verbunden ist. Schon in "Wrestling Jacob" war die Bitte ja nicht einfach auf den Namen Gottes beschränkt, wie es der biblische Text nahelegt. Wesley fügt der Frage nach dem Namen Gottes einen zweiten Begriff hinzu, so daß das Anliegen nun lautet: *I will not let thee go Till I thy name, thy nature know.* Auch die meisten anderen Stellen in den Liedern, die dieses Anliegen aufgreifen, parallelisieren "name" und "nature", oder interpretieren den einen Begriff durch den anderen. Ganz deutlich wird dies in der folgenden Strophe:

> Answer, O Lord, thy Spirit's groan!
> O make to me thy nature known,
> Thy hidden name impart
> (Thy title is with thee the same);
> Tell me thy nature, and thy name,
> And write it on my heart.[287]

Hier wird die Identität zwischen dem Namen und dem Wesen Gottes, nach dem Wesley eigentlich fragt, ganz deutlich (*Thy title is*

---

[283] Collection Nr. 369 Strophe 5.
[284] Collection Nr. 138 Strophe 4.
[285] Collection Nr. 138 Strophe 5.
[286] Collection Nr. 144 Strophe 6.
[287] Collection Nr. 138 Strophe 4.

with thee the same!). Der Dichter kann sich dabei durchaus auf die biblische, besonders die alttestamentliche Tradition stützen, die ja eine enge Verbindung zwischen dem Namen und dem Wesen einer Sache oder Person postuliert. Bei Wesley ist die häufig wiederkehrende drängende Frage nach dem Namen Gottes also als Suche nach dem Verständnis des tiefsten Wesens Gottes zu interpretieren. Immer wieder klingt in seinen Liedern allerdings auch an, daß dieses tiefste Wesen Gottes eigentlich ein unzugängliches Mysterium ist: *Thou God unsearchable, unknown, Who still conceal'st thyself from me,*[288] *Thou hidden God, for whom I groan ... God inaccessible, unknown*[289]. Das Wissen um die Unzugänglichkeit des tiefsten Wesens Gottes und die - ihm im Grunde widersprechende - drängende Frage nach dem Wesen Gottes verbinden sich aber auch, so in der folgenden Strophe, die im Verlauf des Liedes in die Bitte ausmündet: *tell me all thy name*:

> With glorious clouds encompassed round,
> Whom angels dimly see,
> Will the Unsearchable be found,
> Or God appear to me?[290]

Die Spannung zwischen dem Wissen um das Mysterium des Wesens Gottes einerseits und der drängenden Frage und Suche nach dem Ergründen dieses Mysteriums andererseits wird bei Wesley aufgelöst durch einen Dreischritt, der im Grunde ein zusammenhängendes Ganzes darstellt: Gott offenbart sich - Gott offenbart sich in Jesus Christus - Gott offenbart sich in Jesus Christus als Liebe. Der erste Aspekt dieses Dreischritts bestimmt Gottes-Erkenntnis als Gottes Werk, im Gegensatz zu Menschenwerk. Nicht der Mensch ergründet durch seine eigene Anstrengung das Wesen Gottes, sondern Gott erschließt Gottes Selbst für den Menschen. Wesley macht dies deutlich durch die Verben, mit denen Gottes Handeln beschrieben wird: Gott erscheint, Gott zeigt sich, Gott offenbart. Der Mensch ist Empfänger dieses Handelns Gottes. Dies wird auch deutlich durch die Sprachform, in der das Thema der Frage nach dem Namen Gottes in den Liedern auftaucht. Fast immer wird es in Form einer Bitte ausgesprochen, die charakteristi-

---

[288] Collection Nr. 126 Strophe 1.

[289] Collection Nr. 144 Strophe 1.

[290] Collection Nr. 124 Strophe 1.

scherweise an Gott gerichtet ist. Gott wird gebeten, seinen Namen zu offenbaren. Damit aber ist gesagt: Es ist allein Gott, der Gottes-Erkenntnis gewährt. Fragt man nun nach dem Inhalt der Offenbarung Gottes, so fällt die Antwort bei Wesley ganz eindeutig aus: Gott offenbart nicht etwas (im Sinne eines instruktionstheoretischen Offenbarungsverständnisses), sondern Gott offenbart sich selbst. Diese Selbstmitteilung Gottes ist bei Wesley strikt christozentrisch orientiert: Gott offenbart sich in Jesus Christus. So heißt es in einem Lied in typisch wesleyanischer Terminologie auf die Bitte *tell me all thy name*:

> Jehovah in thy person show,
> Jehovah crucified;
> And then the pard'ning God I know,
> And feel the blood applied.[291]

Auch in dem schon besprochenen Text "Wrestling Jacob" ist die Antwort auf die drängende Frage nach dem Namen Gottes eindeutig christologischer Natur: *I know thee, Saviour, who thou art - Jesus, the feeble sinner's friend.* Die Stellen könnten beliebig vermehrt werden, so sehr ist Wesley davon überzeugt, daß die Selbstmitteilung Gottes Gott selbst ist und zwar Gott in Jesus Christus. Die Frage nach dem "Namen Gottes", die ja im Grunde eine Frage nach dem Wesen Gottes ist, kann also auch mit einem *Namen* beantwortet werden, eben dem Namen Jesus von Nazareth. Diese christologische Interpretation der Offenbarung als Selbstmitteilung Gottes in Jesus Christus stellt den zweiten Teil des Dreischritts innerhalb von Wesleys Frage nach dem Namen Gottes dar. Bei dem dritten Schritt handelt es sich im Grunde um eine weitere inhaltliche Anfüllung bzw. Präzisierung dieser Selbstmitteilung Gottes. Auch hier kann der Text von "Wrestling Jacob" wieder als wegweisend herangezogen werden. Das Lied besteht aus zwei sich ergänzenden Refrains. Beinhaltet der erste die drängende Frage nach dem Namen und Wesen Gottes, so findet sich in dem zweiten Refrain die Antwort auf diese Frage: *Thy nature, and thy name is LOVE.* Aus dem Kontext geht eindeutig hervor, daß dieser Refrain christozentrisch zu verstehen ist. Derjenige, den das Lied anspricht, ist Jesus Christus. Ähnliches gilt für die vielen anderen Stellen in

---

[291] Collection Nr. 124 Strophe 7.

Liedern, die dieselbe Aussage machen: *Tell me thy love, thy secret tell, Thy mystic name in me reveal, Reveal thyself in me.*[292]

Nach Wesley ist Jesus Christus die Selbstmitteilung Gottes, und zwar die Selbstmitteilung Gottes als Liebe: *His thoughts, and words, and actions prove - His life and death - that God is love!*[293]*Infinite, unexhausted Love! Jesus and love are one.*[294] Diese Selbstmitteilung Gottes in Jesus als Liebe ist wohl die häufigste Charakterisierung der Offenbarung Gottes in den Liedern in der *Collection*. Letztlich sind in dem Begriff "Liebe" der Name und das Wesen Gottes eingefangen, um die Wesley ringt. Dabei sind die soteriologischen Konnotationen dieses Begriffs unübersehbar. Gott offenbart sich als Liebe vor allem in Jesu Menschwerdung, Leben, Leiden und Tod am Kreuz. Wesley verweist deshalb häufig auf Jesu Leiden und Sterben als höchsten Erweis der Liebe Gottes: *There for me the Saviour stands, Shows his wounds, and spreads his hands! God is love! I know, I feel.*[295] Ganz besonders deutlich wird die soteriologische Perspektive des "Namens" Gottes wiederum in "Wrestling Jacob":

'Tis Love! 'Tis Love! Thou diedst for me;
I hear thy whisper in my heart.
The morning breaks, the shadows flee,
Pure Universal Love thou art:
To me, to all, thy bowels move -
Thy nature, and thy name, is LOVE.

Typisch für Charles Wesley ist wiederum, die Aneignung dieser Selbstmitteilung Gottes in den innersten Erfahrungsbereich des einzelnen Glaubenden zu verlegen. Damit ist nicht etwa gesagt, daß Wesley nichts von einer geschichtlich sich entfaltenden Selbstmitteilung Gottes wissen will; diese bildet natürlich die Grundlage aller menschlichen Gottes-Erkenntnis. Aber Wesley scheint davon auszugehen, daß die historische Selbstmitteilung Gottes in Jesus Christus als solche alleingenommen wenig Bedeutung hat, wenn sie nicht im innersten Erfahrungsbereich des

---

[292]Collection Nr. 138 Strophe 5. Vgl. zu diesem Thema auch Tyson, Wesley's Theology of the Cross 196-204.
[293]Collection Nr. 30 Strophe 11
[294]Collection Nr. 207 Strophe 1.
[295]Collection Nr. 162 Strophe 8.

Einzelnen rezipiert und angenommen wird. Das bekannte Epigramm von Angelus Silesius faßt auch Wesleys Anschauung zusammen: "Wird Christus tausendmal zu Bethlehem geboren Und nicht in dir, so bleibst du noch verloren." Es ist dieser Aspekt der persönlichen Aneignung der Selbstmitteilung Gottes, auf den sich Wesley in seinen Liedern konzentriert. Diese Tatsache erklärt die häufig wiederkehrende Bitte, daß der Name Gottes in das Herz des Glaubenden geschrieben werde: *Tell me thy nature, and thy name, And write it on my heart*,[296] oder auch, daß der Name Gottes im Innersten des Menschen gesprochen werde: *That name inspoken to my heart, That favourite name of love.*[297] Charakteristisch sind in diesem Zusammenhang Begriffe wie *in me, my inmost soul* und *my heart*, die diesen Vorgang im Innersten des Glaubenden lokalisieren. Die Aneignung der geschichtlichen Selbstmitteilung Gottes in Jesus Christus geschieht im persönlichen innersten Erfahrungsbereich des glaubenden Menschen.

In der *Collection* befindet sich außer "Wrestling Jacob" noch ein anderes Lied, das all das, was hier über die wesleyanische Frage nach dem Namen Gottes gesagt wurde, in sich vereinigt und zusammenfaßt. Es sei an dieser Stelle als Abrundung dieses Abschnitts kurz interpretiert:

Shepherd divine, our wants relieve   (1)
In this our evil day;
To all thy tempted followers give
The power to watch and pray.

Long as our fiery trials last,   (2)
Long as the cross we bear,
O let our souls on thee be cast
In never-ceasing prayer!

The spirit of interceding grace   (3)
Give us in faith to claim,
To wrestle till we see thy face,
And know thy hidden name.

---

[296] Collection Nr. 138 Strophe 4.
[297] Collection Nr. 240 Strophe 4.

Till thou thy perfect love impart,   (4)
Till thou thyself bestow,
Be this the cry of every heart:
I will not let thee go.

I will not let thee go, unless   (5)
Thou tell thy name to me;
With all thy great salvation bless,
And make me all like thee.

Then let me on the mountain top   (6)
Behold thy open face,
Where faith in sight is swallowed up,
And prayer in endless praise.[298]

Das Lied, das sich in dem Abschnitt "For Believers Praying" befindet, ist dem Thema des Gebets gewidmet. Charles Wesley spielt hier auf die biblische Geschichte von Jakobs Kampf am Jabbok an, die er als Bild für das Ringen des Glaubenden mit Gott im Gebet versteht, wie es auch Matthew Henry, dessen Kommentar Wesley häufig benutzte, tut.[299] Allerdings ist die Geschichte von Jakobs Kampf am Jabbok nicht das dominante Bild dieses Liedes, wie es z.B. in "Wrestling Jacob" der Fall ist. Die Anspielungen auf Gen 32 hier sind eher indirekter Natur *(To wrestle till we see thy face ... I will not let thee go, unless Thou tell thy name to me)*. Das vorliegende Lied beginnt als eine einzige große Bitte um die Gabe des immerwährenden Gebets, die gegen Ende von Strophe 3 dann gleichgesetzt wird mit dem Ringen um die Erkenntnis des verborgenen Gottesnamens *(thy hidden name)*. Die anschließende Strophe macht deutlich, daß es sich bei dem Ringen um Gottes Namen im Grunde um Gottes Liebe handelt *(thy perfect love)* und daß der Beter weiß, daß damit Gott nicht um "etwas" außerhalb von Gott selbst gebeten wird, sondern eben um nichts anderes als Gott selbst: *Till thou thyself bestow*. Die soteriologischen Konnotationen der Selbstmitteilung Gottes werden in der anschließenden Strophe herausgearbeitet. Gottes Selbstmitteilung ist Heilsgeschehen *(With all thy great salvation bless)*, ein Heilsgeschehen, das den Glaubenden

---

[298]Collection Nr. 288.

[299]Vgl. Henry, Exposition I (unpaginiert). Dieses Bild benutzt Wesley auch an anderer Stelle, vgl. z.B. Collection Nr. 516 Strophe 4.

in das göttliche Leben selbst mithineinzieht. Das Lied endet mit einem schönen Bild: Der Dichter sieht sich als Antwort auf sein Gebet Gott gegenüber, so wie Moses Jahwe auf dem Berg Sinai begegnete. Die eschatologische Perspektive des Bildes ist allerdings deutlich: In dieser Begegnung wird Glauben in Sehen verwandelt und Gebet in Anbetung aufgehoben.

Mit diesem Bild ist das Thema der "Frage nach dem Namen Gottes" in den wesleyanischen Liedern im Grunde ausgeschöpft. Der nächste Abschnitt der vorliegenden Untersuchung schließt sich an die hier behandelte Frage jedoch direkt an und beleuchtet sie in gewisser Weise noch einmal aus einer anderen Perspektive. Es soll im folgenden um einige eigentümliche Stellen in Wesleys Liedern gehen, die eine direkte Identifikation zwischen "Gott" und "Himmel" zu schaffen scheinen, so daß sich der Schluß nahelegt, daß für Wesley eine Vorstellung von "Himmel" vor allem sinnvoll ist als Vorstellung von einer Person bzw. einer Beziehung, während die Vorstellung vom "Himmel" als einem Ort zurücktritt.

3. Heilserfahrung als realisierte Eschatologie?

Wie schon früher erwähnt, enden viele von Charles Wesleys Liedern mit einem eschatologischen Ausblick - ein durchaus traditionelles Charakteristikum christlicher Hymnographie. Was Charles Wesleys Lieder in diesem Zusammenhang interessant macht, ist ein Topos, der theologisch mit dem Begriff der "realisierten Eschatologie" umschrieben werden kann oder umgangssprachlich mit der Vorstellung des "Himmels auf Erden". Was ist damit gemeint? In der *Collection* finden sich nicht selten gegen Ende der Lieder eschatologische Ausblicke, die das Augenmerk nicht so sehr auf einen Ort im Jenseits lenken, sondern vielmehr diesen Ort in das Hier und Jetzt zu verlegen scheinen. Oft taucht für diese Umkehrung der Begriff *heaven below* - der Himmel auf Erden - auf. Der hier vorliegende Abschnitt meiner Untersuchung dreht sich im Grunde um diesen Begriff. Dabei ist gleich zu Beginn zu sagen, daß für die Interpretation in diesem Fall nicht primär auf *ein* Liedbeispiel zurückgegriffen werden kann. Der Begriff bestimmt nämlich so gut wie nie durchgängig ein ganzes Lied. Er taucht stattdessen in vielen Liedern eher ansatzweise auf und muß deshalb anhand einer Mehrzahl von Beispielen interpretiert werden.

Folgendes ist dabei von Anfang an zu beachten: Mit dem Begriff *heaven below* ist bei Wesley nicht etwa die Existenz eines Ortes im Jenseits geleugnet oder dessen Existenz auf das Diesseits reduziert. Fast könnte man sagen: im Gegenteil. Wesley ist durchaus der traditionellen Vorstellung vom Himmel verhaftet, die er nirgendwo hinterfragt. Das wird besonders deutlich in den Liedern, die in der *Collection* in dem Abschnitt "Describing Heaven" zusammengefaßt sind.[300] Hier finden sich alle traditionellen Vorstellungen über den Himmel, die man sich nur wünschen kann. Im Grunde baut Wesleys eigentümlicher Begriff *heaven below* genau auf diesen Vorstellungen auf. Allerdings wird "Himmel" in dem wesleyanischen Begriff nun nicht mehr primär als Ort, und eben auch nicht ausschließlich als jenseitig interpretiert. Wesley bedient sich dieses Begriffs, um eine Aussage über die Christusbeziehung der Glaubenden zu machen: In der Erfahrung des Heils beginnt für die Glaubenden der Himmel - auf Erden:

As soon as in him we believe,
By faith of his Spirit we take,
And, freely forgiven, receive
The mercy for Jesus's sake;
We gain a pure drop of his love,
The life of eternity know,
Angelical happiness prove,
And witness a heaven below.[301]

Alles fällt hier für Wesley mit der Erfahrung der Erlösung zusammen: der Beginn des ewigen Lebens *(The life of eternity)*, engelgleiche Glückseligkeit *(Angelical happiness)* und der Himmel - eben auf Erden *(a heaven below)*. Diese Identifikation von Heilserfahrung und "Himmel" ist typisch für das wesleyanische Liedgut und durchzieht die ganze *Collection*:

---

[300] Collection Nr. 65-77. Diesem Abschnitt folgt ein Abschnitt "Describing Hell", der allerdings nur ein Lied enthält (Nr. 78). Dieses Lied kann ohne Schwierigkeiten als das unschönste Lied der ganzen Collection bezeichnet werden; es stammt aus Wesleys Liedersammlung Hymns for Children(!) und beschreibt die Wirklichkeit der Hölle, wie man sie sich zu Wesleys Zeiten vorstellte.
[301] Collection Nr. 77 Strophe 2.

Happy the souls to Jesus joined,
And saved by grace alone;
Walking in all his ways, they find
Their heaven on earth begun.[302]

Auf der Basis dieser Identifikation von Heilserfahrung und Himmel kann deshalb Wesley auch seine Hörer aufrufen: *Only believe - and yours is heaven!*[303] In der Mehrzahl der Lieder ist es allerdings nicht die Heilserfahrung als letzter Grund, der Wesley zu solchen Aussagen veranlaßt. Letztlich steht hinter dieser Heilserfahrung ja die Erfahrung der Christusbegegnung als ihr eigentlicher Inhalt. So ist es nicht erstaunlich, daß für Wesley der "Himmel auf Erden" nicht primär an der Heilserfahrung als solcher festgemacht, sondern die soteriologische Konzentration auf ihren christologischen Grund zurückgeführt wird. Der "Himmel auf Erden" ist letztlich eine Person: *My Jesus to know, And feel his blood flow, 'Tis life everlasting, 'tis heaven below,*[304] heißt es in einem Lied, während ein anderes die Identifikation zwischen der Person Jesu Chisti und dem "Himmel auf Erden" noch deutlicher hervortreten läßt:

Thy gifts, alas! cannot suffice,
Unless thyself be given;
Thy presence makes my paradise,
And where thou art is heaven![305]

Natürlich ist die Unterscheidung zwischen soteriologischen und christologischen Konnotationen bis zu einem gewissen Grade künstlich - besonders was das wesleyanische Liedgut betrifft. Andererseits scheint es doch wichtig, zu betonen, daß das Konzept des "Himmels auf Erden" primär nicht auf dem emotionalen

---

[302]Collection Nr. 15 Strophe 1.

[303]Collection Nr. 19 Strophe 7. Vgl. z.B. auch Nr. 20 Strophe 3, wo den Hörern zugerufen wird:
Ye may now be happy too,
Find on earth the life of heaven;
Live the life of heaven above,
All the life of glorious love.

[304]Collection Nr. 197 Strophe 2.

[305]Collection Nr. 403 Strophe 5. Ganz explizit auch Collection Nr. 344 Strophe 5, wo Christus angesprochen wird als My heaven on earth, my heaven above.

Überschwang einer persönlichen Heilserfahrung als letztem Grund basiert, sondern eine streng christologische Ausrichtung hat. Dem widerspricht nicht, daß Wesley an einer Stelle auch pneumatologisch argumentiert und die Einwohnung des Heiligen Geistes als Himmel bezeichnen kann: *Come, thou all-inspiring Spirit ... Present, everlasting heaven, All thou hast, and all thou art!*[306] Die letztlich christologische Ausrichtung dieser Texte wird ganz deutlich, wenn Wesley in einem Lied versucht zu beschreiben, was denn den Himmel - nun als jenseitigen Ort verstanden - ausmacht. Die Antwort ist eindeutig: "Himmel auf Erden" und "Himmel im Himmel" sind eine personale Wirklichkeit. Sie sind Christusbegegnung und allein als solche "Himmel":

> Jesus, harmonious name!
> It charms the hosts above;
> They evermore proclaim,
> And wonder at his love;
> 'Tis all their happiness to gaze,
> 'Tis heaven to see our Jesu's face.[307]

Auch im folgenden Lied wird diese Identifikation ganz deutlich. Wesley versucht hier, die Einheit von ecclesia triumphans und ecclesia militans zu begründen:

> The church triumphant in thy love,
> Their mighty joys we know;
> They sing the Lamb in hymns above:
> And we in hymns below.
>
> Thee in thy glorious realm they praise,
> And bow before thy throne!
> We in the kingdom of thy grace:
> The kingdoms are but one.[308]

---

[306] Collection Nr. 516 Strophe 4.

[307] Collection Nr. 33 Strophe 3. Das Lied endet mit der Zeile: The life of heaven on earth I live.

[308] Collection Nr. 15 Strophe 2f. Dieses Lied ist interessanterweise der Liedsammlung Hymns on the Lord's Supper entnommen und befand sich in dem Abschnitt "The Sacrament a Pledge of Heaven"(!).

Von hier aus wird ganz deutlich, warum Wesley das Leben des Glaubenden auf Erden als Himmel bezeichnen kann, ja sogar muß: Letztlich ist es die Christusbegegnung, die den Himmel ausmacht - und diese steht eben in der Heilserfahrung auch dem Glaubenden offen. Diesen Gedankengang machen auch die häufigen Parallelisierungen von "Himmel" und "Liebe" deutlich, wobei daran zu erinnern ist, daß der Begriff der "Liebe" bei Wesley als Deutung der Offenbarung Gottes in Jesus Christus fungiert: *Anticipate your heaven below, And own that love is heaven; Only love to us be given! Lord, we ask no other heaven. For the heaven of heavens is love.*[309] Dabei kennt Wesley keine Unterscheidung zwischen der visio Dei und der Liebe als eigentlichem Wesen des Himmels; beides gehört für ihn untrennbar zusammen: Anschauung Gottes ist Anschauung der Liebe ist Himmel.

Ist damit jegliche eschatologische Spannung zwischen dem jetzigen Leben der Glaubenden und der Vollendung am Ende der Zeit aufgehoben? Einen ersten Hinweis, daß dies nicht der Fall ist, bietet schon das eben zitierte Lied über die ecclesia triumphans und die ecclesia militans, dessen nächste Strophe fortfährt: *The holy to the holiest leads* ... Nicht umsonst spricht Wesley in seinen Liedern nicht nur von *heaven below*, sondern mindestens genauso häufig von *heaven begun: ... Find their heaven begun below ... Till they gain their full reward, And see thy glorious face!*[310] In dieselbe Richtung weist auch der Begriff *antepast of heaven* ("Vorgeschmack des Himmels") in den Liedern, der ja explizit auf eine noch ausstehende Erfüllung hingeordnet ist.[311] Man würde Wesley ganz mißverstehen, wenn man aus seiner Verwendung des Konzepts eines "Himmels auf Erden" eine Auflösung der eschatologischen Spannung herauslesen wollte. Folgender Text sollte dies unzweifelhaft machen:

My God, I am thine; What a comfort divine,
What a blessing to know that my Jesus is mine!

---

[309]Diese und weitere Stellenangaben bei Findlay, Christ's Standard Bearer 72, der dem Begriff "Heaven" in den Liedern Charles Wesleys immerhin ein kurzes Kapitel widmet (67-74). Ausdrucksstark auch Collection Nr. 368 Strophe 5, wo es von der Gottesliebe heißt: My precious pearl, my present heaven.

[310]Collection Nr. 316 Strophe 5.

[311]Vgl. zu diesem Begriff in Wesleys Liedern Beckerlegge, Charles Wesley's Vocabulary 153.

In the heavenly Lamb Thrice happy I am,
And my heart it doth dance at the sound of his name.

True pleasures abound In the rapturous sound;
And whoever hath found it hath paradise found.
My Jesus to know, And feel his blood flow,
'Tis life everlasting, 'tis heaven below!

Yet onward I haste To the heavenly feast;
That, that is the fullness, but this is the taste;
And this I shall prove, Till with joy I remove
To the heaven of heavens in Jesus's love.[312]

Das hier zitierte Lied macht die klare Betonung der bleibenden eschatologischen Spannung im Leben der Glaubenden deutlich, indem es mit zwei verschiedenen Begriffen von "Himmel" operiert. Der Himmel auf Erden wird umschrieben als *heaven below,* während der Himmel als jenseitiger Ort durch die Steigerung *heaven of heavens* gekennzeichnet wird. Das Lied gibt über diese Differenzierung hinaus aber auch ein wichtiges Indiz für den Kontext, in dem Wesley das Konzept des "Himmels auf Erden" anwendet. Es handelt sich durchgängig um Lieder, die die Freude über die Heilserfahrung thematisieren und durch einen gewissen emotionalen Überschwang gekennzeichnet sind. Das Wort *happiness* z.B. taucht auffallend häufig auf. Damit aber ist gesagt: Das Konzept des "Himmels auf Erden" ist ein abgeleitetes Konzept; es handelt sich um eine Übertragung eines Begriffs, der den vollkommenen Ort der Seligkeit in der Gottesschau beschreibt, auf die Erfahrung des Heils, die eben nur adäquat mit solchen Kategorien beschrieben werden kann. Wesley setzt also die traditionellen Vorstellungen über den Himmel voraus, will aber mit seiner Verwendung des Begriffs für die Heilserfahrung im Hier und Jetzt diese in einer ganz bestimmten Weise charakterisieren. Schaut man auf diesem Hintergrund noch einmal die schon besprochenen Stellen durch, so wird dieses Motiv ganz deutlich. Immer ist mit dem Konzept des "Himmels auf Erden" die un-sagbare Freude über die Heilserfahrung verbunden:

---

[312] Collection Nr. 197 Strophe 1-3.

All fullness of peace, All fullness of joy,
And spiritual bliss That never shall cloy;
To us it is given In Jesus to know
A kingdom of heaven, A heaven below.[313]

Ganz deutlich wird diese Funktion des Begriffs "Himmel" als Hinweis auf die Unsagbarkeit der Freude der Erlösung auch in den folgenden Zeilen: *What a mercy is this, What a heaven of bliss, How unspeakably happy am I ...*[314] Wie schon erwähnt, tauchen das Adjektiv *happy* und das Substantiv *happiness* in Zusammenhang mit dem Gedanken des "Himmels auf Erden" auffallend häufig auf.

Die Interpretation des Konzepts des "Himmels auf Erden" in den wesleyanischen Liedern mag den Eindruck erwecken, als ob Wesley einer triumphalistischen Vorstellung christlicher Existenz huldigt, die wenig zu sagen hat über die Schwierigkeiten eines Lebens im Glauben. Dem ist nicht so. Allerdings wird man kaum erwarten können, daß Wesley seine Aussagen über die Schwierigkeiten des christlichen Lebens in das Konzept des "Himmels auf Erden" kleidet; die Aussageform ist dafür einfach nicht geeignet (ähnlich wie das Sündenbekenntnis wohl kaum der theologische Ort für positive Aussagen über die Bedeutung menschlicher Werke im Glaubensprozeß ist). Wesleys Ringen mit den Schwierigkeiten des christlichen Lebens findet sich vor allem in einem anderen Bereich von Aussagen, den man unter der Überschrift des Ringens um christliche Vollkommenheit zusammenfassen kann. Daß beide Bereiche, der "Himmel auf Erden" und das Ringen um die christliche Vollkommenheit, nicht unverbunden nebeneinanderstehen, wird schon durch die häufige Verbindung der zwei Begriffe *holiness* und *happiness* im wesleyanischen Gedankengut angedeutet.[315]

4. Das Ringen um christliche Vollkommenheit

Bei dem Themenbereich, der hier kurz als "Ringen um christliche Vollkommenheit" umschrieben ist, handelt es sich im Grunde

---

[313]Collection Nr. 19 Strophe 3.
[314]Collection Nr. 221 Strophe 6.
[315]Vgl. dazu Schmidt, John Wesley I, 272.

nicht um ein theologisches Einzelthema, sondern um ein Konglomerat von miteinander verbundenen Bildern und Motiven, die sich einer systematischen Darstellung bis zu einem gewissen Grad entziehen. Gerade an diesem Punkt wird wie vielleicht nirgendwo sonst in der *Collection* deutlich, daß es hier eben nicht um eine systematische Darstellung theologischer Topoi, sondern um ein Gesangbuch geht. Mit der Absicht einer systematisch-theologischen Einzelinterpretation nähert man sich einem Gesangbuch aber "un-eigentlich". Erschwerend kommt hinzu, daß es sich bei dem Thema des Ringens um christliche Vollkommenheit um einen Bereich handelt, der im frühen Methodismus selbst umstritten war, verschiedene Interpretationen erfuhr und gerade zwischen den Brüdern John und Charles anscheinend nie wirklich geklärt wurde.[316]

Folgendes steht fest: Sowohl John als auch Charles Wesley sahen sich aufgrund biblischer Aussagen gezwungen, an einem wie auch immer gearteten Konzept christlicher Vollkommenheit als Möglichkeit und Ziel der irdischen Existenz der Glaubenden festzuhalten. Christliche Vollkommenheit war dementsprechend von Anfang an ein wichtiges Thema methodistischer Verkündigung, wie es übrigens auch im Pietismus der Fall war. Es ist bekannt, daß in der frühen methodistischen Erweckungsbewegung eine nicht geringe Anzahl enthusiastischer Anhänger für sich beanspruchte, das Stadium christlicher Vollkommenheit in ihrem Glaubensleben erreicht zu haben. John und Charles Wesley berichten beide in ihren Tagebüchern und Briefen von solchen Ansprüchen, obwohl Charles ihnen zeitlebens sehr kritisch gegenüberstand. In seinen Liedern finden sich verschiedentlich Attacken gegen Anhänger der Bewegung, die christliche Vollkommenheit für sich in Anspruch nahmen - ja, gerade diese Tatsache schien ihm das stärkste Indiz, daß sie dieses Stadium unter keinen Umständen schon erreicht hatten. Trotzdem hält auch

---

[316]Ausführlicher über Hintergrund und Entwicklung dieser Diskussion, sowie besonders die Differenzen zwischen John und Charles Wesley: Townsend, Feelings related to Assurance 232-253. Townsend bietet auch eine kurze, aber solide Interpretation dieses Themas in den Liedern von Charles Wesley, etwas was man von Ekrut, Universal Redemption 66-93 erwartet, aber bei ihm nicht unbedingt findet. Vgl. zu diesem Thema auch: Nicholson, Holiness Emphasis in Wesleys' Hymns 49-61. An neuerer Literatur im deutschsprachigen Raum ist die Übersetzung des Buches von H. Lindström zu nennen: John Wesley und die Heiligung (Beiträge zur Geschichte der Evangelisch-methodistischen Kirche XIII), Stuttgart 1982².

Charles an der christlichen Vollkommenheit als Möglichkeit und Ziel im Leben der Glaubenden fest. Wie sein Bruder sieht er sich durch biblische Texte dazu gezwungen: *He wills that I should holy be: What can withstand his will?*, heißt es in einem Lied in Anlehnung an 1 Thess 4,3.[317] Andere biblische Texte, die in diesem Zusammenhang immer wieder anklingen sind Mt 5,48, Joh 5,14, 1 Joh 3,9 und 1 Joh 2,5. Allerdings sind die Lieder aus den frühen Jahren des wesleyanischen Liedschaffens wesentlich expliziter und positiver hinsichtlich der Möglichkeit christlicher Vollkommenheit als solche aus späteren Jahren. Anscheinend hatte die Erfahrung Charles Wesley gelehrt, ein Konzept zu hinterfragen, das aufgrund einiger biblischer Texte notwendig erschien, aber praktisch nicht verifizierbar war, mehr noch: ständig falsifiziert wurde. Charles Wesley unterstellte deshalb im Laufe der Zeit sein Konzept der christlichen Vollkommenheit mehr und mehr eschatologischen Kategorien und verband die wirkliche Erfüllung der Möglichkeit christlicher Vollkommenheit letztlich mit dem Tod des Glaubenden. John Wesley hielt an einem weniger strikten Konzept der Vollkommenheit fest und vermochte deshalb, sehr bestimmt von der Erlangung christlicher Vollkommenheit im Hier und Jetzt zu sprechen, so z.B. in seiner wichtigen und grundlegenden Predigt zu diesem Thema "On Christian Perfection".[318] Diese Differenzen zwischen den Brüdern führten nicht selten dazu, daß John Wesley Lieder seines Bruders zu diesem Thema mit kritischen Randbemerkungen zensierte, durch Kürzungen ihren Sinn änderte oder auch einfach Zeilen umschrieb, die nicht in sein Konzept paßten.[319]

In der *Collection* sind dem Thema des Ringens um christliche Vollkommenheit zwei große Abschnitte gewidmet, die - wenn man sie zusammennimmt, was inhaltlich geboten ist - die größte Anzahl von Liedern im Vergleich mit anderen Abschnitten auf sich vereinigen. Die Platzierung und Benennung dieser Abschnitte (obwohl sekundär und von John, nicht Charles Wesley) gibt schon erste Hinweise auf den Kontext, in dem das Ringen um die christliche Vollkommenheit bei Wesley gesehen werden muß. Der erste Abschnitt "For Believers Groaning for full Redemption"[320] findet

---

[317]Collection Nr. 373 Strophe 3.
[318]Vgl. hierzu Schmidt, John Wesley II, 273-275.
[319]Vgl. dazu Tyson, Wesley's Theology of the Cross 659-661.
[320]Collection Nr. 331-379.

sich innerhalb einer Beschreibung verschiedener Stadien des Lebens der Glaubenden. Die Überschrift signalisiert eine Zweiteilung des Heilsgeschehens: Eine "volle" Erlösung wird auch im Leben der Glaubenden noch erwartet. Der folgende Abschnitt macht deutlich, daß damit nicht etwa die eschatologische Spannung zwischen diesem Äon und dem kommenden angesprochen ist. "For Believers Brought to the Birth"[321] deutet an, daß die angesprochene volle Erlösung eine innerweltliche Größe darstellt. Es handelt sich bei dieser "vollen" Erlösung um nichts anderes als die christliche Vollkommenheit. Interessant ist in diesem Zusammenhang ein Blick auf die Terminologie, mit der der Abschnitt über die Bekehrung in der *Collection* vorgestellt wird. Dieser Abschnitt ist überschrieben mit "For Mourners brought to the Birth". Wesley benennt also sowohl die Bekehrung als auch die Heiligung als "Geburt". Diese auffallende Terminologie, die von zwei Stadien der Erlösung spricht und beide als (Wieder-) Geburt bezeichnen kann, wird auch durch den Inhalt der Lieder abgedeckt, die sich in diesen Abschnitten befinden. Tatsächlich bezeichnet Charles Wesley das Erreichen der christlichen Vollkommenheit oder der "sanctificatio" als (Wieder-) Geburt, manchmal auch ganz explizit als *second birth, second blessing* oder *second gift: Lord ... The second gift impart;*[322] *The graces of my second birth To me shall all be given.*[323] Er denkt also wirklich im Sinne einer Zweistufen-Abfolge der Erlösung, deren Stadien als "justificatio" und "sanctificatio" bezeichnet werden können. Damit sind nicht etwa fremde theologische Begriffe in das wesleyanische Liedgut hineingetragen. In den Abschnitten, die dem Ringen um christliche Vollkommenheit gewidmet sind, tauchen z.B. Wortverbindungen, die sich auf den Grundbegriff "sanctificatio" zurückführen lassen, immer wieder auf: *sanctified by love divine,*[324] *Thy sanctifying grace,*[325] *the sanctifying word,*[326] *thy sanctifying power*[327] - diese und ähnliche Begriffe durchziehen die Lieder, auch wenn Charles Wesley den eigentlichen terminus technicus "sanctification" zu meiden

---

[321]Collection Nr. 380-405.

[322]Collection Nr. 344 Strophe 3.

[323]Collection Nr. 347 Strophe 8.

[324]Collection Nr. 331 Strophe 1.

[325]Collection Nr. 344 Strophe 2.

[326]Collection Nr. 372 Strophe 2.

[327]Collection Nr. 384 Strophe 6.

scheint. Die Erklärung, warum er den Begriff der (Wieder-) Geburt dabei mit der Erreichung der Vollkommenheit verbindet - eine Verbindung, die Kommentatoren viel Kopfschmerzen bereitet - scheint mir relativ einfach und offensichtlich. Sie liegt letztlich in Wesleys vorkritischem Biblizismus begründet. Wesley las einen Text wie 1 Joh 3,9 ganz wörtlich: "Whosoever is born of God doth not commit sin; for his seed remaineth in him: and he cannot sin, because he is born of God." Dieser Text schien für Wesley ganz deutlich zu signalisieren, daß die Geburt aus Gott und christliche Vollkommenheit, verstanden als Sündenlosigkeit, untrennbar zusammengehören. Er sieht sich von daher gezwungen, den Begriff der Geburt aus Gott besonders für das Stadium der christlichen Vollkommenheit in Anspruch zu nehmen (wenn er das Bild der Geburt auch durchaus für den Vorgang der Bekehrung verwendet[328]). Dieser Zusammenhang wird ganz deutlich in der folgenden Strophe:

Hasten, Lord the perfect day!
Let thy every servant say,
I have now obtained the power,
Born of God, to sin no more.[329]

Damit ist aber im Grunde nur eine terminologische Eigentümlichkeit des wesleyanischen Konzepts der christlichen Vollkommenheit geklärt. Wichtiger sind inhaltliche Aspekte und Begründungen, die mit diesem Bereich verbunden sind. Auch bei dieser Fragestellung wird man mit einer Fülle von Bildern und Motiven konfrontiert. Ich greife die folgenden zentralen Aspekte heraus: die sittliche Vollkommenheit als Neuschöpfung, Wiederherstellung der imago Dei und Wiedergewinnung des Paradieses, die christologische Verinnerlichung dieser protologischen Bilder und das ihr korrespondierende Verständnis der Sünde, die Bedeutung der Einwohnung Gottes im Glaubenden und dessen Teilhabe an der göttlichen Natur, die Bedeutung des Begriffs *perfect love* und die Frage nach dem Zeitpunkt der angestrebten Vollkommenheit.

---

[328]Gegen Hodges/Allchin, Rapture of Praise 21, die den Begriff der Geburt bei Wesley so gut wie ausschließlich auf die Heiligung bezogen sehen wollen.
[329]Collection Nr. 388 Strophe 8; ähnlich Collection Nr. 341 Strophe 1; Nr. 365 Strophe 4.

Zunächst zu dem Themenkomplex, der sich aus Bildern zusammensetzt, die letztlich alle dem Bereich der Protologie bzw. dem Parallelismus zwischen Schöpfung und Neuschöpfung zuzuordnen sind. Es fällt auf, wie häufig Wesley im Zusammenhang mit dem Streben um christliche Vollkommenheit von der Neuschöpfung des glaubenden Menschen spricht. So heißt es z.B. in dem Lied, das den Abschnitt "For Believers Groaning for full Redemption" in der *Collection* eröffnet:

The thing my God doth hate,
That I no more may do,
Thy creature, Lord, again create,
And all my soul renew;
My soul shall then, like thine,
Abhor the thing unclean,
And sanctified by love divine
Forever cease from sin.[330]

Diese Strophe macht die Erlangung christlicher Vollkommenheit ganz eindeutig abhängig von einem erneuten Schöpfungsakt Gottes: *Thy creature, Lord, again create.* Hier wird ein fundamentaler Aspekt des wesleyanischen Konzepts christlicher Vollkommenheit angesprochen: Bei der christlichen Vollkommenheit handelt es sich nicht um ein Heiligungsstreben im Sinne einer Selbstvervollkommnung des Menschen; das menschliche Streben steht hier eigentlich gar nicht im Blickpunkt des Interesses. Im Gegenteil: Christliche Vollkommenheit wird ganz theozentrisch interpretiert. Sie ist Handeln Gottes am Glaubenden, ein schöpferischer Akt Gottes, dem der Mensch im Grunde passiv gegenübersteht - so läßt es zumindest das Bild der christlichen Vollkommenheit als Neuschöpfung vermuten. Wie schon bei dem Bild der Geburt überträgt Wesley` auch hier eine Aussage auf die christliche Vollkommenheit, die eigentlich auf die Erlösung zu beziehen ist (2 Kor 5,17). Daß diese Strophe nicht isoliert im wesleyanischen Liedschaffen steht, läßt sich anhand anderer Texte leicht belegen: *Come, Lord, and form my soul anew, ... In love create thou all things new,*[331] heißt es in einem Lied des Abschnitts "For

---

[330]Collection Nr. 331 Strophe 1; vgl. auch Nr. 478 Strophe 4.
[331]Collection Nr. 341 Strophe 2.

Believers Groaning for full Redemption", während ein anderes (poetisch weniger ansprechend) formuliert:

> I shall, a weak and helpless worm,
> Through Jesus strengthening me,
> Impossibilities perform,
> And live from sinning free.

> For this in steadfast hope I wait;
> Now, Lord, my soul restore,
> Now the new heavens and earth create
> And I shall sin no more.[332]

Mit dem Bild der Schöpfung bzw. Neuschöpfung verbunden ist der Gedanke der Wiederherstellung der imago Dei im Menschen als Teil der christlichen Vollkommenheit. Immer wieder finden sich in den wesleyanischen Liedern Bitten um diese Wiederherstellung der imago Dei im Glaubenden: *Let us, to pefect love restored, Thy image here receive,*[333] heißt es in einem Lied, während ein anderes bittet: *stamp thine image on my heart.*[334] Ein weiteres Lied blickt voraus auf die Erlangung der christlichen Vollkommenheit: *When thou the work of faith hast wrought, I here shall in thine image shine, Nor sin in deed, or word, or thought.*[335] Das letzte Beispiel ist insofern ungewöhnlich, als Wesley im allgemeinen die Bilder der Neuschöpfung und Wiederherstellung der imago Dei im Menschen vorwiegend in die Form des Bittgebets kleidet, womit deutlich gemacht wird, daß die christliche Vollkommenheit Handeln Gottes am Menschen ist, und daß es um ein Geschehen geht, das nicht in der Vergangenheit liegt (Charles Wesley selbst dankt an keiner einzigen Stelle rückblickend für das Geschenk christlicher Vollkommenheit), sondern von der Zukunft her erwartet wird. Dasselbe gilt auch für die Texte, die von einer Wiedergewinnung des Paradieses sprechen, wobei der Begriff

---

[332] Collection Nr. 346 Strophe 9f.

[333] Collection Nr. 333 Strophe 2; vgl. dazu auch Tyson, Wesley's Theology of the Cross 631 f. Für John Wesley vgl. E.W. Gerdes, John Wesleys Lehre von der Gottesebenbildlichkeit des Menschen, Diss. Kiel 1958 (masch.).

[334] Collection Nr. 383 Strophe 6.

[335] Collection Nr. 389 Strophe 4.

"Paradies" bei Wesley den Raum menschlichen Lebens vor dem Sündenfall bezeichnet, einen Raum, der in der christlichen Vollkommenheit wiedergewonnen wird: *That we our Eden might regain...,*[336] *Restored to our unsinning state, To love's sweet paradise.*[337] Deutlich ist, daß bei Wesley die Wiederherstellung der imago Dei und die Wiedererlangung eines "paradiesischen Zustandes" eng verbunden sind. Dies ist nicht weiter verwunderlich, da beide Bilder ihren Ursprung in der Schöpfungsgeschichte haben. Das wird im folgenden Beispiel besonders hervorgehoben:

Father, Son, and Holy Ghost,
Be to us what Adam lost;
Let us in thine image rise,
Give us back our paradise![338]

In einem anderen Lied wird dieses Bild aber auch gewissermaßen umgekehrt: Der Glaubende wird als Resultat christlicher Vollkommenheit nicht etwa in ein Paradies versetzt, sondern das Paradies wird - als Voraussetzung christlicher Vollkommenheit - in das Innerste des Glaubenden verlegt: *thou plantest in my heart A constant paradise*[339] - auch dies ein Beispiel für die sich bei Wesley häufig findende Verinnerlichung theologischer Topoi.

Dieser erste Komplex von Bildern innerhalb des weiten Themenbereichs der christlichen Vollkommenheit, der durch protologische Motive und Bilder charakterisiert ist (Schöpfung - Neuschöpfung, Wiederherstellung der imago Dei, Wiedergewinnung des Paradieses), ergibt ein in sich stimmiges Bild: Christliche Vollkommenheit knüpft an die erste Schöpfungswirklichkeit an, in der Gott den Menschen in Gottes Bild schuf und dem Menschen einen vollkommenen Lebensraum gab. Ein zweiter Komplex von Bildern legt sich gewissermaßen über diesen ersten Komplex und ergänzt ihn im Sinne zweier für Wesley typischer Momente: der christologischen Konzentration und der Verlegung

---

[336] Collection Nr. 369 Strophe 6.
[337] Collection Nr. 378 Strophe 1.
[338] Collection Nr. 500 Strophe 4; vgl. auch Nr. 501 Strophe 6:
Rise eternal in our heart!
Thou our long sought Eden art:
Father, Son, and Holy Ghost,
Be to us what Adam lost!
[339] Collection Nr. 393 Strophe 5.

aller soteriologischen Realität in die Innerlichkeit des Glaubenden.

Die Verlegung der Realität der Neuschöpfung des Menschen in die Innerlichkeit wird offensichtlich in Wesleys Vorliebe für das Bild der Schaffung eines neuen Herzens im Glaubenden als zentralem Inhalt der Neuschöpfung. Immer wieder wird in den Liedern, die der christlichen Vollkommenheit gewidmet sind, um ein neues Herz gebeten als Voraussetzung eines Lebens der Vollkommenheit:

O for a heart to praise my God,
A heart from sin set free!
A heart that always feels thy blood,
So freely spilt for me!
. . .
A heart in every thought renewed,
And full of love divine,
Perfect, and right, and pure, and good -
A copy, Lord, of thine![340]

Dieses Lied gibt auch schon einen ersten Hinweis auf die christologische Konzentration der protologischen Bilder: Das Herz, das neugeschaffen wird, soll dem Herz Jesu nachgeformt sein, und die imago Dei, die wiederhergestellt wird, ist die imago Christi: *I shall fully be restored To the image of my Lord.*[341] Gut in dieses Bild paßt auch das wesleyanische Verständnis der Sünde, die dieser christ-lichen Vollkommenheit entgegensteht und deshalb ausgerottet werden muß. Charles Wesley denkt dabei so gut wie nie an eine Summe von Einzelsünden, sondern konzentriert sich fast ausschließlich auf ein Verständnis der Sünde als sündigem Zustand, als Grunddisposition und Grundoption des Menschen. Er hat also eher die ontologische als die ethische Dimension des Sündenbegriffs vor Augen. Daraus ergibt sich, daß innerhalb der Lieder zur christlichen Vollkommenheit die moralischen Appelle an den Glaubenden zur Überwindung bestimmter Einzeltaten verschwindend gering sind (ganz abgesehen davon, daß ein Kirchenlied wohl kaum der geeignete Ort für solche Appelle ist).

---

[340]Collection Nr. 334 Strophe 1, 4.
[341]Collection Nr. 345 Strophe 13.

Fast immer wird dagegen Gott aufgefordert, die verkehrte Grundoption des Menschen zu beheben. Der häufigste Begriff für diese Grundorientierung ist im wesleyanischen Liedgut der Begriff *inbred sin*. Oft wird diese "angeborene Sünde" im Herzen des Glaubenden lokalisiert, das es neuzuschaffen gilt: *O Jesu, let thy dying cry Pierce the bottom of my heart, ... Slay the dire root and seed of sin,*[342] *Dry corruption's fountain up, Cut off th' entail of sin,*[343] *My inbred malady remove.*[344] In einem Lied spricht Wesley diese *indwelling sin* sogar direkt an; die ersten drei Strophen des Liedes haben als Gesprächspartner die eigene angeborene Sünde[345] (- ein etwas merkwürdiges Konzept für ein Lied). All diese Bitten - und die Liste könnte beliebig vermehrt werden - finden sich wohlgemerkt in der *Collection* nicht in einem Abschnitt, der der Bekehrung gewidmet ist, sondern in dem Abschnitt, in dem die Glaubenden um die christliche Vollkommenheit bitten. - Von dem Bild der Neuschaffung des Herzens der Glaubenden her läßt sich das wesleyanische Verständnis christlicher Vollkommenheit interpretieren nicht als Zustand, in dem einzelne Tatsünden auf ein Minimum zurückgeschraubt sind, sondern als Leben unter ganz neuen Voraussetzungen: Die Möglichkeit der Sünde scheint ja gar nicht mehr gegeben. Auf diesem Hintergrund wird verständlich, warum Charles Wesley die Erlangung dieses Zustands mehr und mehr mit dem Ende des irdischen Lebens verband, wenn biblische Aussagen ihn auch zwangen, die Möglichkeit der Vollkommenheit zumindest theoretisch für dieses Leben zu bejahen.

Ein zweites wichtiges Bild neben der Schaffung eines neuen Herzens im Glaubenden - und nicht loslösbar von diesem - ist das Bild der Einwohnung Gottes im Glaubenden als Grundlage der Vollkommenheit. Das neue Herz wird verstanden als Thronsaal oder als Tempel Gottes: *Make, O make my heart thy seat, O set up thy kingdom there!*[346] Wesley betet immer wieder um die Einwohnung Gottes im Herzen des Glaubenden in den Liedern, die der christli-

---

[342] Collection Nr. 332 Strophe 1f.

[343] Collection Nr. 344 Strophe 4.

[344] Collection Nr. 353 Strophe 4.

[345] Collection Nr. 371, siehe besonders Strophe 1: O great mountain, who art thou, Immense, immovable? ... Thou art indwelling sin.

[346] Collection Nr. 342 Strophe 3; vgl. auch Nr. 338 Strophe 4f.

chen Vollkommenheit gewidmet sind; einmal wird diese Einwohnung Gottes auch als Einpflanzung beschrieben:

When shall I see the welcome hour
That plants my God in me!
Spirit of health, and life, and power,
And perfect liberty![347]

Hier wird ganz deutlich, daß das Konzept der christlichen Vollkommenheit im wesleyanischen Liedgut nicht als ausschließlich ethisches Konzept verstanden werden kann - eine mystische Dimension ist unverkennbar. Letztlich ist es die unio mit dem Heiligen Gott, die den Menschen heiligt:

Thy witness with my spirit bear
That God, my God, inhabits there,
Thou with the Father and the Son
Eternal light's coeval beam;
Be Christ in me, and I in him,
Till perfect we are made in one.[348]

Das eben zitierte Lied, das von der Einheit des Glaubenden mit Christus spricht, ist an den Heiligen Geist gerichtet: *Come, Holy Ghost, all-quick'ning fire*, lautet die Eingangsstrophe. Hier findet sich ein weiteres Charakteristikum der wesleyanischen Lieder zur christlichen Vollkommenheit. Der Heilige Geist wird als Medium der Neuschöpfung, der Wiederherstellung der imago Dei und der unio mit Gott verstanden. Auch in den Bitten um die Einwohnung Gottes im Glaubenden findet sich nicht selten ein explizit pneumatologischer Aspekt, der diese Bitten zu Epiklesen werden läßt:

O come, and dwell in me,
Spirit of power within,
And bring the glorious liberty
From sorrow, fear, and sin.
The seed of sin's disease,

---

[347]Collection Nr. 351 Strophe 3.
[348]Collection Nr. 341 Strophe 2.

Spirit of health, remove,
Spirit of finished holiness,
Spirit of perfect love.[349]

Mit dem Gedanken der Einwohnung Gottes im Glaubenden ist aber letztlich gesagt: Gott schenkt im Grunde nicht ein neues Herz, sondern sich selbst: *Give me thyself,*[350] *thyself impart,*[351] heißt es deshalb häufig in den Liedern. Dabei findet sich wieder eine gewisse Umkehrung auch dieses Bildes der Einwohnung Gottes im Menschen: Nicht nur sieht Wesley im Anschluß vor allem an Gal 2,20 diese Einwohnung Christi bzw. Gottes im Glaubenden, fast ebenso häufig spricht er (wohl in Anlehnung an Gedankengut aus dem mystischen Spiritualismus) von einem Versinken des Glaubenden in Gott: *lost in an ocean of God,*[352] *lost in Love Divine,*[353] *lost in thy immensity,*[354] *wholly lost in thee.*[355] Diese und ähnliche Aussagen finden sich besonders häufig in den Liedern zur christlichen Vollkommenheit, ein weiteres Indiz, daß das ethische Element durch die mystische Dimension ergänzt, wenn nicht gar überlagert ist.

Wichtig ist in diesem Zusammenhang auch der Gedanke der Teilnahme an der göttlichen Natur, eine Vorstellung, die sich biblisch mit 2 Pet 1,4 begründen läßt und im Pietismus von fundamentaler Bedeutung war.[356] Auch wenn ganz explizite Anlehnungen an den biblischen Text in den wesleyanischen Liedern nicht sehr häufig sind, ist der Gedanke doch gerade innerhalb der Lieder zur christlichen Vollkommenheit wichtig:

---

[349] Collection Nr. 356 Strophe 1.

[350] Collection Nr. 355 Strophe 7.

[351] Collection Nr. 346 Strophe 7.

[352] Collection Nr. 76 Strophe 2.

[353] Collection Nr. 357 Strophe 1.

[354] Collection Nr. 363 Strophe 3.

[355] Collection Nr. 377 Strophe 3.

[356] Vgl. hierzu Schmidt, Teilnahme an der göttlichen Natur 238-298. Der Pietismus übernahm das Interesse an diesem Topos aus dem mystischen Spiritualismus. - A. Outler versucht in seinem bekannten und einflußreichen Buch über John Wesley (John Wesley, hg. von A. Outler (LPT), New York 1964, 9f) dessen Interesse an der christlichen Vollkommenheit aus der Lektüre griechischer Kirchenväter abzuleiten. Obwohl hier durchaus Verbindungen bestehen, ist gerade für Charles Wesley das Band zum Pietismus und mystischen Spiritualismus sicher ausgeprägter.

Send us the Spirit of thy Son
To make the depths of Godhead known,
To make us share the life divine;
Send him the sprinkled blood t'apply,
Send him our souls to sanctify,
And show and seal us ever thine.[357]

Die Teilnahme an der göttlichen Natur ist bei Wesley also ein weiteres Konzept, das Teil des Mosaiks zum Thema der christlichen Vollkommenheit darstellt. Wichtig ist über diese Tatsachenfeststellung hinaus natürlich die Frage, was genau Wesley unter der Teilnahme des Glaubenden an der göttlichen Natur verstand. Deutlich ist zunächst, daß er diese Teilnahme personal, nicht etwa dinghaft interpretiert. Wesley sieht in ihr nicht so sehr eine Teilhabe, als vielmehr Gemeinschaft mit Gott:

The promise stands forever sure,
And we shall in thine image shine,
Partakers of a nature pure,
Holy, angelical, divine;
In spirit joined to thee the Son,
As thou art with the Father one.[358]

Daß es sich nicht einfach um ein rein ethisches Konzept handelt (im Sinne der Gleichheit des Glaubenden mit dem Gott, der keine Sünde kennt), ist allerdings auch deutlich. Wesley versteht die Teilhabe an der göttlichen Natur nicht primär von der ethischen Voraussetzung her, sondern eher die Gemeinschaft mit Gott als sine qua non christlicher Vollkommenheit. Von diesem Gedanken der Teilnahme an der göttlichen Natur läßt sich auch ein Zugang gewinnen zu demjenigen wesleyanischen Begriff, der in den Liedern fast wie ein terminus technicus für christliche Vollkommenheit erscheint: *perfect love*.[359] Der Begriff ist biblischen Ursprungs; Charles Wesley entnahm ihn 1 Joh 4,17f, wo diese Wortverbindung dreimal in unterschiedlichen Konstellationen auftaucht: "love made perfect", "perfect love" und "perfect in love" (vgl. auch 1 Joh

---

[357] Collection Nr. 366 Strophe 2.
[358] Collection Nr. 369 Strophe 8.
[359] Vgl. zu diesem Begriff Findlay, Christ's Standard Bearer 52-59; Tyson, Wesley's Theology of the Cross 204-212.

2,5). Da Charles Wesley Gottes Wesen ("nature") als Liebe charakterisiert, ist es nur konsequent, daß sein Konzept der Teilnahme an der göttlichen Natur letztlich Teilnahme und Gemeinschaft in und mit der Liebe bedeutet. Christliche Vollkommenheit, wenn mit dem Begriff *perfect love* interpretiert, meint also letztlich ungetrübte Gemeinschaft mit Gott. Damit ist die christliche Vollkommenheit aber eminent positiv gedeutet, nicht etwa negativ als Fehlen von Sünde, obwohl dieser Aspekt natürlich auch präsent ist. Der Begriff *perfect love* lenkt aber den Blick von der negativen Definition christlicher Vollkommenheit als Sünden-losigkeit auf die positive Anfüllung des Begriffs als vollkommene Liebesgemeinschaft mit Gott:

Father, Son, and Holy Ghost,
In council join again
To restore thine image, lost
By frail, apostate man;
O might I thy form express,
Through faith begotten from above,
Stamped with real holiness,
And filled with perfect love![360]

Wie in dem eben zitierten Beispiel, so findet sich auch in vielen anderen Liedern der Begriff *perfect love* vorwiegend in der letzten Strophe eines Liedes und damit meistens innerhalb des für Wesley charakteristischen eschatologischen Ausblicks. Mit dieser Feststellung ist die Frage nach dem Zeitpunkt der christlichen Vollkommenheit aufgeworfen. Wie schon erwähnt, hält Charles Wesleys Bruder John sowohl an der innerweltlichen Erlangung christlicher Vollkommenheit als auch an der Feststellbarkeit eines bestimmten Zeitpunkts für dieses Ereignis fest. Charles Wesley ist hier wesentlich vorsichtiger. Seine Überzeugung der Feststellbarkeit eines bestimmten Zeitpunkts der Bekehrung dehnte sich *nicht* auf sein Konzept christlicher Vollkommenheit aus; ebensowenig versteifte er sich in späteren Jahren darauf, christliche Vollkommenheit als innerweltliche Realität zu verstehen. Allerdings scheint der Abschnitt "For Believers Brought to the Birth" in der *Collection* Charles Wesleys Position nicht ganz ge-

---

[360]Collection Nr. 357 Strophe 4.

recht zu werden. Immerhin suggeriert die Überschrift ja, daß Glaubende hier das Stadium christlicher Vollkommenheit erreicht haben. Die einzelnen Lieder dieses Abschnitts strafen die Überschrift allerdings Lügen. Im Grunde unterscheiden sich diese Lieder in nichts von den Liedern des vorangehenden Abschnitts "For Believers Groaning for full Redemption". Auch hier ringen die Glaubenden weiterhin um die christliche Vollkommenheit; in keinem Lied wird rückblickend für die Erlangung christlicher Vollkommenheit gedankt. Sie wird immer noch von der Zukunft her erwartet. Nur in einem Detail unterscheiden sich die Lieder dieses Abschnitts von den vorangegangenen: Das Ringen um die christliche Vollkommenheit scheint intensiviert, und den Bitten ist jetzt meistens eine genauere Zeitbestimmung beigegeben, das Wörtchen *now: Now let me gain perfection's height*,[361] *make Me now a creature new*,[362] *Now, Saviour, now the power bestow*,[363] *Enter now thy poorest home: Now, my utmost Saviour, come*,[364] *Jesu, now our hearts inspire ... Kindle now the heavenly fire.*[365] Dieses ständig wiederkehrende Wörtchen *now* gibt den Liedern eine besondere Dringlichkeit. Es scheint das Stadium der christlichen Vollkommenheit in greifbare Nähe zu rücken. Dennoch wird auch in diesen Liedern die christliche Vollkommenheit nie wirklich erreicht, wenn sie auch ständig in allernächster Nähe erwartet wird. Nur einmal, in der letzten Strophe des letzten Liedes in dem Abschnitt "For Believers Brought to the Birth" macht Wesley den Versuch, das drängende Bitten um die Gabe christlicher Vollkommenheit beantwortet zu sehen:

'Tis done! thou dost this moment save,
With full salvation bless;
Redemption through thy blood I have,
And spotless love and peace.[366]

Diese Strophe steht aber ganz isoliert innerhalb der anderen Lieder dieses Abschnitts und darf nicht außerhalb des Kontexts ei-

---

[361] Collection Nr. 381 Strophe 4.
[362] Collection Nr. 390 Strophe 2.
[363] Collection Nr. 391 Strophe 3.
[364] Collection Nr. 399 Strophe 2.
[365] Collection Nr. 402 Strophe 2.
[366] Collection Nr. 405 Strophe 6.

ner ansonsten doch konsequenten Zurückhaltung gegenüber einer "realisierten" christlichen Vollkommenheit interpretiert werden. Diese wesleyanische Zurückhaltung gegenüber der Fixierbarkeit eines bestimmten Zeitpunkts sollte natürlich nun nicht als Verneinung des Konzepts christlicher Vollkommenheit überhaupt verstanden werden. Die Lieder in den genannten Abschnitten machen deutlich, daß Wesley weiterhin um diese Vollkommenheit ringt: Die Lieder selbst fangen dieses Ringen ein. Sie stellen ja ein ständiges Bitten um die Gabe christlicher Vollkommenheit dar. In diesem Sinne *sind* sie das Ringen selbst.

Damit aber ist am Abschluß dieser Interpretation des Ringens um die christliche Vollkommenheit im wesleyanischen Liedgut im Grunde auch etwas über die *Collection* als Ganze gesagt. In ihr finden sich eben nicht nur Lieder, die die Heilserfahrung oder christliche Vollkommenheit thematisieren oder gar über sie reflektieren. Nein, diese Lieder sind die Botschaft selbst: Sie sind Feiern der Heilserfahrung, sie sind Ringen um christliche Vollkommenheit, sie sind Antizipation des Kommenden, sie sind Lobpreis und Verkündigung der Heilstaten Gottes. Gerade beim Thema des Ringens um christliche Vollkommenheit wird diese Identität zwischen Thema und Performativität besonders deutlich.

D. Schlußfolgerung

Die Einzelinterpretation theologischer Themen in der *Collection* hat als theologische Interpretation doxologischen Materials zweierlei deutlich gemacht: Zunächst stellt eine solche Interpretation kein Problem dar, solange man sie als eine theologische Reflexion versteht, deren Gegenstand doxologisches Material ist. Eine theologische Reflexion ist praktisch über jeden Gegenstand möglich, die Doxologie bildet keine Ausnahme. Dabei ist aber nun zu beachten, daß zwischen einer theologischen Untersuchung einerseits und ihrem Gegenstand andererseits klar zu differenzieren ist. Weder verwandelt sich eine theologische Interpretation dadurch, daß sie an doxologischem Material geschieht, selbst in eine doxologische Aussage, noch wird die Doxologie dadurch, daß sie theologisch interpretiert wird, selbst zu einer theologischen Aussage. Ein zweites wird bei der Interpretation der *Collection* deutlich: Mit einem theologischen Instrumentarium nähert man sich einer doxologischen Aussage (und einem Gesangbuch) un-eigentlich. Die Lieder (ob als Andachtssprache oder als Kultsprache formuliert) wollen primär ja nicht zur theologischen Reflexion einladen, sondern zum Lobpreis Gottes. Sie entwickeln ihr wahres Sein deshalb auch nicht als gedruckte Texte, wie sie uns in der theologischen Analyse begegnen, sondern als vollzogenes Gotteslob im Singen der glaubenden Gemeinschaft. Die theologische Interpretation sieht aber im Grunde, insofern sie Textanalyse ist, nur einen kleinen Teil dieses Geschehens des Gotteslobes: eben das geschriebene Wort.

Damit ist keineswegs gesagt, daß die Doxologie nicht auch eine Form der Reflexion über den Glauben darstellt. Gesagt ist allerdings, daß es sich dabei nicht um ihren primären Sinn handelt, es folglich also höchstens um eine implizite Reflexion über den Glauben gehen kann. Wie sich diese implizite Reflexion über den Glauben zur explizit theologischen Reflexion verhält, ist das Thema des sich anschließenden letzten Abschnitts der vorliegenden Arbeit. Dieser Abschnitt ist auf dem Hintergrund der Untersuchung zu den Liedern von Charles Wesley einer genaueren Beschreibung der Wesensmerkmale doxologischer Rede im Verhältnis zur theologischen Reflexion gewidmet.

Teil 3

IV.
Versuch einer Beschreibung der Wesensmerkmale doxologischer Rede in ihrem Verhältnis zur theologischen Reflexion

In Anlehnung an die in Kapitel II skizzierte Diskussionslage um das Verhältnis von Doxologie und Theologie und auf dem Hintergrund der in Kapitel III vorgelegten Studie zum wesleyanischen Liedgut läßt sich die Aufgabenstellung dieses letzten Teils der Untersuchung folgendermaßen umreißen: Im Sinne eines ersten rudimentären Zwischenergebnisses soll anhand der hier vorliegenden Materialien der Versuch einer Beschreibung des Wesens und der Wesensmerkmale doxologischer Rede in ihrem Verhältnis zur theologischen Reflexion unternommen werden.[367] Daß an diesem Punkt weitere Untersuchungen zu anderen doxologischen Traditionen (hymnischen und nicht-hymnischen) nicht nur hilfreich, sondern zweifellos notwendig sind, ist ohne weiteres ersichtlich. Dennoch entbindet das Fehlen anderer konkreter Modelle[368] nicht davon, anhand des hier erarbeiteten spezifischen Modells

---

[367]An dieser Stelle sei ausdrücklich darauf hingewiesen, daß ich entscheidende Anregungen zu diesem letzten Kapitel den Arbeiten von und dem Briefkontakt mit Richard Schaeffler (Tübingen) verdanke. Drei seiner Arbeiten waren mir in diesem Zusammenhang besonders wichtig: Kultus als Weltauslegung, in: Kult in der säkularisierten Welt, hg. von B. Fischer u.a., Regensburg 1975, 9-62; Kultisches Handeln. Die Frage nach Proben seiner Bewährung und nach Kriterien seiner Legitimation, in: Ankunft Gottes und Handeln des Menschen. Thesen über Kult und Sakramente, hg. von P. Hünermann/R. Schaeffler (QD LXXVII), Freiburg i.B. 1977, 9-50; Kleine Sprachlehre des Gebets, Einsiedeln 1988. Keinem, der diese Arbeiten kennt, wird entgehen, welchen Einfluß sie auf das hier vorliegende Kapitel (bis in die Gliederung hinein) genommen haben. Richard Schaeffler sei an dieser Stelle aber auch besonders für die konstruktive briefliche Diskussion gedankt.
[368]Nicht in dem Sinne, daß doxologische Traditionen nicht Gegenstand von theologischen Untersuchungen waren und sind, sondern unter dem Gesichtspunkt

einer hymnisch-doxologischen Tradition den Versuch einer vorläufigen Wesensbestimmung doxologischer Rede im Verhältnis zur theologischen Reflexion vorzulegen. Dabei ist es selbstverständlich, daß besonders auf Aspekte zu achten ist, die eben nicht nur das wesleyanische Liedgut, sondern hymnisch-doxologische Traditionen überhaupt charakterisieren. Es bleibt zu hoffen, daß der hier vorgelegte Versuch anhand anderer Detailuntersuchungen geprüft, modifiziert, erweitert (vielleicht nicht unbedingt: widerlegt) werden wird.

A. Merkmale doxologischer Rede

Einer der grundlegenden Ausgangspunkte der hier vorliegenden Arbeit besteht in der Überzeugung, daß das Wesen und die Wesensmerkmale der Doxologie sachgerecht am ehesten anhand der doxologischen Rede selbst zu bestimmen und zu charakterisieren sind - und eben nicht mittels eines von außen an sie herangetragenen Instrumentariums. Es war von daher nur konsequent, sich spezifisch doxologischem Material selbst zuzuwenden, um ein sachgerechtes Verständnis der Eigenart der Doxologie zu gewinnen. Versucht man nun auf diesem Hintergrund, die primären Wesensmerkmale doxologischer Rede zu identifizieren, so bietet sich als Leitfrage für diese Aufgabe die Frage nach der spezifischen Deutung der (Glaubens-) Wirklichkeit in und durch die Doxologie an.[369] Wie interpretiert die Doxologie quâ Doxologie die Wirklichkeit, über die sie spricht oder singt? In der Beantwortung dieser Frage wird deutlich werden, daß sich in der doxologischen Rede eine ganz spezifische und unverwechselbare Deutung der Wirklichkeit vollzieht, die so nur unter den der Doxologie eigenen Funktionsgesetzen zu leisten ist.[370] Die verschiedenen Aspekte dieser doxologischen Deutung der Wirklichkeit sind charakteristische Wesensmerkmale doxologischer Rede.

---

der Fragestellung nach dem Wesen der Doxologie im Verhältnis zur theologischen Reflexion.

[369]Radikaler formuliert Brueggemann, Israel's Praise 1-28; nach ihm "konstituiert" die Doxologie Wirklichkeit.

[370]So für den Kult Schaeffler, Kultus als Weltauslegung 21-38. Vgl. hierzu Jennings, On Ritual Knowledge 111-127.

Wenden wir uns zunächst einigen Aspekten des doxologischen Redens von Gott zu: Herausragendes Merkmal der Doxologie ist ganz offensichtlich, daß sie primär nicht *von* oder *über* Gott, sondern *zu* Gott spricht. Dies wird besonders deutlich in den anakletischen Formeln, die die doxologische Rede häufig einleiten oder begleiten: *My gracious Master and my God, Maker, Saviour of Mankind, O Love divine, Shepherd of souls, Saviour, Prince of Israel's race* - so lauten einige der unzähligen anakletischen Formeln, mit denen z.B. Charles Wesley seine Lieder beginnt. Aber selbst dort, wo sich die Doxologie nicht direkt einer "Du"-Sprache bedient, ist eine Dialogstruktur doch intendiert. Die Redeform der Doxologie gegenüber Gott ist der explizite oder implizite Vokativ, wie er alle anakletischen Formeln charakterisiert. Das doxologische "Gott nennen" geschieht also primär nicht als deskriptives, sondern als askriptives, selbst dort, wo die grammmatikalische Form eines Aussagesatzes vorliegt:

Glory to God, and praise, and love
Be ever, ever given,
By saints below, and saints above,
The church in earth and heaven.[371]

Interessant ist in diesem Zusammenhang eine Entwicklung im Spätjudentum, die zu dem Grundsatz führte, daß wenn die Frommen Gott nennen, sie sofort einen Lobpreis anschließen.[372] Damit ist dann auch das deskriptive "Gott nennen" in einen askriptiv-doxologischen Zusammenhang hineingestellt. Letztlich wird signalisiert, daß alles "Gott nennen" in einer doxologischen Orientierung münden sollte oder in ihr seinen eigentlichen Grund hat. Das Gottesbild, das durch dieses doxologische "Gott nennen" entsteht und umschrieben wird,[373] ist primär das des einen Gottes, der ansprech-bar ist. Die Doxologie, wie das Gebet überhaupt, setzt die Ansprechbarkeit Gottes für den Menschen voraus. Dabei signalisiert die Doxologie inhaltlich eine ganz spezifische Art des Ansprechens, eben die Anbetung. Gott ist nicht nur derjenige, der

---

[371] Charles Wesley, vgl. Kap. III A.4 meiner Untersuchung.

[372] Vgl. Stuiber, Doxologie 212.

[373] Vgl. hierzu Häußling, Liturgiesprache 279 und Steinheimer, Doxa tou Theou 100-107, der versucht, das Gottesbild, wie es die römische Liturgie in ihrer Verwendung des Doxa-Begriffes umschreibt, zu analysieren.

für den Menschen ansprechbar ist, Gott ist auch der Einzige, dem wir uns in der Form der Anbetung nähern.[374] Gleichzeitig macht die Doxologie aber auch deutlich, daß sie das, was sie intendiert - eben die Anrufung und Anbetung Gottes - nie wirklich adäquat oder angemessen leisten kann. Dies ist formal im Grunde schon durch die Wahl der Sprachform impliziert. Die Doxologie bedient sich im allgemeinen des genus poeticum. Sie transzendiert die sachliche Aussageform im hymnischen Lobpreis, radikalisiert aber auch das genus poeticum selbst noch einmal, indem sie den Vollzug überhöht - und singt. Die angemessene Vollzugsform der Doxologie ist ja eben nicht das Sprechen, sondern der Gesang. Vollform der Doxologie ist darum das gesungene, nicht das gesprochene Wort: *O for a thousand tongues to sing My dear Redeemer's praise*, heißt es in Charles Wesleys Lied, das er im Anschluß an seine Bekehrung schrieb.

Aber auch dieses Transzendieren sachlicher Aussagen, ja der ständige Versuch des Transzendierens menschlicher Aussagemöglichkeiten überhaupt,[375] ist nicht das letzte Wort der Doxologie im Angesicht des allen Lobpreis übersteigenden Gottes. Bei Charles Wesley, wie in der kirchlichen doxologischen Tradition allgemein, klingt verschiedentlich ein Motiv an, das sich am besten in der Kurzdoxologie "tibi silentium laus"[376] zusammenfassen läßt. Bei Charles Wesley findet sich dieser Gedanke des Schweigens als Lob, ja sogar als höchste Form des Lobpreises, an mehreren Stellen, am besten zusammengefaßt vielleicht in der folgenden Strophe:

> The Father shining on his throne,
> The glorious, coeternal Son,
> The Spirit, one in seven,
> Conspire our rapture to complete:
> And lo! we fall before his feet,
> And silence heightens heaven.[377]

---

[374]Vgl. Wainwright, Adoration 6.

[375]Henkys spricht von "Grenzverletzungen" der doxologischen Sprache, vgl. J. Henkys, Dietrich Bonhoeffers Gefängnisgedichte. Beiträge zu ihrer Interpretation, München 1986, 76.

[376]Zur Geschichte und Bedeutung des Satzes vgl. Cecchetti, "Tibi silentium laus" 521-570.

[377]Collection Nr. 324 Strophe 6.

Theologisch könnte man einen solchen Lobpreis des Schweigens als "Schluß-Doxologie" bezeichnen; er ist nicht das erste Wort des anbetenden Menschen, sondern steht eigentlich immer erst am Ende des überschwenglichen Rühmens Gottes.[378] Als solches ist er ein wichtiges Indiz dafür, daß auch das expliziteste und überschwenglichste Gotteslob (und das mit ihm vermittelte Bild von dem, dem Anbetung gebührt) ein Herantasten an ein Geheimnis ist, das die menschliche Vorstellungs- und Aussagekraft übersteigt. Die "laus silentium" ist deshalb kein leeres, sondern ein bedeutendes Schweigen:[379] Auch in ihr wird (schweigend) etwas über den gesagt, dem die "laus silentium" gebührt. Die Doxologie macht hier deutlich, wie sie immer wieder an ihre eigenen Grenzen stößt. Sie hat aber auch an diesem Punkt noch die Möglichkeit, durch den Hinweis auf ihre eigene Begrenzung zu verweisen auf das, was sie letztlich intendiert: Gott ist größer, als es auch der überschwenglichste Lobpreis zu sagen vermag.

In diesem Zusammenhang sei noch eine Bemerkung eingefügt zur para-doxen Rede in der Doxologie, auch sie ein Hinweis darauf, daß menschliches Reden an seine Grenzen stößt, wenn es "Gott nennen" will. Von der Para-doxie gilt:

"Die Sprachhandlung des paradoxen Redens ist
nicht ein Notbehelf, eine uneigentliche
Ausdrucksweise, die wir vorläufig wählen, weil
wir etwas noch nicht richtig sagen können.
Sondern sie ist die Weise, in der die Sprache den
Akt des Empfangens dessen vollzieht, was über den
Menschen hinaus ist und ihn als ihn selbst doch
zugleich völlig in Anspruch nimmt."[380]

In der Doxologie wird dieses Charakteristikum der paradoxen Rede ganz offensichtlich eingesetzt als Verweis auf den je größeren Gott. So beschreibt Wesley das Geheimnis der Menschwerdung Gottes einmal in einer ganz knappen paradoxen Formulierung fol-

---

[378]Etwas anders Welte, Religionsphilosophie 18, der das Schweigen als "Mutter der Rede von Gott" sieht. Die beiden Überzeugungen widersprechen sich nicht unbedingt. Wenn das Reden von Gott seinen Ursprung hat im Reden zu Gott, dieses aber eine Höchstform im Schweigen findet, so kann das Schweigen durchaus als Mutter der Rede von Gott bezeichnet werden.

[379]So Casper, Sprache und Theologie 162.

[380]Casper, Sprache und Theologie 172.

gendermaßen: *Being's Source begins to be And God himself is born!*
Gleichzeitig ist die Doxologie anhand solcher und ähnlicher
Aussagen aber auch gekennzeichnet als ein Paradox, das nicht
verstummen läßt, sondern Lobpreis auch im Angesicht des
Mysteriums ermöglicht.

Wenden wir uns nach diesen Bemerkungen zu spezifischen
Aspekten des doxologischen Redens von Gott nun Aspekten des doxologischen Redens vom Menschen zu. In der klassischen
Doxologie thematisiert sich der Mensch eigentlich nicht selbst, und
doch ist er natürlich präsent. Allerdings überwiegen Aussagen über
das angesprochene "Du" bei weitem in der Doxologie; das "ich" tritt
demgegenüber merkwürdig in den Hintergrund: Es "wird in der
Doxologie zum Opfer gebracht".[381] Wie aber deutet die Doxologie
dann die Wirklichkeit dieses "ich"? Zunächst einmal ist die
Wirklichkeit des "ich" in der Doxologie die Wirklichkeit der
Sprechenden. Dabei ist nun allerdings von fundamentaler
Bedeutung, daß diese Sprechenden in der Doxologie *Antwortende*
sind, also in einen Dialog miteinbezogen werden, der nicht bei ihnen seinen Ausgangspunkt nahm. Die Doxologie ist somit nicht
primär Entscheidung und Handeln des Menschen; sie ist
Antwortgeschehen. Dies wird schon deutlich, wenn man das he-
bräische Verb ידה betrachtet, das wir meist mit "preisen"
übersetzen. Es bedeutet eigentlich "bekennen", "bejahen" und
bezieht sich immer auf ein vorausgegangenes göttliches Faktum.[382]
Die Doxologie kann also verstanden werden als Reaktion auf das
Heilshandeln Gottes; sie setzt dieses Heilshandeln voraus und entspricht ihm. Damit aber ist gesagt: Die Doxologie ist keine
willkürliche Sprachhandlung, sie ist vorgeformt und bestimmt
durch Gottes Handeln selbst, dem sie korrespondiert.[383] "Er legte
mir ein neues Lied in den Mund, einen Lobgesang auf ihn, unsern
Gott", singt der Psalmist (Ps 40,4). Ob dabei der Lobpreis Gottes um
seiner selbst willen oder aber der Lobpreis für Gottes Heilshandeln
die höchste Form der Doxologie darstellt, scheint mir in diesem
Zusammenhang keine zentrale Frage zu sein. Beide Formen der
Doxologie sind ja nur denkbar als Reaktion auf die Erfahrung von
Gottes Heilshandeln.

---

[381] Schlink, Struktur 29.

[382] Vgl. G. von Rad, Theologie des Alten Testaments, Bd. I: Die Theologie der geschichtlichen Überlieferungen Israels, München 1978, 368.

[383] Vgl. Welte, Religionsphilosophie 188.

Nun ist in gewissem Sinne alles christliche Reden eine solche Antwort auf Gottes Heilshandeln. Es stellt sich die Frage, ob die Doxologie nicht die primäre und angemessenste (sprachliche) Reaktion auf dieses Heilshandeln darstellt. Vielleicht nicht umsonst lautet der erste Gebetsanruf beim morgendlichen Stundengebet: "Herr, öffne meine Lippen, *damit mein Mund dein Lob verkünde.*" Läßt sich nun aber wirklich eine Priorität der Doxologie vor anderen Formen des Redens zu und von Gott postulieren? D. Ritschl verweist in der Auseinandersetzung mit G. Sauters These, daß die Doxologie Priorität habe vor der Theologie, darauf, "daß sowohl im alten Israel das Erzählen der Story mit Jahwe als auch in der frühen Kirche die Nacherzählung Priorität vor der Doxologie hatten."[384] Er meldet deshalb Zurückhaltung an hinsichtlich der These, das Reden von Gott beginne mit dem Reden zu Gott. Nun gehe ich zwar mit Ritschl konform, daß die Ebene noch genauer bestimmt werden muß, auf der eine Priorität der Doxologie vor der Theologie postuliert werden kann. Aber der Hinweis auf die Priorität des Erzählens der Story Gottes mit den Menschen vor der Doxologie leuchtet in diesem Kontext nicht ein. Das Nacherzählen der Story Gottes geschah ja gerade im Alten Testament zentral innerhalb eines kultischen Kontexts, hatte also einen eindeutig doxologischen Sitz-im-Leben: "Bekannte Israel Jahwes Geschichtstaten, so war das, vollends wenn es in musischer Form geschah, nichts anderes als Lobpreis."[385] Auch für die frühe Kirche war das Erzählen der Heilstaten Gottes immer rühmendes Erzählen - das deshalb seinen Höhepunkt in der Rezitation der Heilstaten Gottes im eucharistischen Hochgebet fand. Das Erzählen der Heilstaten Gottes *kann* ja im Grunde auch nie etwas anderes als rühmendes und damit doxologisches Sprechen sein. Die "gefährliche Erinnerung" (J.B. Metz) des Gottesvolkes an diese Heilstaten geschieht eben deshalb ganz zentral in der liturgischen Anamnesis und damit in einem doxologischen Kontext (- eine Einsicht, die man bei vielen Vertretern einer sogenannten narrativen Theologie vermißt[386]). Trotz dieses Problems in Ritschls Argumentation meine auch ich, daß die Ebene noch genauer bestimmt werden muß,

---

[384]Ritschl, Logik 336. Ganz ähnlich Casper, Sprache und Theologie 185f. Anders McGrath, Geschichte 234-236.

[385]Von Rad, Theologie des Alten Testaments I, 368f.

[386]Darauf verwies schon Häußling, Liturgiewissenschaft zwei Jahrzehnte nach Konzilsbeginn 1-18.

in der eine Priorität der Doxologie vor der Theologie (zeitlich? inhaltlich? theologisch?) angenommen werden kann. Dabei sollte zumindest nicht vergessen werden, daß alle Formen christlichen Sprechens von und zu Gott letztlich Antwortgeschehen sind, Reaktionen auf die Erfahrung des Heilshandelns Gottes. Über diese grundlegende Aussage hinaus läßt sich bei der Frage einer Priorität der Doxologie vor der Theologie in folgender Richtung weiterargumentieren: Die Doxologie als Lobpreis Gottes kann als die sachlich angemessenste Reaktion der Menschen auf die Erfahrung von Gottes Heilshandeln in dieser Welt verstanden werden, da sie diesem Heilshandeln am adäquatesten korrespondiert: "Loben ist *die* Antwort des Geschöpfes auf Gottes schöpferisches und heilsschaffendes Handeln ... Das Gotteslob erscheint somit als die fundamentale Haltung des gläubigen Menschen."[387] Anders ausgedrückt: "Wenn die δοξα του θεου.das Ziel allen Seins ist, so ist die Doxologie die diesem Ziel einzig entsprechende Antwort des Menschen."[388] Daß die Doxologie von einer Symphonie anderer Formen der Antwort auf Gottes Heilshandeln begleitet sein muß (besonders zu nennen sind martyria und diakonia), ist offensichtlich. Eine sachliche Priorität der Doxologie als dem Heilshandeln Gottes am angemessensten läßt sich von daher durchaus aufzeigen; der Nachweis einer zeitlichen Priorität scheint allerdings schwierig - und im Grunde wenig fruchtbar,[389] sobald eine sachliche Priorität annehmbar scheint.

Von dieser Aussage läßt sich eine Brücke zurückschlagen zum Ausgangspunkt dieser Gedankenkette, den Aspekten des doxologischen Redens vom Menschen. Die Doxologie stellt den Menschen primär als einen Lobpreisenden dar und charakterisiert diesen Lobpreis als angemessene Antwort auf die Erfahrung des Heils. Nimmt man das alttestamentliche Bild vom Tod als Ende jeglichen Lobpreises Gottes[390] in diese Charakterisierung mit hinein, so ergibt sich folgendes Bild: "Loben ist die dem Menschen eigentümlichste Form des Existierens. Loben und nicht mehr Loben stehen einander gegenüber wie Leben und Tod. Der Lobpreis wird zum elementarsten 'Merkmal der Lebendigkeit' schlechthin."[391] Vom

---

387Lang, Opfer des Lobes 342f.
388Krahe, Psalmen 939.
389Vgl. dazu auch Power, Liturgical Foundation of Theology 489.
390Vgl. Miller, Enthroned on the Praises of Israel 5-19; Zeller, Gott nennen 13-34.
391Von Rad, Theologie des Alten Testaments I, 381.

doxologischen Sprechen her ließen sich Sünde und Tod dann deuten als Verweigerung und Ende des Lobpreises bzw. als Lobpreisen anderer Götter. Unter den Lobpreis anderer Götter muß dabei auch das Eigenlob fallen; in der Doxologie wird alles Rühmen der eigenen Leistung in seine Schranken gewiesen.[392] Leben in Fülle heißt also - anhand der Doxologie dechiffriert - "Gott preisen können". Vom christlichen Kontext ist allerdings das Bild vom Tod als Ende des Lobpreises dahingehend zu modifizieren, daß der Tod nicht als Ende des menschlichen Lobpreises schlechthin, sondern als Übergang in den Lobpreis der himmlischen Heerscharen verstanden wird. Damit verweist die Doxologie aber auch gleichzeitig auf das endgültige und ungetrübte eschatologische Erscheinen der doxa Gottes am Ende der Zeit. Sie hat von daher eine "antizipatorische Funktion":[393] Mit ihrem Lobpreis des Heilshandelns Gottes verweisen die Menschen auf und antizipieren die Zeit, in der dieses Heilshandeln Gottes seine endgültige Erfüllung findet.

Diese Skizze zu Aspekten des doxologischen Redens und der in ihm dargestellten Wirklichkeitsdeutung macht folgendes deutlich: Die Doxologie ist Trägerin einer ganz spezifischen und unverwechselbaren Welterklärung bzw. Deutung der (Glaubens-) Wirklichkeit, die letztlich nur denen sinnvoll erscheinen wird, die sich dieses doxologische Sprechen zu eigen machen, konkret: die bereit sind, sich als solche zu verstehen und zu erfahren, die "Gott allezeit das Opfer des Lobes darbringen, die Frucht der Lippen, die seinen Namen preisen" (Hebr 13,15). Die spezifische Deutung der (Glaubens-) Wirklichkeit in der Doxologie kann dabei folgendermaßen zusammenfassend skizziert werden: Alle Wirklichkeit ist letztlich hingeordnet auf die doxa Gottes - und damit auf nichts anderes als Gott selbst. Gottes Heilshandeln in der Geschichte wird als Ausdruck dieser doxa interpretiert. Sie zieht die Menschen in ein Begegnungsgeschehen hinein, in dem diese die doxa Gottes dankend bekennen, anbeten, feiern und ihre Erfüllung am Ende der Zeit antizipierend vorwegnehmen. Die Doxologie verweist darauf, daß außerhalb dieser doxologischen Begegnungsstruktur Leben im Glauben nicht möglich ist. Sie sieht in der anbetenden, liebenden Begegnung der Menschen mit Gott das eigentliche Ziel

---

[392]Darauf verweist mit Nachdruck Adam, Rühmen des Herrn 85.

[393]Ritschl, Logik 335, und Brueggemann, Israel's Praise 52: "Thus the doxology is an act of hope. It promises and anticipates a hoped-for world that is beyond present reality."

der Heilsgeschichte. Am Ende der Zeit werden die Menschen - als intensivste Form der doxologischen Begegnung mit Gott - in die doxa Gottes selbst mitaufgenommen. - Die Doxologie ist Trägerin dieser Wirklichkeitsdeutung unter ihr eigenen Funktionsgesetzen. Sie erschließt durch die Unverwechselbarkeit dieser Funktionsgesetze eine Deutungsdimension, die ihr weder durch Verkündigung, Theologie oder Diakonie abgenommen oder durch diese ersetzt werden kann.[394] So sagt Ritschl zu Recht in bezug auf das Verhältnis von Theologie und Doxologie: "Es wird in der Doxologie etwas über Gott und Mensch als wahr ausgesprochen, das so in deskriptiver Sprache nicht gesagt werden könnte."[395] Die Doxologie erschließt also eine ganz spezifische und unverzichtbare Dimension der Glaubenswirklichkeit unter den ihr eigenen Funktionsgesetzen.

Aber man muß wohl noch einen Schritt weitergehen, um die Funktionsgesetze und damit die Eigenart und Wesensmerkmale der Doxologie klar zu erfassen. Die Doxologie ist im Kern ja nicht allein sprachliche Aussage, sondern vor allem Vollzug, Handlung, Redegeschehen. Gerade bei der Interpretation des wesleyanischen Liedguts wurde immer wieder deutlich, daß man sich bei einer Interpretation der Texte nur einem (kleinen?) Teil der Wirklichkeit dieser Lieder nähert. Das eigentliche, eben der Vollzug, tritt bei der Textinterpretation nicht in den Blick. Nun ist aber gerade dies ein fundamentales Wesensmerkmal doxologischer Rede. Selbst wenn sie sich der grammatikalischen Form eines Aussagesatzes bedient, ist sie doch primär nicht Text oder Mitteilung (weder an Gott noch an Menschen), sondern "kräftiges, tätiges Wort ... Mitteilung nicht von satthaften Wahrheiten, sondern von Wirklichkeit."[396] Die Sprachphilosophie hat für diese Art von Sprache die Theorie der Sprachhandlungen bereitgestellt (grundlegend J.L. Austin und weiterführend J.R. Searle): In der Sprachhandlung wird eine Wirklichkeit nicht nur konstatiert und beschrieben, sondern auch geschaffen und verändert. Diesen Sprachhandlungen eignet Performativität - die Sprache wirkt hier verrichtend, leistend, ausführend, handelnd.[397] Auf die Doxologie

---

[394]So für den Kult Schaeffler, Kultus als Weltauslegung 48.
[395]Ritschl, Logik 330; ähnlich Stenzel, Liturgie als theologischer Ort 616 mit Bezug auf die Liturgie.
[396]Stenzel, Liturgie als theologischer Ort 616.
[397]Vgl. Casper, Sprache und Theologie 43.

bezogen[398] läßt sich dieser Gedanke folgendermaßen ausführen: In der Doxologie vollzieht sich primär nicht sprachliche Mitteilung (Gott wird nicht ständig Gottes Herrlichkeit bestätigt), sondern ein Geschehen,[399] nämlich die Begegnung zwischen den Anbetenden und dem, dem Anbetung entgegengebracht wird. In dieser Begegnung akzeptieren und vollziehen die Anbetenden je neu die (von Gott gestiftete) Beziehung, wie sie ihrer Berufung angemessen ist: "to glorify God and enjoy him forever" (so der *Westminster Shorter Catechism*). Die Doxologie vollzieht das, was sie aussagt[400]: In ihr ereignet sich anbetende Begegnung der Menschen mit Gott.

Daß die Grundform und Höchstform dieser in der Anbetung gestifteten und vollzogenen Beziehung zwischen Gott und Mensch im doxologischen Vollzug par excellence, sprich: der Liturgie zu finden ist, soll hier postuliert werden, ohne es näher zu belegen. In diesem Zusammenhang müßte zu gegebener Zeit auch der Frage nachgegangen werden, in wie weit doxologische Sprache als Sprachhandlung einen "institutionellen Rahmen", also die Gemeinschaft der Glaubenden voraussetzt, in der der Einzelne in einen umfassenden Handlungszusammenhang eintreten kann, ohne ihn als Einzelner je neu schaffen zu müssen.[401]

Damit sind die wichtigsten Wesensmerkmale der doxologischen Rede, wie sie anhand der Doxologie selbst zu bestimmen sind,[402] skizziert. Die Aussage allerdings, daß sich in der Doxologie eine spezifische und unverwechselbare Deutung der Wirklichkeit vollzieht, sagt noch nichts über die Richtigkeit und Legitimität dieser Deutung aus. Um diese Frage geht es im folgenden Abschnitt.

---

[398]Zur liturgischen Sprache vgl. Ladrière, Sprache des Gottesdienstes 110-117; Merz, Gebetsformen der Liturgie 100-115, und die Arbeit von Schermann, Sprache im Gottesdienst.

[399]Werlen, Ritual und Sprache 210 nennt "anbeten" als eines der explizit performativen Verben.

[400]So auch für die Glaubenssprache überhaupt Ladrière, Rede der Wissenschaft - Wort des Glaubens 246-248.

[401]Wichtig hierzu: Theorie der Sprachhandlungen und heutige Ekklesiologie, hg. von P. Hünermann/R. Schaeffler (QD CIX), Freiburg i.B. 1987, besonders S. 8f; und Olivetti, Kirche als Gottesnennung 189-217.

[402]Vgl. auch die Analyse der Grundstruktur der "ursprünglichen Theologie" (sprich: der Doxologie) bei Krahe, Psalmen 927f.

B. Kriterien der Legitimation

So wie die Wesensmerkmale doxologischer Rede aus und anhand der Doxologie selbst zu bestimmen sind, so sind auch Kriterien der Legitimation für die doxologische Rede in engem Anschluß an die Doxologie selbst zu erarbeiten. Dies soll im vorliegenden Abschnitt - wieder durchaus im Sinne eines vorläufigen Zwischenergebnisses - geschehen.

Der Versuch basiert auf dem Postulat, daß Kriterien der Legitimation für die doxologische Rede aus der Eigengesetzlichkeit der Doxologie zu entwickeln sind. Doxologisches Sprechen legitimiert sich aufgrund der ihm eigenen Funktionsgesetze und dadurch, daß diese radikal zur Geltung gebracht werden.[403] Es ist nicht sinnvoll, die Doxologie dieser ihr eigenen Funktionsgesetze zu berauben und sie von außen an sie herangetragenen Kriterien der Legitimation zu unterwerfen. Man ginge damit am Wesen der Doxologie vorbei und würde kaum dieser spezifischen Sprachhandlung entsprechende und angemessene Kriterien entwickeln können. Inhaltlich sind diese Aussagen folgendermaßen auszuführen: Auf der Basis der eben erarbeiteten Wesensmerkmale doxologischer Rede ergibt sich als zentrale "Funktion" der Doxologie die Begegnung zwischen Gott, dem Anbetung gebührt, und den Menschen, die dies in ihrem Lobpreis anerkennen und vollziehen. Das zentrale Kriterium der Legitimation einer so charakterisierten doxologischen Rede muß demnach sein: "Leistet" die Doxologie dies, ermöglicht sie diese spezifische Form der Begegnung zwischen Gott und Mensch? Bietet sie Freiraum für den Vollzug dieser ihr ganz eigenen Dimension der Wirklichkeit? Ist sie authentischer Ausdruck der ihr zugrundeliegenden Intention?

Dieses Kriterium der Legitimation, das ganz der spezifischen Eigengesetzlichkeit der Doxologie entspricht, ist der doxologischen Wirklichkeitsdeutung angemessen: Die Doxologie wird hier radikal als solche ernst genommen und muß sich aufgrund ihres eigenen Anspruchs befragen und hinterfragen lassen.

Nun ist die doxologische Rede aber kein "autarkes Sprachspiel"[404] - und darf es auch niemals werden (was gerade bei der

---

[403] So für den Kultus Schaeffler, Kultisches Handeln 9-11, 38.

[404] In der Sprachphilosophie hat sich der Begriff des "autonomen Sprachspiels" eingebürgert. Er ist für das, was ich der Doxologie absprechen möchte, nämlich die

Betonung der Eigengesetzlichkeit der Doxologie immer wieder zu beachten ist). Als eine spezifische Grundform menschlichen Antwortens auf Gottes Heilshandeln ist die Doxologie, wie alle anderen Formen des Antwortens auch, daran gebunden, diesem Heilshandeln Gottes - auf die ihr eigene Art - zu korrespondieren.[405] Die Frage der Korrespondenz zwischen dem Heilshandeln Gottes und dem in der Doxologie erfolgenden Antworten auf dieses Heilshandeln ist konfrontiert mit dem Problem divergierender Glaubensinterpretationen auch in der doxologischen Rede. Damit aber ist das Problem legitimer und illegitimer Formen der Doxologie aufgeworfen. Dieses Problem legitimer und illegitimer Formen ist gerade in der Doxologie akut, da die doxologische Rede im Grunde nicht unbedingt eine Klarheit des Ausdrucks anstrebt und doxologische Aussagen deshalb selten eindeutig sind. Nun ist aber offensichtlich, daß nicht jeder Lobpreis quâ Lobpreis Gottes Heilshandeln angemessen und damit Träger des Vollzugs der doxologischen Begegnung zwischen Gott und Mensch ist. Man kann Gott ja doch nicht für alles preisen (wie es eine Bewegung in den US-amerikanischen Pfingstgemeinden und fundamentalistischen Kreisen gerne will): Auch Jesus starb nicht mit einer Berakah auf den Lippen. In vielen Situationen unseres heutigen Lebens gilt es wohl eher, die alte Gebetsform der Klage wiederzuentdecken. Für die Doxologie gilt deshalb: Illegitime Formen doxologischer Rede tun den eigentlichen Wesensmerkmalen der Doxologie Gewalt an - selbst wenn sie formal den Strukturgesetzen einer Doxologie entsprechen mögen. Sie verneinen durch ihren Inhalt die Korrespondenz mit und die Entsprechung zu dem Heilshandeln Gottes: "Gott, ich danke dir, daß ich nicht wie die anderen Menschen bin, die Räuber, Betrüger, Ehebrecher..." (Lk 18,11).[406] "Gelobt sei Gott, der mich nicht als Frau geschaffen hat." An diesen klassischen Beispielen einer Fehlform doxologischer Rede wird deutlich, wie auch die Doxologie der kritischen Reflexion und damit der Theologie bzw. der theologischen Wissenschaften bedarf. Die

---

Selbstgenügsamkeit, nicht hilfreich, da ich durchaus für eine Eigengesetzlichkeit der Doxologie plädiere. Ich übernehme deshalb zur Bezeichnung dessen, was ich hinsichtlich der Doxologie verneine, den Begriff der "Autarkie" von Schaeffler, Gebet und Argument 212-330.

[405] Zur "Korrespondenzfrage" vgl. Ritschl, Logik 106-108, 293-295.

[406] Vgl. Häußling, Kosmische Dimension 6: "Der Pharisäer spricht, formal ungemein korrekt, eine Berakah: nach der üblichen Anaklese anerkennt er Gott als den Herrn seiner konkreten, vom gläubigen Eifer bestimmten Existenz..."

kritische Reflexion ist unerläßlich auch für die Doxologie, gerade weil diese kein "autarkes Sprachspiel", sondern Teil der sich komplementär[407] zueinander verhaltenden Sprachformen der auf Gottes Heilshandeln Antwortenden ist. Die doxologische Rede muß sich als Teil dieser Sprachwelt verantworten; sie darf sich deshalb der kritischen Reflexion theologischer Wissenschaften nicht verweigern. Dies gilt insbesondere für die Kultsprache, ist aber auch für die Andachtssprache von Bedeutung, wie die oben zitierten Fehlformen doxologischer Rede illustrieren. Der Satz "Prayers must not be analyzed; they must be prayed"[408] mag auf diesem Hintergrund für die Ebene des Vollzugs Wichtiges und Wahres beinhalten, ist aber angesichts der mannigfaltigen Gefahren, denen doxologisches Sprechen unterliegt (Idolatrie, Magie, Selbstverherrlichung) als Grundsatz nicht hilfreich.

Dabei sei folgendes betont: Die kritisch-theologische Reflexion über die doxologische Rede muß sich streng an den Wesensmerkmalen und Kriterien der Legitimation der Doxologie selbst orientieren. Abzulehnen ist eine kritische Reflexion, die die ihr eigenen Wesensmerkmale und Legitimationskriterien auf die Doxologie projiziert und angewendet sehen will. Damit wird die Grundintention der Doxologie verfehlt, wie es auch in der doxologischen Rede selbst ohne weiteres möglich ist.[409] Es kommt zu einer Veränderung der Redegattung, die nur als Verfälschung zu bezeichnen ist. Nachweisbar ist diese Gefahr besonders, wenn die Doxologie - und das Gebet überhaupt - als Plattform dogmatischer oder auch moralischer Belehrungen mißbraucht werden. Ein vielzitiertes Beispiel, das hart an der Grenze einer solchen Verfälschung doxologischer Rede durch die Verwechslung der Doxologie mit einem Kompendium von Lehraussagen (das "gebetete Dogma"!) steht, bietet die Präfation von der Dreifaltigkeit:

"In Wahrheit ist es würdig und recht, dir, Herr,
heiliger Vater, allmächtiger, ewiger Gott, immer
und überall zu danken. Mit deinem eingeborenen
Sohn und dem Heiligen Geist bist du der eine Gott
und der eine Herr, nicht in der Einzigkeit einer

---

[407]Vgl. dazu Schaeffler, Kultus als Weltauslegung 55.
[408]Ritschl, Memory and Hope 169.
[409]Zu "Verfehlungen" der Gattung "Gebet" vgl. Merz, Gebetsformen der Liturgie 127f.

Person, sondern in den drei Personen des einen
göttlichen Wesens. Was wir auf deine Offenbarung
hin von deiner Herrlichkeit glauben, das bekennen
wir ohne Unterschied von deinem Sohn, das
bekennen wir vom Heiligen Geiste. So beten wir an
im Lobpreis des wahren und ewigen Gottes die
Sonderheit in den Personen, die Einheit im Wesen
und die gleiche Fülle in der Herrlichkeit."[410]

Hier hat die theologische Reflexion ihrem Bestreben, der
Doxologie die ihr eigenen Wesensmerkmale und Funktionsgesetze
aufzuzwingen, die Grenzen einer legitimen und authentischen
Doxologie erreicht. Die Grund-"Funktion" der Doxologie, die anbetende Begegnung der Menschen mit Gott, ist hier verwischt zugunsten der vergewissernden Rezitation (wer wird hier angesprochen?) dogmatischer Wahrheiten.
    Soviel zu den Kriterien der Legitimation doxologischer Rede -
auf das Verhältnis der Doxologie zur theologischen Reflexion wird
in einem letzten Abschnitt dieser Arbeit näher einzugehen sein.
Zunächst sei aber noch etwas gesagt über die Bewährungsproben doxologischer Rede.

C. Bewährungsproben

    Auch die Frage nach Bewährungsproben doxologischer Rede
wird an den der Doxologie eigenen Funktionsgesetzen nicht
vorbeigehen dürfen und können, wenn sie sachgemäß vorgehen
will. Die Suche nach angemessenen Bewährungsproben doxologischer Rede sei deshalb hier begonnen, indem die Frage nach der
Wirksamkeit der Doxologie aufgegriffen wird, und zwar unter dem
spezifischen Aspekt der Verifikation dieses Redegeschehens. Dabei
ist zunächst zu bedenken, daß ein wichtiger Teil der Frage nach der
Verifikation das Problem des Kriteriums der Verifikation darstellt. Es wurde gesagt, daß performative Sprachhandlungen sich
nicht unter dem Kriterium von "wahr oder falsch" bewähren, son-

---

[410]Meßbuch. Für die Bistümer des deutschen Sprachgebietes hg. im Auftrag der
Bischofskonferenz Deutschlands usw., Bd. II, Einsiedeln 1975, 251-253.

dern daran, ob sie glücken oder scheitern.[411] Auch wenn man diese Unterscheidung so nicht unbedingt aufrecht erhalten möchte, ist doch für die Bewährung der Doxologie zunächst die Frage nach der Doxologie als Praxis der anbetenden Begegnung mit Gott zu stellen. Die Doxologie quâ Doxologie hat sich unter diesem Blickwinkel primär *nicht* gegenüber von außen an sie herangetragenen Kriterien der Bewährung zu legitimieren (z.B. der Frage ihres Informationswertes, der Übereinstimmung der Inhalte mit denen der Erfahrungswissenschaften, ihrer psychologisch stabilisierenden Funktion oder ihrer Motivation zum Handeln). Die Doxologie hat sich als Geschehen der anbetenden Begegnung mit Gott zu bewähren und zu bewahrheiten. Damit ist eine Bewährungsprobe postuliert, die sich aus dem innersten Wesensmerkmal der Doxologie ableitet und diesem gerecht wird. Der Anspruch der Doxologie als Ort der anbetenden Begegnung mit Gott wird "beim Wort genommen".

Wie aber bewährt sich die Doxologie als anbetende Begegnung der Menschen mit Gott? Sie bewährt und bewahrheitet sich als solche nicht zuletzt explizit in der Abwehr falscher Gegenstände der Anbetung, der Gefahr des Götzendienstes und der Selbstverherrlichung. Dies mag zunächst fremd klingen. Die überragende Bedeutung dieser sehr reellen Gefahren (und ihrer Abwehr) wird aber schon durch einen kurzen Blick auf die "Bundesgrammatik" des Alten Testaments, den Dekalog, deutlich. Die ersten drei Gebote verweisen im Grunde ja genau auf diese die Doxologie als anbetende Begegnung mit Gott bedrohenden Fehlhaltungen (kultische Untertöne sind unüberhörbar):

"Ich bin Jahwe, dein Gott ... Du sollst neben mir keine anderen Götter haben. Du sollst dir kein Gottesbild machen und keine Darstellung von irgend etwas am Himmel droben, auf der Erde unten oder im Wasser unter der Erde. Du sollst dich nicht vor anderen Göttern niederwerfen und dich nicht verpflichten, ihnen zu dienen ... Du sollst den Namen des Herrn, deines Gottes, nicht mißbrauchen; denn der Herr läßt den nicht ungestraft, der seinen Namen mißbraucht." (Ex 20, 2-7)

---

[411] So (in Anlehnung an J.L. Austin) Casper, Sprache und Theologie 44.

Das Rede-Geschehen der Doxologie erscheint als der durch diese negativen Bestimmungen (die ja als Heilsgabe aufgefaßt werden) geschützte, positive Raum: als Ort der expliziten Anerkennung und Anbetung Gottes, der Gottes Volk Heil widerfahren läßt. Daß dieser Raum geschützt werden muß und die Art, wie er geschützt wird, sagen im Grunde folgendes: Die anbetende Begegnung mit Gott ist kein magischer Automatismus, der in der Doxologie immer glückt und nicht scheitern kann. Auch die Doxologie muß sich bewahrheiten, eben dadurch, daß sie wirklicher anbetender Begegnung mit Gott Raum schafft und Fehlleistungen (Magie, Idolatrie, Selbstverherrlichung) entlarvt und richtet. Dabei ist die Doxologie natürlich primär nicht Zweckhandlung - deren Bewährungsproben ja relativ leicht zu bestimmen sind. Die entscheidende Frage bei einer Zweckhandlung lautet: Erfüllt diese Handlung ihren Zweck? Vielmehr ist die Doxologie primär Ausdruckshandlung, die im Grunde ganz zweck-frei ist[412] und sich letztlich an der Authentizität ihres Ausdrucks bewährt.

Auf dem Hintergrund der Zweckfreiheit der Doxologie ist auch die Frage zu bejahen, ob Gott ohne den menschlichen Lobpreis Gott sei.[413] Die christliche Tradition hat diese Bejahung mit dem Hinweis auf die Anbetung der Engel (und der Schöpfung) gestützt. Vom Wesen der Doxologie her ist dasselbe zu sagen. Die doxologische Rede ist zweckfrei auch in dem Sinne, daß sie sich ihren Gott nicht erst durch den Vollzug schafft. Ebensowenig wird Gott in der Doxologie etwas Gott fehlendes gegeben; vielmehr wird das Gott eignende anerkannt.[414] Vielleicht sollte die Frage so allerdings auch gar nicht erst gestellt werden. Sie wird letztlich der Wirklichkeit nicht gerecht, daß Gott selbst diese anbetende Beziehung gestiftet und intendiert hat. Die Frage, ob Gott diese Beziehung "braucht", tritt in den Hintergrund im Licht der Tatsache, daß Gott sie liebend ins Leben ruft.

Auch hier gilt allerdings wieder, daß die Doxologie kein autarkes Sprachspiel darstellt, sondern sich komplementär zu anderen

---

[412]Vgl. zur hymnischen Doxologie Brunner, Lehre vom Gottesdienst 264: "absichtslos, zwecklos, ungeteilt, ihr eigenes Wesen ganz darin erfüllend, daß sie nichts mehr ist und nichts mehr anderes zu sein braucht als der vollendete Spiegel der Glorie Gottes."

[413]Vgl. Ritschl, Logik 331.

[414]So Kittel/von Rad, δόξα 248, 251.

Sprachhandlungen des Glaubens verhält. Tritt ihr bei der Frage nach Kriterien der Legitimation besonders die kritische Reflexion theologischer Wissenschaften zur Seite, so findet sich die Doxologie bei der Frage nach ihren Bewährungsproben in einer gewissen Nähe zum ethischen Verhalten der Glaubenden. Dabei erscheint es als eine Simplifizierung, das ethische Verhalten direkt zur Bewährungsprobe der Doxologie zu machen. Es ist eher dafür zu plädieren, die Doxologie und das ethische Verhalten als zwei je eigenen Funktionsgesetzen unterworfene Antworten des Menschen auf das göttliche Heilshandeln anzusehen. Dabei sind die Bewährungsproben der Doxologie - wie die Doxologie selbst - natürlich auf das ethische Handeln bezogen, aber eben nicht in dem Sinne, daß das ethische Handeln selbst zur direkten Bewährung der Anbetung wird. Die Doxologie hat die ihr eigenen Bewährungsproben zu bestehen. Diese verhalten sich komplementär zu den Bewährungsproben ethischen Verhaltens. Insofern kann auch hier die Korrespondenzfrage, die Frage nach der *Übereinstimmung* zwischen den beiden Bereichen, eine legitime Bewährungsprobe doxologischer Rede sein. Gottes-Dienst und Menschen-Dienst entsprechen einander, sollten aber (gemäß der alten christologischen Weisheit) im Sinne eines unvermischt und ungetrennt zueinander in Beziehung gesetzt werden. Es kann nie das eine ohne das andere geben, aber ebensowenig kann eines durch das andere ersetzt oder in ihm "aufgehoben" werden. Vielleicht kann man sogar noch einen Schritt weitergehen: So wie in der Doxologie mehr ausgedrückt wird, als in der theologischen Reflexion gesagt werden kann, so wird auch in der Doxologie mehr vollzogen, als im konkreten ethischen Verhalten gelebt wird. Wir stellen immer nur gebrochen dar, in was die Doxologie uns antizipierend hineinzieht. In diesem Sinne ist eher die Doxologie als ständige Herausforderung und Kritik für das ethische Verhalten zu verstehen, als daß das ethische Verhalten zum kritischen Maßstab der doxologischen Rede wird. Wahrscheinlich sollte aber überhaupt davon abgesehen werden, *einen* spezifischen Bereich der menschlichen Antworten auf Gottes Heilshandeln einseitig zur Bewährungsprobe der anderen zu machen. Die Bewährung aller liegt vielleicht letztlich in der Komplementarität der spezifischen Bewährungsproben.

Nachdem zu Beginn verwiesen wurde auf die Bewährung doxologischer Rede anhand der Frage, ob die Doxologie glückt oder scheitert unter Ablehnung des Kriteriums von "wahr oder falsch", sei hier noch eine Bemerkung eingefügt zur "Wahrheit" doxologischer Rede. Die Frage der Be-wahrheitung der Doxologie muß im Grunde beantwortet werden mit einem Hinweis auf Gott. Gott selbst verantwortet letztlich die Wahrheit dessen, was die Doxologie ausdrückt,[415] denn Gott ist Stifter der Beziehung, die sich in der Doxologie vollzieht und gefeiert wird. Mit anderen Worten: Es ist der Geist Gottes selber, der in uns betet,[416] und es ist das testimonium sancti spiritus internum, das dieses Beten bewahrheitet. Davon legt die junge Kirche, wie sie uns in den Schriften des Neuen Testaments entgegentritt, beredetes Zeugnis ab. Sie verstand ja ihr Beten, Preisen und Singen als geistgewirktes und damit primär gar nicht als Menschenwerk, sondern als Gotteswerk. Anbetung Gottes geschieht im Geist und in der Wahrheit (Joh 4,23f): "laßt euch vom Geist erfüllen! Laßt in eurer Mitte Psalmen, Hymnen und Lieder erklingen, wie der Geist sie eingibt. Singt und jubelt aus vollem Herzen zum Lob des Herrn" (Eph 5,18f). "Singt Gott in eurem Herzen Psalmen, Hymnen und Lieder, wie sie der Geist eingibt, denn ihr seid in Gottes Gnade" (Kol 3,16). Als pneumatisches, als transfiguriertes, als antizipierendes, als "letztes" Wort entzieht sich die Doxologie deshalb im Grunde den Verifikationsmöglichkeiten anderer Sprachformen. In der Sicht der Glaubenden, die sich die doxologische Rede und das in ihr sich vollziehende Geschehen der Anbetung zueigen machen, bewährt sich allerdings die Doxologie gerade dadurch, daß sie ständig transzendierende und transfigurierte Sprache ist und nur so dem Mysterium angemessen, das sich in der Doxologie erschließt. Allerdings ist die Doxologie dem Mysterium wiederum auch gerade dadurch angemessen, daß sie ständig darauf verweist, ihm niemals wirklich angemessen sein zu können. Vielleicht ist es deshalb hinsichtlich der Doxologie sachgerecht, von einer Art "eschatologischer Verifikation" zu sprechen: Im Aufscheinen der doxa Gottes in der Doxologie - und vollkommen am Ende der Zeiten - bewahrheitet und bewährt sich die doxologische Rede. In diesem Aufscheinen der doxa Gottes liegen nun aber auch Wert und Würde der Doxologie. Sie ist Raum der Gegenwart Gottes und Vollzug der Gottesbegegnung. "Gott thront über dem Lobpreis Israels", singt der Psalmist (Ps 22,4). Als eine explizite Station der Gottesbegegnung

---

[415]Vgl. Ritschl, Logik 130.
[416]Vgl. Plathow, Geist und Gebet 47-65.

ist die Doxologie für die Glaubenden und ihre Gemeinschaft, die Kirche, unaufgebbar.

D. "Audemus dicere...": doxologische Rede und theologische Reflexion

In den vorangegangenen Abschnitten wurde versucht, die Wesensmerkmale, Kriterien der Legitimation und Bewährungsproben doxologischer Rede zu skizzieren, so wie sie sich auf dem Hintergrund der zu diesem Thema schon geleisteten wissenschaftlichen Arbeit (Teil 1) und im Kontext der speziellen Untersuchung zum Liedgut des frühen Methodismus (Teil 2) darstellen. Es bleibt nun die Frage, was aufgrund dieser Wesensbestimmung der Doxologie über das Verhältnis doxologischer Rede zur theologischen Reflexion zu sagen ist. Dieser Frage sei der letzte Abschnitt der Arbeit gewidmet. Dabei wird es nicht um eine Kriteriologie doxologischer Rede gehen können; hierfür war der Rahmen der vorliegenden Untersuchung von vorneherein zu begrenzt. Daß eine solche Kriteriologie anzustreben ist und daß diese Arbeit als Vor-Arbeit zu einer Kriteriologie doxologischer Rede verstanden werden kann, ist offensichtlich. Allerdings werden zahlreiche weitere Untersuchungen zu anderen doxologischen Traditionen notwendig sein, bevor diese Kriteriologie sinnvoll in Angriff genommen werden kann.

Durch die vorangegangenen Abschnitte wird deutlich geworden sein, daß von einer konstitutiven Vielsprachigkeit[417] des Glaubens bzw. der Glaubenden ausgegangen wird, innerhalb derer die doxologische Rede und die theologische Reflexion als zwei spezifische Grundformen der menschlichen Antwort auf Gottes Heilshandeln einen je eigenen Raum einnehmen. Das Ganze des Glaubens wird letztlich nur in einem Zusammenklingen aller dieser verschiedenen Formen des glaubenden Antwortens auf Gottes Geschichte mit den Menschen ausgedrückt werden können. Mit dieser Charakterisierung der Ausgangsposition der vorliegenden Arbeit ist im Grunde schon zweierlei gesagt über Ähnlichkeiten und

---

[417]Den Ausdruck übernehme ich aus einem Brief von R. Schaeffler an die Verfasserin vom 6.2.1985.

Unähnlichkeiten zwischen der doxologischen Rede und der theologischen Reflexion:

Zunächst ist an einer engen Verbindung zwischen doxologischer Rede und theologischer Reflexion festzuhalten, wenn man den größeren Kontext betrachtet, in dem beide existieren. Sowohl die Doxologie als auch die Theologie stellen Aussagen des Glaubens dar, Antworten der Glaubenden auf die Erfahrung des Heilshandelns Gottes, das sie voraussetzen. Beide finden in diesem Heilshandeln Gottes die Anrede, auf die sie ent-sprechend zu antworten suchen. Doxologie und Theologie haben aber nicht nur diesen fundamentalen Referenzpunkt gemeinsam, auch die Träger dieser beiden Antwortformen auf die Anrede Gottes sind identisch. Es ist ja offensichtlich nicht so, daß ein Teil der Glaubenden mit größtmöglicher Distanz zum Gebet theologisch reflektiert, während ein anderer Teil (unreflektiert?) betet. Beide Aktivitäten sind - wenn auch in unterschiedlicher Intensität - dem ganzen Volk Gottes eigen und gemeinsam. Ob auch von einem gemeinsamen Ziel von Doxologie und Theologie gesprochen werden kann, hängt letztlich davon ab, auf welcher Ebene eine solche Gemeinsamkeit angesiedelt werden soll. Sicher wird man an unterschiedlichen Zielsetzungen von Doxologie und Theologie auf der Ebene der direkten Intention festhalten müssen. Der Doxologie als zweckfreiem Lobpreis Gottes steht die Theologie als konstruktives Reflektieren auf die Geschichte dieses Gottes mit den Menschen gegenüber. Blickt man andererseits auf den größeren Gesamtzusammenhang, so ließe sich auf dieser Ebene durchaus eine Gemeinsamkeit zwischen den beiden, ja zwischen *allen* Formen der Antworten des Glaubens auf die Anrede Gottes postulieren. Ohne einem doxologischen Fundamentalismus verfallen zu wollen, ließe sich dieser größere Gesamtzusammenhang doch bestimmen im Horizont einer Aussage des Epheserbriefes: "wir sind zum Lob seiner Herrlichkeit bestimmt" (Eph 1,12; vgl. auch 1,6 und 14). Auf der Ebene dieser "letzten" Bestimmung unseres Seins "ad maiorem Dei gloriam" fallen natürlich auch die Zielpunkte von Doxologie und Theologie zusammen. Um den Sachverhalt genauer zu treffen, müßte man eigentlich sogar sagen, daß in diesem übergreifenden Begründungszusammenhang die theologische Reflexion *aufgehoben* wird in der Doxologie. Die eschatologische Vollendung am Ende der Zeit wird ja in der christlichen Tradition durchgehend als Aufhebung aller Existenz in die ununterbrochene Anbetung Gottes verstanden (- dem entspricht in der Offenbarung des Johannes das Bild vom himmlischen Jerusalem als Ort des ständigen Gottes-Dienstes; vgl. Offb 4f; 11,15-19; 15; 19). In diesem Kontext wird vielleicht auch ein Satz von P. Brunner verständlich, der den Hymnus als "die in alle Ewigkeit während Endgestalt der *theologia*"[418] bezeichnet. Dieser größere Gesamtzusammenhang, der über die Ebene der direkten Intention der beiden Sprachformen hinausgeht, erlaubt es also durchaus, von einer letztlich gemeinsamen Zielsetzung von Doxologie und Theologie zu sprechen und zwar in dem Sinne, daß die Doxologie zum übergreifenden Ziel aller Theologie wird.[419] Allerdings muß bei einer solchen Verhältnisbestimmung klar gesagt werden, daß hier die Ebene der direkten Intention der beiden Sprachformen überschritten ist.

Diese Gemeinsamkeiten zwischen Doxologie und Theologie als Formen der Antwort des Glaubens auf Gottes Heilshandeln führen natürlich zu wichtigen Übereinstimmungen zwischen den beiden.[420] In diesem Zusammenhang sind auch die mannigfaltigen Beispiele der Interdependenz und gegenseitigen Beeinflussung von Doxologie/Liturgie und Theologie einzuordnen, wie sie uns in der Kirchen- und Dogmengeschichte entgegentreten. Man denke nur an die Bedeutung doxologischer Formeln bei der Entwicklung der Christologie, den Einfluß des Streits um den Semipelagianismus auf einige römische Orationen oder die Auswirkungen der Kontroverse um den Adoptianismus auf die mozarabische Liturgie. Diese Beispiele (und die Liste könnte beliebig vermehrt werden) zeigen schon, daß Doxologie und Theologie in einem größeren gemeinsamen Gesamtzusammenhang stehen, so daß Entwicklungen in *einem* Bereich notwendigerweise Auswirkungen auf den anderen haben. Diese Übereinstimmungen treten naturgemäß besonders deutlich hervor, wenn als Folie für die Betrachtung der beiden Bereiche Aussagen herangezogen werden, die nicht Antworten des Glaubens sind, wenn also z.B. doxologische und theologische Aussagen mit solchen der Naturwissenschaften verglichen werden.

An der engen Verbindung zwischen doxologischer Rede und theologischer Reflexion aufgrund der ihnen gemeinsamen Merkmale als Antworten glaubender Menschen auf die Erfahrung des

---

[418]Brunner, Lehre vom Gottesdienst 264.

[419]Kasper, Wissenschaftspraxis der Theologie 244, 275 spricht deshalb von einer "doxologischen Dimension" der Theologie und davon, daß die Theologie "in der Liturgie verankert sein und immer wieder zur Doxologie werden" muß.

[420]Vgl. auch Macquarrie, Prayer and theological Reflection 584-587.

Heilshandelns Gottes sollte unbedingt festgehalten werden. Dies darf aber nun nicht dazu führen, daß die Eigengestalten dieser beiden Glaubenssprachen nivelliert werden. Die Doxologie, als eine spezifische Form der Antwort auf Gottes Heilshandeln und Gegenwart, unterliegt eigenen Funktionsgesetzen, die sich von denen der Wissenschaftssprache theologischer Reflexion unterscheiden. Dieser Differenz muß Rechnung getragen werden. Sie verbietet meiner Meinung nach eine unmittelbare Nutzbarmachung doxologischer Rede für die Theologie, so als könnten direkt verwertbare Lehraussagen aus der Doxologie abgeleitet werden oder auch diese in Lehre umgesetzt werden. In diesem Sinne ist die Doxologie wohl kaum "locus theologicus" und sicher kein "gebetetes Dogma"; in diesem Sinne gibt es auch keine "Theologie in Hymnen". Es darf ja nicht vergessen werden, daß man sich bei einer theologischen Reflexion über die Doxologie meistens anhand doxologischer *Texte* orientiert. Das bedeutet aber, daß man gar nicht mit der eigentlichen Doxologie in actu konfrontiert ist, sondern ein Hilfsmittel oder ein Relikt in der Hand hält, eben einen Text. Dieser Text mag zu dem Gedanken verführen, das doxologische Rede-Geschehen könne theologisch ohne Schwierigkeiten nutzbar gemacht werden. Dabei wird übersehen, daß man gewissermaßen nur eine Partitur vor Augen hat und damit etwas über den Akt des Musizierens zu sagen meint. Demgegenüber ist daran festzuhalten, daß der doxologische Text nur ein kleiner Ausschnitt des doxologischen Geschehens ist. Vom Text allein her kann das Ganze der Doxologie deshalb nur schwerlich angemessen interpretiert werden.[421] Es kommt dabei häufig zu einer eingeschränkten Interpretation der Doxologie, die letztlich reduktionistisch ist. Nun läßt sich einwenden, daß ja die theologische Reflexion in der Doxologie *in actu* zum Tragen gebracht werden kann, so daß man sich nicht primär am Text orientiert, sondern am und im Geschehen selbst. Dazu ist nun allerdings zu sagen, daß in der Doxologie in actu die Theologie gewissermaßen suspendiert[422] ist und das Genus "Doxologie" wiederum verfehlt wird, wenn die anbetende Begegnung mit Gott zu einer theologischen Fragestunde umfunktioniert wird. Ist mit dieser Schluß-

---

[421] Für eine Überwindung der Konzentration auf den Text allein sind Ansätze in zwei neueren Arbeiten wichtig: Merz, Liturgisches Gebet als Geschehen, siehe besonders 95, 139, 142; Hoffman, Beyond the Text 172-182.
[422] Vgl. Ritschl, Logik 133.

folgerung aber nicht jede sachgemäße Betrachtung der Doxologie von seiten der theologischen Wissenschaften unmöglich gemacht? Die vorliegende Arbeit verneint dies, wie ich hoffe, gezeigt zu habe. Es ist ja mit all dem nicht gesagt, daß die Doxologie, und gerade doxologische Texte, nicht auch indirekt Aufschluß geben über theologische Implikationen[423] oder auch nur im Sinne einer Suche nach theologischen Themen analysiert werden können. Natürlich ist eine solche theologische Analyse (auch) bei doxologischem Material notwendig und angemessen - ich habe selbst in dieser Arbeit eine solche Analyse des wesleyanischen Liedguts vorgelegt. Der Begriff der "impliziten Theologie" (D. Ritschl) könnte hier hilfreich sein, solange gleichzeitig betont wird, daß es sich in den doxologischen Aussagen eben nicht um das *Genus* theologischer Reflexion handelt, wie der Begriff anzudeuten scheint. Es ist ja zu differenzieren zwischen einem theologischen Verständnis eines vorgegebenen Materials und diesem Material selbst. Eine ihrer Art nach theologische Reflexion, deren Gegenstand doxologisches Material darstellt, ist durchaus möglich.[424] Zu bedenken ist aber, daß eine theologische Untersuchung doxologischen Materials sich aufgrund ihres Gegenstandes noch lange nicht selbst in eine doxologische Stellungnahme verwandelt (wie es der Begriff der "doxologischen Theologie" zu suggerieren scheint), noch verwandelt sich die Doxologie durch diese Untersuchung in theologische Wissenschaft (wie es der Begriff des "gebeteten Dogmas" zu suggerieren scheint). Das vorgegebene Material einer Untersuchung und die Art dieser Untersuchung sind durchaus voneinander zu unterscheiden, auch wenn das Material bestimmte Anforderungen an die Art der Untersuchung stellt und damit Einfluß auf sie nimmt.

Aber mit einer solchen Aussage ist im Grunde noch wenig über das spezifische Verhältnis von Theologie und Doxologie gesagt. Denn theologisch reflektieren läßt sich über fast alles in dieser Welt; die Frage der theologischen Nutzbarmachung - also diejenige nach Quellen der Theologie - liegt auf einer ganz anderen Ebene. Die theologische Interpretation, der Gegenstand dieser Interpretation und die Frage nach der theologischen Nutzbarmachung sollten nicht miteinander verwechselt werden. Nun muß, auch wenn diese Unterscheidung beachtet wird, die Frage nach der

---

[423]Vgl. Lehmann, Gottesdienst 207.
[424]Hilfreich für diese Unterscheidung: J. Schmitz, Religionsphilosophie (Leitfaden Theologie XV), Düsseldorf 1984.

Doxologie als einer möglichen Quelle der Theologie nicht gänzlich verneint werden. Als Ort der anbetenden Begegnung mit Gott ist die Doxologie auch Ort der Wahrheit und Ort der Erkenntnis - allerdings in der ihr eigenen Deutungsstruktur. Dies gilt in besonderem Maße von der theologisch explizit verantworteten Doxologie d.h. der Liturgie ("Kultsprache" im Unterschied zur "Andachtssprache"), die ein wichtiger Teil der Tradition der Kirche ist. Allerdings muß bei einer so verstandenen Offenheit der Doxologie für die theologische Reflexion sichergestellt werden, daß die Theologie die Eigengestalt der Doxologie ernst nimmt und sich ihr als solcher nähert. Die Doxologie kann der Theologie nicht zur Quelle werden, indem sie die ihr eigenen Wesensmerkmale und Funktionsgesetze abstreift, sondern nur, indem diese radikal zur Geltung gebracht werden. Ist dies nicht gewährleistet, so wird die Doxologie hoffnungslos überfordert (d.h. letztlich auch: als Doxologie nicht ernst genommen), und es kommt zu nicht unerheblichen Fehlleistungen. Schlink nennt als Beispiel einer solchen Fehlleistung, die er auf "Strukturverschiebungen" zwischen Doxologie und Theologie zurückführt, die Prädestinationslehre: "Aus der doxologischen Anerkennung der Überschwenglichkeit der allein rettenden Gnade und des ewigen Liebesratschlusses Gottes wird in der Struktur theoretischer Lehre das deterministische Problem, unter dessen furchtbarer logischer Folgerichtigkeit der doxologische Jubel verstummt."[425] Andere theologische Fehlleistungen gegenüber der Doxologie könnten ohne Schwierigkeiten gefunden werden.

Ist hingegen gewährleistet, daß die Wesensmerkmale und Funktionsgesetze der Doxologie beachtet und ernst genommen werden, so scheint es durchaus möglich, von der Doxologie als "locus theologicus", als theologia prima, als Ursprung und Ziel aller Theologie oder auch als den alle Theologie umschließenden Rand[426] zu sprechen. Allerdings scheint bei der gegenwärtigen Diskussionslage immer noch Vorsicht mit solchen verbindenen Begriffen angebracht. So muß sowohl bei der Rede von der Doxologie als theologia prima als auch bei der Forderung nach einer "poetischen"[427] und "doxologischen Theologie" oder der Rede

---

[425]Schlink, Struktur 45.
[426]Vgl. hierzu Ritschl, Logik 337.
[427]Vgl. A. Stock, Zur poetischen Theologie von Huub Oosterhuis, in: ThQ 167 (1987) 45-55.

von einer "knienden Theologie"[428] sehr genau bestimmt werden, auf welcher Ebene hier verbindendes (und trennendes) über beide Grundformen glaubenden Antwortens auf Gottes Heilshandeln ausgesagt werden.

Daß das Beziehungsgeflecht zwischen der doxologischen Rede und der theologischen Reflexion dabei im Laufe der Kirchengeschichte und heute immer noch zwischen den Konfessionen in unterschiedlicher Intensität entwickelt ist, ist offensichtlich. Gefahren drohen sowohl, wenn die Doxologie sich der theologischen Reflexion grundsätzlich entzieht, als auch, wenn die Theologie nicht mehr erkennen läßt, daß in ihr von dem Gott gesprochen wird, den die Doxologie anbetet[429] (m.E. eine Gefahr, der sich die westliche Theologie nicht immer erfolgreich entzogen hat). Wo also theologische oder doxologische Fehlentwicklungen Doxologie und Theologie auseinandergerissen haben, müssen sie sinnvoll wieder aufeinander bezogen werden. - Ob von diesem liturgie-ökumenischen Ansatzpunkt her nicht auch die Methodologie ökumenischer Dialoge noch einmal kritisch zu reflektieren ist, sei zumindest als Frage in den Raum gestellt - die Suche nach einer Antwort wäre eine eigene Arbeit wert. Die ökumenische Relevanz der hier erarbeiteten Thesen ist leicht ersichtlich: Es wäre aufgrund dieser Thesen zu fragen, ob die Konzentration auf die dogmatischen Traditionen der Kirchen, wie sie die ökumenischen Dialoge beherrscht, nicht erweitert werden müßte. Die isolierte Vormachtstellung der dogmatischen Problematik steht in der Gefahr, das ökumenische Potential der Vielsprachigkeit des Glaubens nicht adäquat nutzen zu können - erinnert sei hier nur an die "geheime Ökumene" der Gesangbuchtraditionen getrennter Kirchen. Es besteht darüber hinaus die Gefahr, daß ein - primär über Lehrverhandlungen - angestrebter ökumenischer Konsens als isolierte Wirklichkeit innerhalb der Vielsprachigkeit des Glaubens nicht lebensfähig sein wird. Daß diese Gefahren in der Ökumene durchaus gesehen werden, zeigen einige neuere Konsensdokumente, die in der theologischen Reflexion stärker auf die liturgisch-doxologischen Traditionen der Kirchen rekurrieren, und zwar nicht nur die liturgischen Texte, sondern das liturgische Geschehen als Ganzes (dies gilt besonders für Dialoge, die sich

---

[428]Grabner-Haider, Glaubenssprache 54.
[429]Vgl. hierzu Häußling, Kritische Funktion der Liturgiewissenschaft 103-130.

Themen wie der Amtsproblematik oder auch der Theologie der Ehe widmen, ist aber auch in wachsendem Maße für Dialoge über Taufe und Eucharistie nachweisbar). Dennoch liegen am Schnittpunkt von Liturgie und Ökumene bzw. von Liturgiewissenschaft und ökumenischer Theologie noch wichtige Fragen brach, die sich m.E. gerade durch weitere Arbeiten an den doxologischen Traditionen der getrennten Kirchen thematisieren lassen. Ausgehend von der vorliegenden Untersuchung wird man aber schon jetzt sagen müssen, daß das ökumenische Ringen sich nicht ausschließlich und vorrangig an den Lehrbüchern der getrennten Kirchen orientieren sollte, sondern verstärkt auch den Gebet- und Gesangbüchern, mehr noch: dem doxologischen Vollzug des Gottesvolkes durch die Jahrhunderte, der in diesen Texten seinen Niederschlag findet, nachzuspüren hat.

Das Schlußwort der Arbeit soll der Liturgie, der Doxologie des Gottesvolkes durch die Jahrhunderte, überlassen sein. Sie fängt in der eucharistischen Liturgie in einer der Einleitungen zur Rezitation des Grundgebetes aller Christen einen entscheidenden Aspekt doxologischer *und* theologischer Rede ein. Die Gemeinde wird in der römisch-katholischen Liturgie folgendermaßen zum Herrengebet eingeladen: "Wir haben den Geist empfangen, der uns zu Kindern Gottes macht. Darum wagen wird zu sprechen ('audemus dicere'): Vater unser..." Es schließt sich das gemeinsame Gebet des Vaterunser an. In dieser knappen Formulierung scheint mir die fundamentale Einladung zum Wagnis doxologischer *und* theologischer Sprache gegeben: Beide sind Wagnis (und wir tun gut daran, nie eine ohne die andere in Angriff zu nehmen), aber sie sind kein grundloses Wagnis. Es ist der Geist Gottes, der uns einlädt, dieses Wagnis des Sprechens zu und über Gott immer wieder auf uns zu nehmen. Darum gilt von der Theologie wie von der Doxologie: Audemus dicere, wir wagen zu sprechen ...

Literaturverzeichnis

Biblische Texte werden (sofern nicht anders angegeben) zitiert nach: Einheitsübersetzung der Heiligen Schrift, hg. im Auftrag der Bischöfe Deutschlands u.a., Stuttgart 1985[3]

I. Zu Doxologie und Theologie

Adam, A. Vom Rühmen des Herrn, in: Gott feiern. Theologische Anregung und geistliche Vertiefung zur Feier von Messe und Stundengebet (FS Th. Schnitzler), hg. von J.G. Plöger, Freiburg i.B. 1980[2], 85-93

Adam, K. Die dogmatischen Grundlagen der christlichen Liturgie, in: WiWei 4 (1937) 43-54

Andronikof, C. Dogme et liturgie, in: La Liturgie expression de la foi, hg. von A.M. Triacca/A. Pistoia (BEL.S XVI), Rom 1979, 13-27

Becker, H. Einleitung, in: Liturgie und Dichtung. Ein interdisziplinäres Kompendium, Bd. I: Historische Präsentation, hg. von H. Becker/R. Kaczynski (Pietas Liturgica I), St. Ottilien 1983, 1-3

Berger, T. Einheit der Kirchen - doxologisch konzipiert? Dokumente zum Thema "Gottesdienst" aus dem Ökumenischen Rat der Kirchen, in: LJ 36 (1986) 249-261

Berger, T. Lex orandi - lex credendi - lex agendi. Auf dem Weg zu einer ökumenisch konsensfähigen Verhältnisbestimmung von Liturgie, Theologie und Ethik, in: ALw 27 (1985) 425-432

Braniste, E. Le culte byzantin comme expression de la foi orthodoxe, in: La Liturgie expression de la foi, hg. von A.M. Triacca/A. Pistoia (BEL.S XVI), Rom 1979, 75-88

Brinktrine, J. Der dogmatische Beweis aus der Liturgie, in: Scientia sacra (FS K.J. Schulte), Köln 1935, 231-251

Brinktrine, J. Die Liturgie als dogmatische Erkenntnisquelle, in: EL 43 (1929) 44-51

Brueggemann, W. Israel's Praise. Doxology against Idolatry and Ideology, Philadelphia 1988

Brunner, P. Zur Lehre vom Gottesdienst der im Namen Jesu versammelten Gemeinde, in: Leiturgia. Handbuch des evangelischen Gottesdienstes, Bd. I, hg. von K.F. Müller/W. Blankenburg, Kassel 1954, 83-364

Cappuyns, M. Liturgie et théologie, in: QLP 19 (1934) 249-272

Casper, B. Sprache und Theologie. Eine philosophische Hinführung, Freiburg i.B. 1975

Castro Engler, J. de Lex Orandi, Lex Credendi, in: REB 11 (1951) 23-43

Cecchetti, I. "Tibi silentium laus", in: Miscellanea Liturgica Bd. II (FS C. Mohlberg) (BEL XXIII), Rom 1949, 521-570

Clerck, P. de "Lex orandi, lex credendi". Sens originel et avatars historiques d'un adage équivoque, in: QLP 59 (1978) 193-212

Dalmais, I.-H. La liturgie comme lieu théologique, in: MD 78 (1964) 97-105

Dalmais, I.-H. Liturgie und Glaubensgut, in: Handbuch der Liturgiewissenschaft Bd. I, hg. von A.G. Martimort, Freiburg i.B. 1963, 239-247

Deichgräber, R. Art. "Formeln, liturgische II. Neues Testament und Alte Kirche", in: TRE 11 (1983) 252-271

Dürig, W. Zur Interpretation des Axioms "Legem credendi lex statuat supplicandi", in: Veritati catholicae (FS L. Scheffczyk), hg. von A. Ziegenaus u.a., Aschaffenburg 1985, 226-236

Ebeling, G. Dogmatik des christlichen Glaubens, Bd. I: Prolegomena, Teil 1, Tübingen 1979

Ebeling, G. Die Notwendigkeit des christlichen Gottesdienstes, in: ZThK 67 (1970) 232-249

Eguiluz, A. Lex orandi, lex credendi, in: VyV 6 (1948) 45-67

Einheit der Kirche, Die Material der ökumenischen Bewegung, hg. von L. Vischer (TB XXX), München 1965

Federer, K. Liturgie und Glaube. "Legem credendi lex statuat supplicandi". Eine theologiegeschichtliche Untersuchung (Par. IV), Freiburg i.d.S. 1950

Garijo-Guembe, M.M. Überlegungen für einen Dialog zwischen Orthodoxie und Katholizismus im Hinblick auf den Satz "Lex orandi - lex credendi", in: Liturgie - ein vergessenes Thema der Theologie?, hg. von K. Richter (QD CVII), Freiburg i.B. 1987², 128-152

Geist Gottes - Geist Christi. Ökumenische Überlegungen zur Filioque-Kontroverse, hg. von L. Vischer (ÖR.B XXIX), Frankfurt 1981

"Glaubensausdruck und Glaubenserfahrung im Gottesdienst": Conc(D) 9 (1973) Heft 2

Grabner-Haider, A. Glaubenssprache. Ihre Struktur und Anwendbarkeit in Verkündigung und Theologie, Wien 1975

Griese, E. Perspektiven einer liturgischen Theologie, in: US 24 (1969) 102-113

Häußling, A.A. Kosmische Dimension und gesellschaftliche Wirklichkeit. Zu einem Erfahrungswandel in der Liturgie, in: ALw 25 (1983) 1-8

Häußling, A.A. Die kritische Funktion der Liturgiewissenschaft, in: Liturgie und Gesellschaft, hg. von H.B. Meyer, Innsbruck 1970, 103-130

Häußling, A.A. Art. "Liturgiesprache", in: SM(D) 3 (1969) 278-282

Häußling, A.A. Liturgiewissenschaft zwei Jahrzehnte nach Konzilsbeginn, in: ALw 24 (1982) 1-18

Hardy, D.W./Ford, D. Jubilate. Theology in Praise, London 1984 (eine US-amerikanische Ausgabe erschien unter dem Titel Praising and Knowing God, Philadelphia 1985)

Hoffman, L.A. Beyond the Text. A Holistic Approach to Liturgy (Jewish Literature and Culture), Bloomington 1987

Jennings, T.W. On Ritual Knowledge, in: JR 62 (1982) 111-127

Jenny, M. "Vocibus unitis". Auch ein Weg zur Einheit, in: Liturgie und Dichtung. Ein interdisziplinäres Kompendium, Bd. II: Interdisziplinäre Reflexion, hg. von H. Becker/R. Kaczynski (Pietas Liturgica II), St. Ottilien 1983, 173-205

Jungmann, J.A. Art. "Doxologie", in: LThK 3 (1959²) 534-536

Kallis, A. Theologie als Doxologie. Der Stellenwert der Liturgie in der orthodoxen Kirche und Theologie, in: Liturgie - ein vergessenes Thema der Theologie?, hg. von K. Richter (QD CVII), Freiburg i.B. 1987², 42-53

Kasper, W. Die Wissenschaftspraxis der Theologie, in: Handbuch der Fundamentaltheologie, Bd. IV: Traktat Theologische Erkenntnislehre, hg. von W. Kern u.a., Freiburg i.B. 1988, 242-276

Kavanagh, A. On Liturgical Theology, New York 1985

Kilmartin, E.J. Christian Liturgy: Theology and Practice, Bd. I: Systematic Theology of Liturgy, Kansas City 1988

Kittel, G./von Rad, G. Art. " δόξα", in: ThWNT 2 (1935) 236-256

Klein, C. Das Gebet in der Begegnung zwischen westlicher und ostkirchlicher Frömmigkeit, in: KuD 34 (1988) 232-250

Krahe, M.-J. "Psalmen, Hymnen und Lieder, wie der Geist sie eingibt". Doxologie als Ursprung und Ziel aller Theologie, in:

Liturgie und Dichtung. Ein interdisziplinäres Kompendium, Bd. II: Interdisziplinäre Reflexion, hg. von H. Becker/R. Kaczynski (Pietas Liturgica II), St. Ottilien 1983, 923-957

LaCugna, C.M. Can Liturgy ever again become a Source for Theology?, in: StLi 19 (1989) 1-13

Ladrière, J. Rede der Wissenschaft - Wort des Glaubens, München 1972

Ladrière, J. Die Sprache des Gottesdienstes: Die Performativität der Liturgiesprache, in: Conc(D) 9 (1973) 110-117

Lang, O. Vom Opfer des Lobes, in: Gott feiern. Theologische Anregung und geistliche Vertiefung zur Feier von Messe und Stundengebet (FS Th. Schnitzler), hg. von J.G. Plöger, Freiburg i.B. 1980², 340-349

Lehmann, K. Gottesdienst als Ausdruck des Glaubens. Plädoyer für ein neues Gespräch zwischen Liturgiewissenschaft und dogmatischer Theologie, in: LJ 30 (1980) 197-214

Lies, L. Theologie als eulogisches Handeln, in: ZKTh 107 (1985) 76-91

Liturgie expression de la foi, La. Conférences Saint-Serge, XXVe Semaine d'Etudes Liturgiques, Paris 1978, hg. von A.M. Triacca/A. Pistoia (BEL.S XVI), Rom 1979

Liturgie - vergessenes Thema der Theologie?, hg. von K. Richter (QD CVII), Freiburg i.B. 1987²

Lønning, P. "Die eucharistische Vision" - eine neue Zusammenschau von Gottesdienst- und Bekenntnisgemeinschaft?, in: US 39 (1984) 224-233

Lukken, G. La liturgie comme lieu théologique irremplaçable, in: QLP 56 (1975) 97-112

Maas-Ewerd, Th. Die Liturgie in der Theologie. Zur letzten Festgabe für Emil Joseph Lengeling (+ 18.6.1986), in: LJ 38 (1988) 173-189

Macquarrie, J. Prayer and theological Reflection, in: The Study of Spirituality, hg. von C. Jones u.a., New York 1986, 584-587

McGrath, A.E. Geschichte, Überlieferung und Erzählung, in: KuD 32 (1986) 234-253

Merkel, F. Liturgie - ein vergessenes Thema evangelischer Theologie?, in: Liturgie - ein vergessenes Thema der Theologie?, hg. von K. Richter (QD CVII), Freiburg i.B. 1987², 33-41

Merz, M.B. Gebetsformen der Liturgie, in: Gottesdienst der Kirche. Handbuch der Liturgiewissenschaft, Bd. III: Gestalt des

Gottesdienstes, hg. von H.B. Meyer u.a., Regensburg 1987, 97-130

Merz, M.B. Liturgisches Gebet als Geschehen. Liturgiewissenschaftlich-linguistische Studie anhand der Gebetsgattung Eucharistisches Hochgebet (LQF LXX), Münster 1988

Miller, P. "Enthroned on the Praises of Israel". The Praise of God in Old Testament Theology, in: Interp. 39 (1985) 5-19

Mössinger, R. Zur Lehre des christlichen Gebets. Gedanken über ein vernachlässigtes Thema evangelischer Theologie (FSÖTh LIII), Göttingen 1987

Mohrmann, C. Sakralsprache und Umgangssprache, in: ALw 10 (1968) 344-354

Müller, G. Art. "Gebet. VIII. Dogmatische Probleme gegenwärtiger Gebetstheologie", in: TRE 12 (1983) 84-94

Nissiotis, N. Österliche Freude als doxologischer Ausdruck des Glaubens, in: Gottes Zukunft - Zukunft der Welt (FS J. Moltmann), hg. von H. Deuser, München 1986, 78-88

Nissiotis, N. La Théologie en tant que science et en tant que doxologie, in: Irén. 33 (1960) 291-310

Olivetti, M.M. Sich in seinem Namen versammeln. Kirche als Gottesnennung, in: Gott nennen. Phänomenologische Zugänge, hg. von B. Casper, Freiburg i.B. 1981, 189-217

Oppenheim, P. Liturgie und Dogma, in: ThGl 27 (1935) 559-568

Oppenheim, P. Principia theologiae liturgicae, Turin 1947

Pannenberg, W. Analogie und Doxologie, in: Dogma und Denkstrukturen (FS E. Schlink), hg. von W. Joest/W. Pannenberg, Göttingen 1963, 96-115

Pascher, J. Theologische Erkenntnis aus der Liturgie, in: Einsicht und Glaube (FS G. Söhngen), hg. von J. Ratzinger/H. Fries, Freiburg i.B. 1962, 243-258

Pinto, M. O valor teológico da liturgia, Braga 1952

Plathow, M. Geist und Gebet, in: KuD 29 (1983) 47-65

Power, D.N. Cult to Culture: The Liturgical Foundation of Theology, in: Worship 54 (1980) 482-495

Power, D.N. Doxology: The Praise of God in Worship, Doctrine and Life, in: Worship 55 (1981) 61-69

Power, D.N. Zwei Ausdrücke des Glaubens: Gottesdienst und Theologie, in: Conc(D) 9 (1973) 137-141

Prenter, R. Liturgy and Theology, in: R. Prenter, Theologie und Gottesdienst. Gesammelte Aufsätze (Teologiske Studier VI), Arhus 1977, 139-151

Richter, K. Die Liturgie - zentrales Thema der Theologie, in: Liturgie - ein vergessenes Thema der Theologie?, hg. von K. Richter (QD CVII), Freiburg i.B. 1987[2], 9-27

Ritschl, D. Zur Logik der Theologie. Kurze Darstellung der Zusammenhänge theologischer Grundgedanken, München 1984

Ritschl, D. Memory and Hope. An inquiry concerning the presence of Christ, New York 1967

Saliers, D.E. Theology and Prayer: some conceptual reminders, in: Worship 48 (1974) 230-235

Sauter, G. Das Gebet als Wurzel des Redens von Gott, in: glaube und lernen 1 (1986) 21-38

Sauter, G. Reden von Gott im Gebet, in: Gott nennen. Phänomenologische Zugänge, hg. von B. Casper, München 1981, 219-242

Schaeffler, R. Das Gebet und das Argument; zwei Weisen des Sprechens von Gott. Eine Einführung in die Theorie der religiösen Sprache (Beiträge zur Theologie und Religionswissenschaft), Düsseldorf 1989

Schaeffler, R. Kleine Sprachlehre des Gebets, Einsiedeln 1988

Schaeffler, R. Kultisches Handeln. Die Frage nach Proben seiner Bewährung und nach Kriterien seiner Legitimation, in: Ankunft Gottes und Handeln des Menschen. Thesen über Kult und Sakrament, hg. von P. Hünermann/R. Schaeffler (QD LXXVII), Freiburg i.B. 1977, 9-50

Schaeffler, R. Kultus als Weltauslegung, in: Kult in der säkularisierten Welt, hg. von B. Fischer u.a., Regensburg 1975, 9-62

Schermann, J. Die Sprache im Gottesdienst (ITS 18), Innsbruck 1987

Schillebeeckx, E. Gesammelte Schriften, Bd. I: Offenbarung und Theologie, Mainz 1965

Schlink, E. Die Aufgaben einer ökumenischen Dogmatik, in: Zur Auferbauung des Leibes Christi (FS P. Brunner), hg. von E. Schlink/A. Peters, Kassel 1965, 84-93

Schlink, E. Gesetz und Evangelium als kontroverstheologisches Problem, in: E. Schlink, Der kommende Christus und die kirchlichen Traditionen. Beiträge zum Gespräch zwischen den getrennten Kirchen, Göttingen 1961, 126-159

Schlink, E. Die Methode des dogmatischen ökumenischen Dialogs, in: KuD 12 (1966) 205-211

Schlink, E. Ökumenische Dogmatik. Grundzüge, Göttingen 1983

Schlink, E. Die Struktur der dogmatischen Aussage als ökumenisches Problem, in: KuD 3 (1957), 251-306, neu abgedruckt in: E.

Schlink, Der kommende Christus und die kirchlichen Traditionen. Beiträge zum Gespräch zwischen den getrennten Kirchen, Göttingen 1961, 24-79

Schlink, E. Wandlungen im protestantischen Verständnis der Ostkirche, in: E. Schlink, Der kommende Christus und die kirchlichen Traditionen. Beiträge zum Gespräch zwischen den getrennten Kirchen, Göttingen 1961, 221-231

Schmemann, A. Introduction to Liturgical Theology (LOT IV), Portland/Maine 1966

Schmemann, A. Théologie liturgique. Remarques méthodologiques, in: La Liturgie, son sens, son ésprit, sa méthode. Liturgie et théologie, hg. von A. Pistoia/A.M. Triacca (BEL.S XXVII), Rom 1982, 297-303

Schmemann, A. Theology and Liturgical Tradition, in: Worship in Scripture and Tradition, hg. von M.H. Shepherd, New York 1963, 165-178

Schmidt, H.A.P. Lex orandi lex credendi in recentioribus documentis pontificiis, in: PRMCL 40 (1951) 5-28

Schückler, G. Legem credendi lex statuat supplicandi. Ursprung und Sinn des Liturgiebeweises, in: Cath(M) 10 (1955) 26-41

Schulz, H.-J. Ökumenische Glaubenseinheit aus eucharistischer Überlieferung (KKTS XXXIX), Paderborn 1976

Seckler, M. Theologie als Glaubenswissenschaft, in: Handbuch der Fundamentaltheologie, Bd. IV: Traktat Theologische Erkenntnislehre, hg. von W. Kern u.a., Freiburg i.B. 1988, 180-241

Steinheimer, M. Die Doxa tou Theou in der römischen Liturgie (MThS II,4), München 1951

Stenzel, A. Liturgie als theologischer Ort, in: Mysterium Salutis, Bd. I: Die Grundlagen heilsgeschichtlicher Dogmatik, hg. von J. Feiner/M. Löhrer, Einsiedeln 1965, 606-620

Stevick, D.B. The Language of Prayer, in: Worship 52 (1978) 542-560

Stevick, D.B. Toward a Phenomenology of Praise, in: Worship points the Way (FS M.H. Shepherd), hg. von M.C. Burson, New York 1981, 151-166

Stuiber, A. Art. "Doxologie", in: RAC 4 (1959) 210-226

Suttner, E.Chr. Glaubensverkündigung durch Lobpreis. Zur Interpretation der byzantinischen gottesdienstlichen Hymnen, in: Unser ganzes Leben Christus unserm Gott überantworten. Studien zur ostkirchlichen Spiritualität (FS F. von Lilienfeld), hg. von P. Hauptmann (KO.M XVII), Göttingen 1982, 76-101

Theodorou, E.   Theologie und Liturgie, in: La théologie dans l'Eglise et dans le monde (Les études théologiques de Chambésy IV), Chambésy 1984, 343-360

Theorie der Sprachhandlungen und heutige Ekklesiologie, hg. von P. Hünermann/R. Schaeffler (QD CIX), Freiburg i.B. 1987

Triacca, A.M.   Le sens théologique de la liturgie et/ou le sens liturgique de la théologie. Esquisse initiale pour une synthèse, in: La Liturgie, son sens, son ésprit, sa méthode. Liturgie et théologie, hg. von A. Pistoia/A.M. Triacca (BEL.S XXVII), Rom 1982, 321-337

Tyrrell, G.   Lex credendi, a sequel to Lex orandi, London 1907, new impression

Tyrrell, G.   Lex orandi, or Prayer and Creed, London 1907, new impression

Tyrrell, G.   Through Scylla and Charybdis, or: the old theology and the new, London 1907

Umberg, J.B.   Liturgischer Stil und Dogmatik, in: Schol. 1 (1926) 481-503

Vagaggini, C.   Theologie der Liturgie, Einsiedeln 1959

Vaquero, T.   Valor Dogmatico da Liturgia ou Relaçoes Entre Liturgia e Fé, in: REB 9 (1949) 346-363

Vonier, A.   The doctrinal power of the liturgy in the Catholic Church, in: CleR 9 (1935) 1-8

Vorgrimler, H.   Liturgie als Thema der Dogmatik, in: Liturgie - ein vergessenes Thema der Theologie?, hg. von K. Richter (QD CVII), Freiburg i.B. 1987[2], 113-127

Vries, W. de   Lex supplicandi - lex credendi, in: EL 47 (1933) 48-58

Wainwright, G.   Art. "Adoration", in: The Westminster Dictionary of Christian Theology, hg. von A. Richardson/J. Bowden, Philadelphia 1983, 6.

Wainwright, G.   Doxology. The Praise of God in Worship, Doctrine and Life. A Systematic Theology, London/New York 1980 (London 1982[2], New York 1984[2])

Wainwright, G.   Der Gottesdienst als "Locus Theologicus", oder: Der Gottesdienst als Quelle und Thema der Theologie, in: KuD 28 (1982) 248-258

Wainwright, G.   Art. "Gottesdienst. IX. Systematisch-theologisch", in: TRE 14 (1985) 85-93

Wainwright, G.   A Language in Which We Speak to God, in: Worship 57 (1983) 309-321

Wainwright, G.   The Language of Worship, in: The Study of Liturgy, hg. von C. Jones u.a., New York 1978, 465-473

Wainwright, G.   In Praise of God, in: Worship 53 (1979) 496-511

Wainwright, G.   The Praise of God in the Theological Reflection of the Church, in: Interp. 39 (1985) 35-45

Ways of Worship. The Report of a Theological Commission of Faith and Order, hg. von P. Edwall u.a., London 1951

Welte, B.   Religiöse Sprache, in: ALw 15 (1973) 7-20

Welte, B.   Religionsphilosophie, Freiburg i.B. 1978

Werlen, I.   Ritual und Sprache. Zum Verhältnis von Sprechen und Handeln in Ritualen, Tübingen 1984

Zeller, D.   Gott nennen an einem Beispiel aus dem Psalter, in: Gott nennen. Phänomenologische Zugänge, hg. von B. Casper, Freiburg i.B. 1981, 13-34

II. Zum wesleyanischen Liedgut

Adams, C.   The Poet Preacher: a brief memorial of Charles Wesley, the eminent preacher and poet, New York 1859

Adey, L.   Hymns and the Christian "Myth", Vancouver 1986

Algermissen, K.   Art. "Methodisten, Methodismus", in: LThK 7 (1962[2]) 369-372

Anderson, L.   The doctrine of Christian holiness as found in the writings of John Wesley and reflected in his hymns, M.A. thesis St. John's University, Collegeville/Minn. 1969 (masch.)

Baker, F.   Charles Wesley as revealed by his Letters, London 1948

Baker, F.   Charles Wesley's Verse. An introduction, London 1964[1], 1988[2]

Baker, F.   The Prose Writings of Charles Wesley, in: LQHR 182 (1957) 268-274

Beckerlegge, O.A.   An Attempt at a Classification of Charles Wesley's Metres, in: LQHR 169 (1944) 219-227

Beckerlegge, O.A.   Charles Wesley's Vocabulary, in: LQHR 193 (1968) 152-161

Beckerlegge, O.A.   The Development of the 'Collection', in: A Collection of Hymns for the use of the People called Methodists, hg. von F. Hildebrandt/O.A. Beckerlegge (The Works of John Wesley VII), Oxford 1983, 22-30

Beckerlegge, O.A. John Wesley and the German Hymns, in: LQHR 165 (1940) 430-439

Beckerlegge, O.A. John Wesley as Hymn-book Editor, in: A Collection of Hymns for the use of the People called Methodists, hg. von F. Hildebrandt/O.A. Beckerlegge (The Works of John Wesley VII), Oxford 1983, 55-61

Beckerlegge, O.A. A Man of One Book: Charles Wesley and the Scriptures, in: Epworth Review 15 (1988) 44-50

Beckerlegge, O.A. The Sources of the 'Collection', in: A Collection of Hymns for the use of the People called Methodists, hg. von F. Hildebrandt/O.A. Beckerlegge (The Works of John Wesley VII), Oxford 1983, 31-38

Benson, L.F. The English Hymn: Its Development and Use in Worship, New York 1915

Berger, T. Charles Wesley und sein Liedgut - eine Literaturübersicht, in: ThR 84 (1988) 441–450

Bett, H. German Books on Wesley's Hymns, in: PWHS 21 (1938) 180-181

Bett, H. The Hymns of Methodism in their literary relations, London (1913[1]) 1945[3]

Bett, H. John Wesley's Translations of German Hymns, in: LQHR 165 (1940) 288-294

Bucher, A.J. E in Sänger des Kreuzes, Basel 1912

Charles Wesley's Earliest Evangelical Sermons: Six Shorthand Manuscript Sermons now for the first time transcribed from the original, hg. von T.R. Albin/O.A. Beckerlegge (Occasional Publications of the Wesley Historical Society), London 1987

Clark, E.T. Charles Wesley. The Singer of the Evangelical Revival (The Upper Room), Nashville/Tenn. 1957

Clark, G. Charles Wesley's greatest Poem, in: MethH 26 (1988) 163-171

Collection of Hymns for the use of the People called Methodists, A. hg. von F. Hildebrandt/O.A. Beckerlegge (The Works of John Wesley VII), Oxford 1983

Collection of Psalms and Hymns, A. [Charles-Town 1737], reprint hg. von F. Baker/G.W. Williams (The Wesley Historical Society VI), Charleston/SC 1964

Colquhoun, F. Charles Wesley, 1707-1788. The Poet of the Evangelical Revival (Great Churchmen), London o.J.

Colquhoun, F. Hymns that Live: their Meaning and Message, London 1980

Dahn, K. Die Hymnologie im deutschsprachigen Methodismus, in: Der Methodismus, hg. von C.E. Sommer (KW A/VI), Stuttgart 1968, 166-184

Dale, J. The theological and literary qualities of the poetry of Charles Wesley in relation to the standards of his age, PhD thesis, Cambridge 1960 (masch.)

Dale, J. Some echoes of Charles Wesley's Hymns in his Journal, in: LQHR 184 (1959) 336-344

Dallimore, A.A. A Heart Set Free. The Life of Charles Wesley, Westchester/ Ill. 1988

Davie, D. Purity of Diction in English Verse, New York 1953

Demaray, D.E. The Innovation of John Newton (1725-1807). Synergism of Word and Music in Eighteenth Century Evangelism (Texts and Studies in Religion XXXVI), Lewiston/Queenston 1988

Doughty, W.L. Charles Wesley, Preacher, in: LQHR 182 (1957) 263-267

Eißele, K.G. Charles Wesley, Sänger des Methodismus, Bremen 1932

Ekrut, J.C. Universal redemption, assurance of salvation, and Christian perfection in the hymns of Charles Wesley, with poetic analyses and tune examples, M.Mus. thesis, Southwestern Baptist Theological Seminary, Fort Worth/Texas 1978 (masch.)

England, M.W. The First Wesley Hymn Book, in: Bulletin of the New York Public Library 68 (1964) 225-238

Findlay, G.H. Christ's Standard Bearer. A study in the hymns of Charles Wesley as they are contained in the last edition (1876) of A Collection of Hymns for the Use of the People Called Methodists by the Rev. John Wesley, M.A., London 1956

Fleming, R.L. The Concept of Sacrifice in the Eucharistic Hymns of John and Charles Wesley, PhD thesis Southern Methodist University, Dallas 1980 (masch.)

Flew, R.N. The Hymns of Charles Wesley. A study of their structure, London 1953

Gallaway, C. The Presence of Christ with the Worshiping Community. A study in the hymns of John and Charles

Wesley, PhD thesis Emory University, Atlanta/Georgia 1988 (masch.)

Gill, F.C. Charles Wesley, the first Methodist, New York 1964

Gill, F.C. The Romantic Movement and Methodism. A study of English Romanticism and the Evangelical Revival, London 1937

Heitzenrater, R.P. The present state of Wesley Studies, in: MethH 22 (1984) 221-233

Henry, M. An Exposition of the Old and New Testament: wherein each chapter is summed up in its contents: each sacred text inserted at large, in distinct paragraphs; each paragraph reduced to its proper heads: the sense given, and largely illustrated; with practical remarks and observances [Bd. I-V, 1708-1710], new edition Bd. I-VI, New York o.J.

Hildebrandt, F. Christianity according to the Wesleys, London 1956

Hildebrandt, F. From Luther to Wesley, London 1951

Hymns on God's Everlasting Love. To which is added, The Cry of a Reprobate, Bristol 1741

Hymns on the Lord's Supper, With a Preface concerning The Christian Sacrament and Sacrifice, extracted from Dr. Brevint, Bristol 1745

Hymns on the Trinity, Bristol 1767

Jackson, T. The Life of the Rev. Charles Wesley, M.A., some time student of Christ-Church, Oxford; comprising a review of his poetry; sketches of the rise and progress of Methodism; with notices of contemporary events and characters, (London 1841[1]) New York 1844

Jarboe, B.M. John and Charles Wesley: A Bibliography (American Theological Library Association Bibliography XXII), Metuchen/NJ 1987

John and Charles Wesley: Selected Prayers, Hymns, Journal Notes, Sermons, Letters, and Treatises, hg. von F. Whaling (The Classics of Western Spirituality), Ramsey/NJ 1981

Jones, D.M. Charles Wesley. A study, London o.J. [1919]

Journal of the Rev. Charles Wesley, The. To which are appended selections from his correspondence and poetry, Bd. I-II, hg. von T. Jackson, London 1849 (reprint Grand Rapids 1980, Kansas City 1980)

Journal of the Rev. Charles Wesley, The. The early journal, 1736-1739 [London 1910], reprint hg. von der Methodist Reprint Society, Taylors/SC 1977

Kimbrough, S.T.   Charles Wesley as a Biblical Interpreter, in: MethH 26 (1988) 139-153

Kimbrough, S.T.   Hymns are Theology, in: ThTo 42 (1985) 59-68

Kimbrough, S.T.   Lost in Wonder. Charles Wesley: The Meaning of his Hymns, Nashville/Tenn. 1987

Kirk, J.   Charles Wesley, the poet of Methodism. A lecture, London 1860

Lloyd, A.K.   Charles Wesley's Debt to Matthew Henry, in: LQHR 171 (1946) 330-337

Lofthouse, W.F.   Charles Wesley, in: A History of the Methodist Church in Great Britain, Bd. I, hg. von R.E. Davies/G. Rupp, London 1965, 113-144

Manning, B.   The Hymns of Wesley and Watts. Five informal papers, London 1948[5]

Marshall, M.F./Todd, J.   English Congregational Hymns in the Eighteenth Century, Lexington 1982

Mayer, E.   Charles Wesleys Hymnen. Eine Untersuchung und literarische Würdigung, Diss. Tübingen 1957 (masch.)

Methodismus, Der. hg. von C.E. Sommer (KW A/VI), Stuttgart 1968

Morris, G.L.   Imagery in the Hymns of Charles Wesley, PhD thesis, University of Arkansas 1969 (Mikrofilm-Xerographie 1981)

Myers, E.P.   Singer of Six Thousand Songs; a life of Charles Wesley, London 1965

Nicholson, R.S.   The Holiness Emphasis in the Wesleys' Hymns, in: Wesleyan Theological Journal 5 (1970) 49-61

Noll, M.A.   Romanticism and the Hymns of Charles Wesley, in: EvQ 46 (1974) 195-223

Nuelsen, J.L.   John Wesley und das deutsche Kirchenlied (BGM IV), Bremen 1938

Poetical Works of John and Charles Wesley, The. Reprinted from the originals, with the last corrections of the authors; together with the poems of Charles Wesley not before published, Bd. I-XIII, hg. von G. Osborn, London 1868-1872

A Rapture of Praise. Hymns of John and Charles Wesley, hg. von H.A. Hodges/A.M. Allchin, London 1966

Rattenbury, J.E.   The Eucharistic Hymns of John and Charles Wesley, London 1948

Rattenbury, J. E.   The Evangelical Doctrines of Charles Wesley's Hymns, London 1942[2]

Representative Verse of Charles Wesley, hg. von F. Baker, London 1962

Röbbelen, I. Theologie und Frömmigkeit im deutschen evangelisch-lutherischen Gesangbuch des 17. und 18. Jahrhunderts (FKDG VI), Göttingen 1957

Routley, E. Charles Wesley and Matthew Henry, in: ConQ 33 (1955) 345-351

Schmidt, M. John Wesley, Bd. I: Die Zeit vom 17. Juni 1703 bis 24. Mai 1738, Zürich 1953; Bd. II: Das Lebenswerk John Wesleys, Zürich 1966 (Bd. I–III, Zürich 1987²)

Schmidt, M. Luthers Vorrede zum Römerbrief im Pietismus, in: M. Schmidt, Wiedergeburt und neuer Mensch. Gesammelte Studien zur Geschichte des Pietismus (AGP II), Witten 1969, 299-330

Schmidt, M. Methodismus, in: Konfessionskunde, hg. von F. Heyer, Berlin 1977, 595-605

Schmidt, M. Art. "Methodismus", in: RGG 4 (1960³) 913-919

Schmidt, M. Teilnahme an der göttlichen Natur. 2 Petr 1,4 in der theologischen Exegese des Pietismus und der lutherischen Orthodoxie, in: M. Schmidt, Wiedergeburt und neuer Mensch. Gesammelte Studien zur Geschichte des Pietismus (AGP II), Witten 1969, 238-298

Schneeberger, V. Theologische Wurzeln des sozialen Akzents bei John Wesley, Zürich 1974

Sermons by the late Rev. Charles Wesley, London 1816

Short Hymns on Select Passages of the Holy Scriptures, Bd. I-II, Bristol 1762, reprint hg. von S.T. Kimbrough, Metuchen/NJ 1988

Smith, T. The Holy Spirit in the Hymns of the Wesleys, in: Wesleyan Theological Journal 16 (1981) 20-48

Stevenson, R. John Wesley's first Hymnbook, in: RR 14 (1950) 140-160

Telford, J. The Life of Rev. Charles Wesley, M.A., London (1886¹), 1900²

Townsend, J.A. Feelings related to Assurance in Charles Wesley's Hymns, PhD thesis Fuller Theological Seminary, Pasadena/CA 1979 (Microfilm Xerographie)

Tyerman, L. The Life and Times of the Rev. Samuel Wesley, Rector of Epworth and Father of the Revs. John and Charles Wesley, the founders of the Methodists, London 1866

Tyson, J.R. Charles Wesley and Edward Young, in: MethH 27 (1989) 110-118

Tyson, J.R. Charles Wesley on Sanctification. A biographical and theological study, Grand Rapids 1986

Tyson, J.R. Charles Wesley's Theology of the Cross: An Examination of the Theology and Method of Charles Wesley as seen in his Doctrine of the Atonement, PhD thesis Drew University, Madison/NJ 1983 (Microfilm Xerographie 1986)

Tyson, J.R. Charles Wesley's Theology of Redemption: A Study in Structure and Method, in: Wesleyan Theological Journal 20 (1985) 7-28

Unpublished Poetry of Charles Wesley, The. Bd. I, hg. von S.T. Kimbrough/O.A. Beckerlegge, Nashville/Tenn. 1988

Völker, A. Art. "Gesangbuch", in: TRE 12 (1984) 547-565

Welch, B.A. Charles Wesley and the Celebrations of Evangelical Experience, PhD thesis, University of Michigan 1971 (Microfilm Xerographie 1973)

Whitehead, J. The Life of the Rev. Charles Wesley, M.A., late student of Christ-Church, Oxford, collected from his private journal, Dublin (1793[1]) 1805[2]

Wiseman, F.L. Charles Wesley and his Hymns (Wesley Bi-Centenary Manuals VI), London o.J. [1938?]

Wiseman, F.L. Charles Wesley, Evangelist and Poet, New York 1932

Works of John Wesley, The [ab 1984: The Bicentennial Edition of the Works of John Wesley]:
Bd. VII: A Collection of Hymns for the use of the People called Methodists, hg. von F. Hildebrandt/O. Beckerlegge, Oxford 1983
Bd. XXV: Letters I, 1721-1739, hg. von F. Baker, Oxford 1980
Bd. XXVI: Letters II, 1740-1755, hg. von F. Baker, Oxford 1982

Namenregister

Adam, A. 195
Adam, K. 35
Adams, C. 98
Allchin, A.M. 172
Althaus, P. 45
Anderson, L. 102
Andronikof, C. 52
Angelus Silesius 160
Augustinus 124
Austin, J.L. 196, 202
Baker, F. 79, 100, 104, 106, 114
Barth, K. 45
Becker, H. 20
Beckerlegge, O.A. 80, 83, 96, 99, 104, 114, 116, 166
Bengel, J.A. 118
Benson, L.F. 79
Berger, T. 27, 55f, 96
Bett, H. 99f, 104, 114, 117f, 122, 124, 139
Bettermann, W. 126
Blackmore, R. 121
Böhler, P. 71, 90
Braniste, E. 52
Brevint, D. 123
Brinktrine, J. 35
Brueggemann, W. 188, 195
Brunner, P. 45, 202, 208
Bucher, A.J. 104
Cappuyns, M. 35
Casel, O. 39
Casper, B. 191, 193, 196, 202
Castro Engler, J. de 35
Cecchetti, I. 190
Clark, E.T. 98
Clark, G. 111
Clerck, P. de 37
Coelestin I. 32
Colquhoun, F. 89, 98, 127
Cowper, W. 84

MÜNSTERANER THEOLOGISCHE ABHANDLUNGEN
(MThA)

Herausgegeben von
Arnold Angenendt, Klemens Richter
Herbert Vorgrimler, Erich Zenger
Professoren der Katholisch-Theologischen Fakultät
der Universität Münster

1. Monika Ausel, Monumente des Todes — Dokumente des Lebens? Christliche Friedhofs- und Grabmalgestaltung heute. Telos-Verlag, Altenberge 1988, 260 S., DM 34,80. ISBN 3-89375-004-5

2. Annette Rieks, Französische Sozial- und Mentalitätsgeschichte. Ein Forschungsbericht. Telos-Verlag, Altenberge 1989, X+260 S., DM 29,80. ISBN 3-89375-005-3

3. Rudolf Solzbacher, Mönche, Pilger und Sarazenen. Studien zum Frühchristentum auf der südlichen Sinaihalbinsel — Von den Anfängen bis zum Beginn islamischer Herrschaft. Telos-Verlag, Altenberge 1989, 444 S., DM 79,80. ISBN 3-89375-007-X

4. Annette Mönnich, Der Religionslehrer: Glaubenszeuge als personales Medium im Religionsunterricht der Sekundarstufe II. Telos-Verlag, Altenberge 1989, XII+221 S., DM 29,80. ISBN 3-89375-013-4

5. Ralf Miggelbrink, Ekstatische Gottesliebe im tätigen Weltbezug. Der Beitrag Karl Rahners zur zeitgenössischen Gotteslehre. Telos-Verlag, Altenberge 1989, XVI+421 S., DM 49,80. ISBN 3-89375-014-2

6. Teresa Berger, "Theologie in Hymnen"? Zum Verhältnis von Theologie und Doxologie am Beispiel der "Collection of Hymns for the use of the People called Methodists" (1870). Telos-Verlag, Altenberge 1989, 234 S., DM 29,80. ISBN 3-89375-015-0